加油! *jiā yóu*

Chinese for the Global Community

Instructor's Resource Manual 1

许嘉璐 主编
XU Jialu

陈绂　　　王若江　　　朱瑞平
CHEN Fu　　WANG Ruojiang　　ZHU Ruiping

娄毅　　杨丽姣　　李凌艳　　Pedro ACOSTA
LOU Yi　　YANG Lijiao　　LI Lingyan

THOMSON

北京师范大学出版社
BEIJING NORMAL UNIVERSITY PRESS

加油！
jiā yóu

Chinese for the Global Community

Instructor's Resource Manual 1 with Audio CD and CD-ROM

Publishing Director: Paul Tan
Business Development Director: Joh Liang Hee
Editorial Manager: Andrew Robinson
Product Manager: Mei Yun Loh
Development Editor: Lan Zhao
Associate Development Editor: Coco Koh
Senior Publishing Executive: Pauline Lim
Publishing Executive: Gemaine Goh
Senior Accounts Manager (China)**:** Caroline Ma
Marketing Coordinator (China)**:** Mana Wu
Business Development (Asia)**:** Joyce Tan
Business Development (China)**:** Chi Jin
Graphic Designer: Debbie Ng

Publisher: Lai Desheng
Executive Editors: Yin Lili, Yang Fan
Graphic Designer: Li Baofen
Illustrator: Bo Hai
Proofreader: Li Han

Cover and Layout Design: Redbean De Pte Ltd
Photos: Getty Images, unless otherwise stated
Printer: Seng Lee Press Pte Ltd

© 2008 THOMSON LEARNING (a division of Thomson Asia Pte Ltd)
and BEIJING NORMAL UNIVERSITY PRESS

Printed in Singapore
1 2 3 4 5 6 7 8 9 10 — 11 10 09 08 07

ISBN: 978-981-4221-63-4 (International Orders)
ISBN: 978-7-303-08418-0 (Mainland China Orders)

For more information or permission to use material from this text or product, contact your local Thomson or BNUP sales representative. Or you can visit our Internet sites at
http://www.thomsonlearningasia.com
http://www.bnup.com.cn

THOMSON LEARNING

Asia Head Office (Singapore)
Thomson Learning
(a division of Thomson Asia Pte Ltd)
5 Shenton Way #01-01, UIC Building
Singapore 068808
Tel: (65) 6410 1200
Fax: (65) 6410 1208
E-mail: tlsg.info@thomson.com

United States
Thomson Higher Education
25 Thomson Place
Boston, MA 02210
Tel: 800-354-970
Fax: 800-487-8488
E-mail: tlsg.info@thomson.com

China
Thomson Learning
(a division of Thomson Asia Pte Ltd,
Beijing Representative Office)
Room 1201, South Tower,
Building C
Raycom Info Tech Park
No. 2, Kexueyuan South Road,
Haidian, Beijing, China 100080
Tel: (86) 10-8286 2096
Fax: (86) 10-8286 2089
E-mail: tlsg.infochina@thomson.com

BEIJING NORMAL UNIVERSITY PRESS

China
No. 19 Xinjiekouwai Street
Beijing, China 100875
Tel: (86) 10-5880 2811 / 5880 2833
Fax: (86) 10-5880 2838
E-mail: yll@bnup.com.cn
          fan@bnup.com.cn

Author's Message

Jia You! Chinese for the Global Community is specially written for anyone who seeks to learn about the Chinese culture and people, and to use this knowledge in the context of the global community.

The most important aim of learning another language is to be able to exchange ideas with people of another culture. In order to achieve this, you need to learn about the culture of the people you wish to communicate with. From this perspective, a good textbook should contain rich cultural content. It should also provide the learner with a variety of exercises and reference materials so that they can get more practice in using the language.

It was in accordance with the above principles that we wrote this textbook series. It was created by a team of distinguished Chinese and American scholars who are experts in both Chinese language teaching, and subjects such as educational psychology, Chinese history, and culture.

If you already have some knowledge of Chinese and would like to go on learning, then this textbook series is definitely suitable for you. We hope it will inspire you to lifelong learning about the Chinese language and people.

We are keen to hear feedback from students and teachers who use this textbook series. This will be of great help to us, and will also help in strengthening friendship between the Chinese and American people.

Xu Jialu

PRINCIPAL
College of Chinese Language and Culture
Beijing Normal University, China

Acknowledgments

We would like to express our most sincere gratitude to Thomson Learning and Beijing Normal University Press Publishers, for their vision and leadership in the development of quality Chinese language materials. Our thanks to all the editorial and production staff for their hard and meticulous work, enthusiasm, and commitment to the success of this project.

Our deepest appreciation to our colleagues, whose ideas and suggestions at the initial stages helped shaped the development of this program.

Richard Chi, *Utah State University, Utah*
Jianhua Bai, *Kenyon College, Ohio*
Tao-chung Yao, *University of Hawaii*
Zhaoming Pan, *South Seas Arts Center, USA; Peking University*
Yu-Lan Lin, *Boston Public Schools, Massachusetts*
Xiaolin Chang, *Lowell High School, California*
Lucy Lee, *Livingston High School, New Jersey*
Carol Chen-Lin, *Choate Rosemary Hall, Connecticut*
Feng Ye, *Punahou High School, Hawaii*
Shuqiang Zhang, *University of Hawaii*
Qinru Zhou, *Harvard Westlake High School, California*

Special thanks to Mr. Gaston Caperton (President), Mr. Thomas Matts and Ms. Selena Cantor from the College Board for their help and hospitality during our study tour in the United States. Our thanks also go to Ms. Xu Lin (Director, Office of Chinese Language Council International) and her colleagues for their support of this project.

We are deeply grateful to all reviewers for their constructive comments and suggestions. Your contribution enriched the *Jia You!* program with your wealth of expertise and experience.

Miao-fen Tseng, *University of Virginia*
Baocai Paul Jia, *Cupertino High School, California*
Xiaolin Chang, *Lowell High School, California*
Bih-Yuan Yang, *Mira Loma High School, California*
Xiaohong Wen, *University of Houston, Texas*
Chao-mei Shen, *Rice University, Texas*
Jinghui Liu, *California State University, Fullerton*
Xing King, *Bishop School, California*
Pifeng Esther Hsiao, *Bishop School, California*
Yangyang Qin Daniell, *Lawrenceville School, New Jersey*
Xiaohua Yu, *Piedmont High School, California*
Yumei Chu, *Saratoga Community Chinese School, California*

Preface

Jia You! Chinese for the Global Community presents a stimulating gateway to Chinese language and culture. It was developed to meet the needs of students and instructors of different backgrounds and levels of experience. Packed with stimulating content and with a rich array of teaching resources, *Jia You!* empowers instructors to engage and inspire their students.

"I believe in integrating the teaching of language and culture."

Jia You! places a great emphasis on communication through cultural understanding. Readings are infused with rich linguistic and cultural content. Each unit features full-color, authentic photographs of people and their activities to immerse students in the color and life of Chinese speaking communities. Students are frequently encouraged to contemplate their own cultural heritage in comparison to that of the Chinese-speaking world. Students also learn to communicate appropriately in different social and cultural settings through active participation in a broad range of communicative activities.

"My students come from different backgrounds and have varied levels of Chinese proficiency."

Jia You! presents simplified and traditional characters side-by-side throughout the Textbook and Workbook to accommodate students interested in learning either form. Vocabulary definitions are supplemented with multiple examples of proper usage. Writing and speaking tasks are broken down into their parts, and prompts are provided to guide students through each step of the process. Supplementary readings are provided at the end of each lesson for advanced students; Questions placed alongside the supplementary texts help train students to make educated guesses via contextual cues.

"To keep my students interested and motivated, I spend a lot of time supplementing my current textbook."

One of the highlights of *Jia You!* is its compelling topics and stimulating readings. The texts are all relevant to the theme of each unit, but present a range of perspectives and a variety of text types. The program also offers additional cultural materials for every lesson in the Instructor's Resource Manual. Also available are a video program that can be used in class, and a companion website that features helpful Chinese learning software tools and web resources.

"I need to adequately prepare my students for the new AP Chinese Language and Culture Exam."

The *Jia You!* program systematically integrates the 5Cs of the *National Standards for Foreign Language Education* – Communication, Cultures, Comparisons, Connections, and Communities. The Textbook interweaves rich, high-interest cultural content. The Workbook is modeled after the question types in the AP Chinese Language and Culture exam. Students who are sitting for the AP Chinese Language and Culture Exam can get extensive practice of this the exam format.

"My teachers have varied levels of experience. I need materials to efficiently train and support them."

The structure of the Textbook presents a logical pedagogical sequence, made easy for both novice and expert instructors to follow. The Instructor's Resource Manual explains the goals of each unit and provides notes on the 5Cs. It also includes practical tips for teaching the four language skills, sample lesson plans, and expanded notes on vocabulary terms, sentence patterns, and expressions. Additional classroom activities expand on the exercises found in the main text to address the needs of mixed-ability classes. Instructors are also provided with a rich bank of authoritative and accurate cultural information. The Instructor's Resource Manual also contains answer keys to Workbook exercises and tests. The bound-in CD-ROM features midterm and final exams in PDF formats and supplementary materials for optional use in class or as homework. A separate Audio CD, also bound-in, contains the recordings for the listening comprehension sections of the midterm and final exams.

Organization of Textbook

The unit begins with full-color photos and warm-up questions.

Simplified and traditional character versions are presented side-by-side throughout the Textbook.

The main text is infused with cultural content. Vocabulary terms are highlighted in the text.

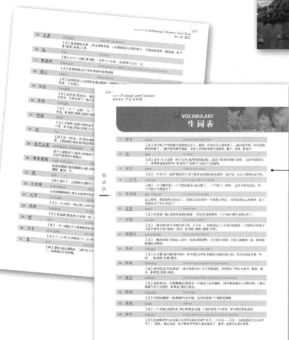

The vocabulary gives both simplified and traditional forms, *pinyin* pronunciation, grammatical function, English and Chinese definitions, and multiple examples of usage of each item.

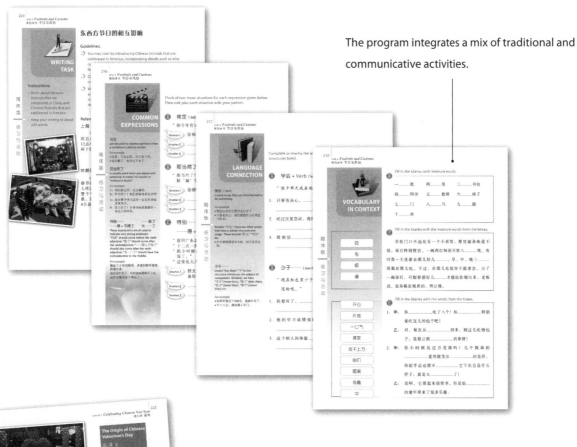

The program integrates a mix of traditional and communicative activities.

Guided communicative activities allow students to apply what they have learned to daily life situations.

The supplementary practice text is carefully chosen to complement the theme of each lesson. Questions alongside the text help train students to make educated guesses via contextual clues.

Scope and Sequence

UNIT 1:
SPORTS AND FITNESS 體育與健身

<table>
<tr>
<td>COMMUNICATIVE GOALS</td>
<td colspan="2">
• Describe a favorite sport activity
• Ask questions and provide answers on a topic
• Express thoughts and opinions clearly and correctly
</td>
</tr>
<tr>
<td>CHINESE TEXTS</td>
<td>
Lesson 1:

Shaolin Kung Fu
少林功夫
Do You Like Yao Ming?
你喜歡姚明嗎?
</td>
<td>
Lesson 2:

What's Your Favorite Sport?
你喜歡什麼運動?
The Table-Tennis Club
乒乓球俱樂部
</td>
</tr>
<tr>
<td>GRAMMAR STRUCTURES</td>
<td>
• 以及…… (and…)
• 在於…… (lie in…)
• 不僅……而且…… (not only…, but also…)
• 是……的 (*to describe the thing that comes before "是"*)
• 不……嗎 (*in questions requiring a Yes/No answer*)
• 如果……那就…… (if…, then…)
</td>
<td>
• 要想……就得…… (in order to…, you need to…)
• 不管……只要……都…… (regardless of…, so long as…, still/all….)
• 既……又…… (not only…, but also…)
• 要是……的話…… (assuming…)
• 這麼說來…… (in this case…)
• A是A (even though…)
</td>
</tr>
<tr>
<td>COMMON EXPRESSIONS</td>
<td>
• ……所以…… (therefore/so…)
• 請問…… (excuse me, …)
• 怎麼會…… (how could this have happened…)
• 怎麼知道…… (how did you know…)
• 因爲…… (because…; owing to…)
• 另外…… (in addition to…)
</td>
<td>
• 我覺得…… (I feel/think…)
• 我喜歡…… (I like…)
• 不反對…… (not opposed to)
• 不希望…… (hope not)
</td>
</tr>
<tr>
<td>CULTURAL INFORMATION</td>
<td colspan="2">
• Popular sports in China such as Shaolin Kung Fu, Tai Chi, Shuttlecock Kicking and Kite Flying etc
</td>
</tr>
</table>

UNIT 2:
FOOD AND FASHION 飲食與服裝

COMMUNICATIVE GOALS	• Talk about similarities and differences between food and fashion in different cultures • Express personal experiences and feelings clearly and precisely • Discuss views and opinions

CHINESE TEXTS	**Lesson 3:** **The Beijing Teahouse** 北京的茶館 Dining at a Chinese Restaurant 您二位來點兒什麼？	**Lesson 4:** **What Should a Bridesmaid Wear?** 伴娘的服裝 My Views on Unisex Clothes 我看中性服裝
GRAMMAR STRUCTURES	• 幾乎 (almost) • 要……還……嗎？(if…, still…?) • 請 + V (please + V) • 除了……以外，還…… (apart from…, there is also…)	• V + 起來 • 形容詞重疊 (*reduplicative patterns of adjectives*) • 儘管……但是…… (in spite of…, but…) • 就是……也…… (even though …, but still…)
COMMON EXPRESSIONS	• 實在…… (really…) • 一點兒也…… (absolutely not…) • 跟……不太一樣 (not the same) • 不錯 (not bad) • 不過(感覺)還是…… (yes, but…) • 還可以，就是…… (okay, but…)	• ……認為…… (…believe/think…) • 在……上 (in some aspect…) • 比如……就…… (*to prove or refute an idea by an example*) • 傾向於…… (tend to agree with…) • 此外…… (besides/moreover…)
CULTURAL INFORMATION	• Chinese food culture, and how it has evolved over time • Chinese clothing and fashion, and how they have evolved over time	

UNIT 3:
SCHOOL AND FAMILY 學校與家庭

COMMUNICATIVE GOALS	• Talk about what you like and give reasons why you like it • Ask follow-up questions to obtain detailed answers	
CHINESE TEXTS	**Lesson 5:** **Chinese is Fun!** 我愛學中文 A Letter from My Pen Pal in Beijing 北京筆友的來信	**Lesson 6:** **My Father, Laoshe** 兒子眼中的父親 Raising Children in a Cross-Cultural Marriage 跨國婚姻家庭中的孩子
GRAMMAR STRUCTURES	• 別看⋯⋯可是⋯⋯ (even though…, but…) • 並+ Neg. (not really) • "被"字句 (*a passive sentence construction*) • "把"字句 (to express how a matter is handled)	• 從⋯⋯説起 (*to begin a narration*) • ⋯⋯ 極了 (extremely) • 正好相反 (on the contrary) • 淨 (always) • 或者説 (in other words) • 何況 (even less; more so) • 當⋯⋯ (when…) • 萬一 (in case)
COMMON EXPRESSIONS	• 首先, 其次, 最後 (firstly, secondly, in addition…) • 我愛⋯⋯是因爲⋯⋯ (I like…, because…) • 非常欣賞它 (他) 的⋯⋯ (…really like…) • 在我看來, ⋯⋯⋯⋯ (in my opinion…)	• 爲什麼 (why…) • 有什麼⋯⋯ (*to ask about the details of something*) • 怎麼了 (What's wrong/up?) • 怎麼+V (how…) • 有没有⋯⋯ (*a selective question*)
CULTURAL INFORMATION	• Traditional Chinese family values • Changes in Chinese culture as reflected in modern Chinese family life • Famous Chinese novelist and dramatist, Laoshe	

UNIT 4:
FESTIVALS AND CUSTOMS 節日與風俗

COMMUNICATIVE GOALS	• Talk about the similarities and differences in the way two festivals are celebrated • Express agreement, excitement, or approval • Explain the source or origin of something

	Lesson 7:	**Lesson 8:**
CHINESE TEXTS	**Celebrating Chinese New Year** 過年 The Origin of Chinese Valentine's Day 七夕節的傳說	**Moon Festival** 中秋節 Making *Zongzi* during the Dragon Boat Festival 端午節包粽子
GRAMMAR STRUCTURES	• 學會＋V (learned to do something) • 少於…… (less than…) • 就 (then) • 不管怎樣,……還是…… (no matter…, still…)	• 把A看作B (to regard A as B) • 一邊……一邊…… (while…) • 什麼……啦……啦……啦…… (*to list different things*) • 每到…… (every time that…)
COMMON EXPRESSIONS	• 肯定 (definitely) • 那當然了 (of course) • 特別……/……極了/……得＋不得了/ 太……了 (very; extremely)	• ……所以稱作…… (therefore known as…) • ……因此……又叫…… (therefore it's also known as…) • 據說…… (it is said that…) • 相傳…… (legend has it that…)
CULTURAL INFORMATION	• The Chinese lunar calendar and the animal zodiac • Major Chinese festivals and celebrations • Festive foods and their symbolic meanings • Origins and legends of Chinese festivals	

UNIT 5:
TRAVEL AND TRANSPORTATION 旅遊與交通

	Lesson 9:	Lesson 10:
COMMUNICATIVE GOALS	• Describe travel plans and itineraries • Offer suggestions and reminders • Consult with and persuade someone to accept your recommendations • Describe complex topics and situations • Express and describe a complex series of actions	
CHINESE TEXTS	**Planning a Trip to China** 我要去中國旅遊 Old China, Modern China 中國不是博物館	**I Climbed the Great Wall** 我登上了長城 100,000 Miles Long and 3,000 Years Old 三千年, 十萬里
GRAMMAR STRUCTURES	• 疑問句及疑問語氣詞 (interrogatives) • ……怎麼辦 (what if…) • 先……再……然後…… (first…, next…, then…) • 經過…… (to pass by…) • ……才能…… (only if…)	• 縮略語 (Abbreviations) • V₁著V₁著+V₂ (to show a second action has started as the first one is taking place) • 連動句 (a sentence with two or more verbs referring to the same subject) • 到底 (after all; exactly) • 顯然…… (obviously…) • 居然…… (unexpectedly…)
COMMON EXPRESSIONS	• 怎麼能…… (how could you possibly…) • 要不……, …… 也行(alternatively…) • 最好+V (you'd better…) • ……怎麼樣 (what do you think of…) • ……好不好 (a "yes/no" question to ask for someone's opinion)	
CULTURAL INFORMATION	• Major tourist attractions in China and their historical significance • Geography and environment of different parts of China • Major cities in China – their cultural and historical significance, local delicacies, and means of transportation • History and features of the Great Wall of China	

Contents

UNIT 1 Sport and Fitness 體育與健身

單元教學目標

一、 溝通

1. 掌握與體育運動這類話題相關的重點詞語及語言點，並理解一般詞語，學會將這些語言知識運用於日常交際之中。
2. 學會就某一事件詢問以及説明原因的表達方式。
3. 學會清楚表達自己的觀點。

二、 比較

通過比較，理解并詮釋不同國家青少年運動愛好的特點及流行運動項目的不同。

三、 文化

瞭解中國學生的運動愛好以及中國傳統的運動項目，諸如少林武術、太極拳、踢毽子、放風箏等。

四、 貫連

與歷史課相貫連，瞭解乒乓球運動在中美關係史上曾發揮的作用。

五、 實踐活動

通過實際的體育活動，運用所學到的漢語和文化知識進行交流和表達。

單元導入活動説明

在引導學生進入本單元時，重點可以放在對體育項目詞語的認識上。建議引導步驟如下：

第一步： 詢問學生學校最近有什麼體育比賽，或近期國內、國際重要體育比賽的情況。

第二步： 利用課本上的圖片，理解和掌握各種體育項目詞語；老師也可以展示一些本校學生體育訓練或比賽的照片，這樣可以增加學生的親切感。最好將體育項目的內容做成卡片，幫助學生記憶。

第三步： 分組討論。每組選出兩個最喜歡的體育項目，將項目內容寫在卡片上，並準備用動作模擬這兩種運動。

第四步： 各組在全班模擬表演體育項目，請全班同學猜，然後用卡片公佈答案。

第五步： 將卡片發給每個同學，當老師説出一個體育項目時，拿著相應卡片的同學就舉起卡片，然後全班同學跟讀。

第六步： 進入課文。

第一課　Shaolin Kung Fu
少林功夫

一、本課教學重點

(一) 能夠理解並運用所學的詞語討論與中國功夫及其他體育活動相關的内容，同時能夠與本國的傳統體育項目相比較。

(二) 能夠運用本課所學的表達式進行詢問並説明原因。

二、本課的難點

(一) 詞語：注意“逐步—逐漸”和“流傳—流行”兩組近義詞的辨析。

(二) 語言點：

　1. “不……嗎”是一個反問句，通過與“不是……嗎”的對比，讓學生體會二者的差別。

　2. “如果……那就……”是一個固定搭配形式，用於説明假設情況實現後的必然結果。

　3. “從語言功能的角度，講解“詢問”和“説明原因”的常用表達式：“請問”“怎麼會”“怎麼知道”和“所以”“因爲”“另外”等。

三、有用的教學資源

(一) 有關少林寺和少林功夫的介紹。

(二) 關於中國武術和太極拳的音像資料。

四、教學安排導引

針對不同學習内容，各教學模塊及其教學設計和參考課時索引見下表。

教學模塊		交際模式	可選用的教學活動設計		課時建議
新課學習	課文閱讀與理解	理解詮釋 人際互動	教學設計1 教學設計2 教學設計3	教學設計分爲必選和可選兩種，可選的活動以“可選”標明，具體實施順序請老師根據本班學生實際情況自定。	5—7課時
	詞語講解與練習	理解詮釋 表達演示	教學設計4 教學設計5 教學設計6		
	重點句型講解與練習	人際互動 表達演示	教學設計7 教學設計8		
交際活動		人際互動 表達演示	教學設計9 教學設計10		1課時
寫作訓練		表達演示	教學設計11 教學設計12		1課時
綜合考試訓練		綜合	教學設計13		1—2課時

注：寫作訓練活動可根據本班實際情況選做；綜合測試題應根據本班實際情況在課堂上選做或讓學生課外完成。

五、具體教學活動設計的建議

教學模塊 *1* —— 新課學習

(一) 課文閱讀與理解：

◕ 教學設計1

內容：主課文導入。

目的：通過課前熱身活動，激活學生已有的記憶和經驗，爲進入課文學習做好準備。

步驟：

第一步： 請學生講一講他們所了解的中國功夫以及專門扮演武打英雄的電影明星，可向學生提出下列思考題：

① 你看過中國的功夫電影嗎？知道李小龍、成龍、李連杰嗎？

② 你喜歡中國功夫嗎？

第二步： 小組討論，然後每個小組派一個代表向全班匯報。

第三步： 小組匯報時，老師要在黑板上寫出學生提及的、與本課重點詞語和單元主題有關的詞語及其相關信息。

第四步： 根據黑板上列出的信息，請學生閱讀課文或仔細聽課文的錄音，試著找出課文中這些信息所在的位置，開始進入正式的主課文學習。

預期效果：通過以上熱身活動，調動全班同學進入積極的學習狀態，使學生對本課的主要內容有一個基本預測，有助於他們在後面的學習中進一步瞭解少林寺及中國功夫，並與自己參與過的體育活動進行比較。

◕ 教學設計2

內容：主課文第一部分的聽與讀。

目的：讓學生帶著問題仔細聽或認真讀課文，了解課文大意。

步驟：

第一步： 老師在黑板上寫出問題，請學生帶著問題仔細聽或快速閱讀課文：

① 你知道少林寺嗎？

② 僧人爲什麼要習武？

③ 少林功夫都有哪些種類？

④ 現在少林功夫流傳得廣泛嗎？

第二步： 老師根據上面的問題請學生回答，然後請其他同學重複或補充答案，要求學生找出課文中的相關句子來回答問題，也可以讓學生用自己的語言結合自己的認識進行有條理的表達。

第三步： 老師根據學生的回答情況逐一講解問題，並可結合重點詞語進行講解。相關詞語的詳細講解和文化背景材料請分別參考後文中"六（一）"和"六（四）"的相關內容。

第四步： 老師領讀一遍課文。

可能出現的問題：

問題一： 學生可能不清楚中國武術與寺院、僧人的關係，老師可以參考後文"六（四）"的內容詳細介紹。

問題二： 學生可能對課文中"修身養性"的提法不理解，老師可以參考後文"六（四）"中關於太極拳的介紹，加以説明。

🖢 **教學設計3：**

內容： 主課文第二部分的聽與讀。

目的： 讓學生帶著問題仔細聽或認真讀課文，在了解課文內容的基礎上學會提問和回答的表達方式。

步驟：

第一步： 老師在黑板上列出問題，請學生帶著問題仔細聽課文錄音，然後分角色朗讀：

① 這些瑞士青年爲什麼要學習武術？

② 安迪是怎麼知道少林寺的？

③ 在美國有學習武術的學校嗎？你想學哪種武術？

④ 你還知道哪些來自漢語的音譯詞？

第二步： 老師將黑板上的問題逐一提出，請學生回答，然後請其他同學重複或補充答案，要求學生找出課文中相關的句子來回答問題。

第三步： 老師根據學生的回答情況逐一講解問題，並可和重點詞語的講解結合。相關詞語的詳細講解和文化背景材料請分別參考後文中的"六（一）"和"六（四）"。

預期效果： 通過這段對話體課文的學習，可使學生提高適當提問、準確回答問題的能力，同時使課堂學習顯得輕鬆、有趣，具有實用性。相關詞語的詳細講解請參考後文中"六（一）"的相關內容。

（二） 詞語講解與練習

🖢 **教學設計4（可選）**

內容： 詞語分類。

目的： 通過詞語分類活動，激活學生對與主題相關詞語的記憶，複習已掌握的相關詞語，幫助學生根據意義關係成組地記憶詞語。

步驟：

第一步： 老師將本課注釋的詞語寫在卡片上，分發給每個學生1—2張，同時給每人發兩張空白卡片。

第二步： 請同學爲手中卡片上的詞語寫出拼音，理解詞語的意思。

第三步： 請拿到"功夫""高強""僧人"三張卡片的同學站到教室前面，作爲三組詞的組長。然後請每個同學通過聯想將自己手中的詞歸入其中的一組，並說明歸入的理由，理由被大家認可後就將卡片交給組長。比如："打坐"歸入"僧人"，因爲僧人每天要打坐。鼓勵學生將自己想到的其他詞語寫在空白的卡片上，加入練習。最後還有一些詞不能歸入各組，要說明不能歸入的理由。

第四步： 老師對學生歸並的三組詞進行分析，通過意義串連，從使用的角度讓學生掌握幾組詞語。

預期效果： 詞語接龍遊戲作爲課堂上複習詞語的常規活動之一，可以通過競賽的形式激發熱烈的學習氛圍，也可以使學生之間互通有無。

問題一： 學生沒有固定的歸類標準，分類有些混亂。這種情況是正常的，老師要尊重每一個學生在記憶詞語時所採用的聯想方式，只要他通過思考理解了手中的詞語，就達到目的了。比如將"其中"歸入了"高強"組，本來這組應該是形容詞的聚合，但是學生覺得在很多人中只有"其中"的一部分人可以達到的"高強"程度，那我們也應該給予肯定。

問題二： 很多詞不能歸入以上三組。這也是正常的現象，但是老師要說明不能歸入的理由。

教學設計5

內容：詞語辨析。

目的：通過對兩組詞的比較，明確它們的差異，學會正確使用的方法。

步驟：請參考 "六（一）" 中對 "逐步—逐漸" "流傳—流行" 兩組詞的辨析，並舉例講解。

預期效果：學生基本明確了這兩組近義詞的差別。

教學設計6

內容：連詞成段。

目的：通過談話練習，通過運用本課重點詞語，練習成段表達。

步驟：請參考學生用書中的詞語練習（VOCABULARY IN CONTEXT）。

擴展：可以鼓勵學生根據自己的情況，擴展自己的談話內容，鞏固在本課學到的重點詞語，增強詞語使用的靈活性和熟練性。

(三) 重點句型講解與練習

教學設計7

內容：寫社團活動啟事。

目的：通過對重點句型的理解和實際運用，掌握本課的重點句型。

步驟：請參考學生用書中的句型練習（LANGUAGE CONNECTION）。句型的詳細講解請參考後文 "六（二）" 中的相關內容。

擴展：可以鼓勵學生仿照練習中的啟事，運用本課學到的詞語再說出一到兩個啟事。

教學設計8

內容：情景對話。

目的：模擬真實情景，在具體的交際任務下學會運用本課的常用表達式。

步驟：請參考學生用書中的常用表達式練習（COMMON EXPRESSIONS）。表達式的詳細講解請參照後文 "六（三）" 中的相關內容。

組織要點：想象具體情景，在具體任務的引導下完成交際活動。應鼓勵學生根據自己的生活儘量把情景想象得具體一些，這是保證活動成功的關鍵。

教學模塊 *2* — 交際活動

教學設計9

內容：我來問你來答。

目的：通過兩人一組的問答練習，學習、掌握在真實交際中提問和說明的方法。

步驟：請參考學生用書中的交際練習（COMMUNICATION CORNER）。

預期效果：掌握詢問和說明原因這一功能項目，複習、擴充體育方面的詞彙。

教學設計10（可選）

內容：我做體育記者。

目的：通過完成實際採訪，運用所學的詞語和表達方式完成交際任務。

步驟：

第一步： 老師佈置採訪任務，讓同學就班級、學校或社會上最近將舉行的一次體育比賽進行採訪，瞭解人們對這項體育運動的關注程度，以及對比賽結果的預期。

第二步： 組織學生課下完成採訪。

第三步： 在課堂上組織一次討論，報告採訪結果。

預期效果： 學會提問方式，複習新學習的內容，提高使用漢語的興趣。

教學模塊 3 —— 寫作訓練

教學設計11

內容：寫採訪提綱。

目的：通過活動學會設計問題和提出問題。

步驟：

第一步： 與"教學設計10"結合起來，明確要採訪的目的和對象。

第二步： 擬出4—5個問題。

第三步： 在小組中匯報自己所擬的問題，請同學們提出建議。

第四步： 採訪後審查、修改自己的問題。

預期效果： 學會提問方式，提高交際能力。

教學設計12

內容：看功夫電影，寫觀後感。

目的：通過觀看電影瞭解中國武術，學會表達自己的觀點。

步驟：請參考學生用書中的寫作練習（WRITING TASK）。

可能出現問題：

問題一： 學生也許不能完全聽懂電影的對話。老師可以推薦一兩部電影，簡單介紹劇情；可以讓學生個人去看電影，也可以由老師組織集體去看電影，有條件的學校也可以在教室裏播放影碟。

問題二： 看電影和本課學習的功能項目怎樣結合。可以結合電影，在小組或全班就電影內容提問，並由學生予以回答，老師做必要的補充。

教學模塊 4 —— 綜合考試訓練

教學設計13

內容：綜合考試訓練。

目的：

1. 通過綜合考試訓練試題的自我檢測或隨堂選擇性檢測，使學生達到綜合性複習、並強化本課所學內容的目的。

2. 借助綜合訓練試題內容與課文內容的互補性，拓展學生對"體育與健身"主題相關內容的學習。

步驟：請參考《同步訓練》相關內容。

訓練要點：

1. 完成聽力題（Rejoinders and stimulus types），複習、強化和評價學生對運動健身時的具體情景、事件以及相關功能項目的理解。這部分內容涉及活動通知、體育比賽以及場地預訂時的對話或電話留言等，特別是涉及預約和通知的相關要素，包括具體時間、地點、天氣等內容。

2. 完成閱讀題（Reading），拓展並且評價與本課話題相關內容的學習和理解，讓學生更多地接觸校園內外各種應用文體，比如短文、通知、海報、新聞報導、電郵等，內容涉及象棋、奧運吉祥物、體育名人、體育經濟以及夏令營活動、俱樂部招新等。

3. 完成寫作訓練中的個人信件（Personal Letter）、回復電郵（E-Mail Response）以及對話（Conversation）和文化表述題（Cultural Presentation），訓練學生對中美體育文化的理解和個人觀點的表達能力。這部分內容涉及對健康生活方式的理解、NBA球星、體育比賽、個人運動喜好，以及對中國功夫（太極拳）的介紹說明。。

4. 完成寫作訓練中的看圖寫故事（Story Narration）、電話留言轉述題（Relay Telephone Message）以及活動計劃表述題（Event Plan），訓練及評價學生對一個突發事件的完整敘述能力，對人物動作及神態的描寫能力；對細節的理解和轉述能力，以及對郊遊、爬山等戶外活動計劃的說明能力。

六、教學參考資料

（一）詞語講解

本課的詞語注釋表中一共列出了45個詞語，其中專有名詞4個，要求學生理解掌握並能正確使用的詞語15個，只要求學生大致理解其文中的含義的詞語26個。此外，我們還對本課中的一些詞語進行了詞義辨析，供教師參考。

1. 功夫：【名】武術。
2. 高強：【形】（武藝）好得超過一般水平。
3. 僧人：【名】出家修行的男人。
4. 寺院：【名】佛寺的總稱，有時也指別的宗教的修道院（修道院：教徒出家修道的地方）。
5. 念經：【動】信仰宗教的人讀或背經文。
6. 聯繫：【動】人與人、物與物或人與物之間發生關係。
7. 起源：【名】事物產生、發生的根源。
8. 說法：【名】說話或寫作時選用的詞句。
9. 其中：【名】那裏面。
10. 打坐：【動】中國古代的一種養生、修行的方法。基本做法：閉目盤膝而坐，手放在一定位置上，調整氣息出入。
11. 累：【形】疲勞。
12. 修煉：【動】指宗教信徒修養練功的活動。
13. 後來：【名】指在過去某一時間之後的時間。
14. 結合：【動】（使）人或事物之間形成緊密關係。
15. 精華：【名】事物最重要最優秀的部分。
16. 逐步：【副】一步一步地。

辨析 逐步—逐漸

　　兩者都有慢慢增加或減少的意思，都是副詞，可以做狀語。不同的是 "逐漸" 能修飾形容詞，"逐步" 不能。表現人爲的、有意識、有計劃的變化用 "逐步"，偶爾也可以用 "逐漸"；非人爲的動作或自然的變化用 "逐漸"。如：天逐漸黑了。| 問題正在逐步解決。

17. 獨特：【形】特別的；和一般的不一樣的。

18. 功法：【名】武術操練的方法。

19. 寶貴：【形】極有價值的；十分難得的。

20. 遺産：【名】歷史上留傳下來的、精神上和物質上有價值的東西。

21. 氣功：【名】中國特有的一種健身法。基本分兩大類，一類以靜爲主，一類以動爲主。

22. 套路：【名】指編排好的一組武術動作。

23. 剛健有力：堅強（挺拔）有力量。

24. 無窮：【形】沒有盡頭；沒有止境。

25. 修身養性：指努力提高自己的品德修養。

26. 吸引：【動】把別的物體、力量或別人的注意力等引到自己這方面來。

27. 流傳：【動】傳下來或傳開來。

辨析 流傳—流行

　　作爲動詞，兩者都有傳播開來的意思。"流傳" 有一代一代傳下去的意思，時間跨度較長；"流行" 通常指的時間較短。"流行" 作爲形容詞時可以修飾名詞，如 "流行歌曲"；"流傳" 則不可以。如：民間流傳著這樣一句老話："上有天堂，下有蘇杭"。| 街上流行紅裙子。| 這首歌現在十分流行。

28. 健身：【動】通過運動使身體健康。

29. 不遠萬里：不認爲萬里很遠，形容不怕路途遠。

30. 參觀：【動】到某個地方遊覽、旅行或考察。

31. 專程：【副】專門（爲某件事到某個地方）。

32. 廣播電臺：【名】用無線電波向大衆傳送節目的機構。

33. 遇：【動】會面；碰到。

34. 強身健體：【動】通過體育鍛煉等使身體健康、強壯。

35. 另外：【連】除了這個以外；此外。

36. 電影：【名】一種綜合藝術把拍攝的形象在銀幕上連續放映。

37. 影響：【名】對人的行動思想或事物起的作用。

38. 天下武功出少林：天下所有的武術都是從少林寺流傳出去的。（少林寺是武術的發源地。）

39. 嘛：【助】用在句子末尾，表示道理非常明顯。

40. 項目：【動】事物分成的種類。

41. 翻譯：【動】用一種語言文字把另一種語言文字的內容表達出來。

專有名詞

42. 少林寺：寺廟名。位於中國河南省登封市，建於公元496年，號稱 "天下第一名刹"，是中國禪宗和少林武術的發源地，在中國武術界有舉足輕重的地位。（http://www.shaolin.org.cn）

43. 嵩山：山名。中國"五岳"的中岳，位於河南省境內，著名的少林寺就在嵩山。

44. 瑞士：國名。位於歐洲中部的一個國家，是一個永久中立國。

45. 奧運會："奧林匹克運動會"的簡稱。現代奧林匹克運動會開始於1896年，到現在已有100多年的歷史。習慣上把夏季奧運會簡稱爲"奧運會"，冬季奧運會簡稱"冬奧會"，都是每四年一屆。

(二) 重點句型講解：

本課一共有6種需要學生掌握的重點句型，在《學生用書》的"LANGUAGE CONNECTION"中有簡單的講解。在這裏，我們又做了進一步的講解，供老師們參考。

1. 以及……

"説起功夫，人們就會想起少林寺，以及功夫高强的僧人。"

"以及"常用來連接兩個並列的部分，它所連接的前後兩部分可以是詞、詞組或句子。例如：

這個地區有不少有名的中學、小學以及幼兒園。

你知道感恩節的來歷以及有哪些活動嗎？

這個歷史上的小國是誰統治的，以及統治了多長時間，我一直不太清楚。

用"以及"連接的兩部分之間有時也有一定的區別，如課文中的例句連接的是"少林寺"和"功夫高强的僧人"，二者之間不完全並列，有主次之分。類似的例子還有：

這個商店主要賣電視機、錄音機、照相機，以及各種零件。

2. 在於……

"少林寺和別的寺院不同的地方，就在於功夫。"

該句型用來説明事物的本質或内容，有"正是""就是"或"決定於"的意思。

這個工程的問題不在於外形，而在於質量。

好的老師的特點就在於他們總是能啓發學生主動地學習。

一年之計在於春。

參加不參加在於你自己有没有時間。

3. 不僅……而且……

"學習功夫不僅可以鍛煉身體，而且還可以修身養性。"

這個結構用來連接遞進關係的小句子。"不僅……"是第一層意思，"而且……"在前面内容的基礎上，又進一層的意思。例如：

他不僅是一個科學家，而且是一個非常出色的科學家。

學校不僅教會了我們很多知識，而且教會了我們如何與別人相處。

"不僅"可以換作"不但""不僅僅"等，"而且"可以換作"也""還"等，意思基本相同。例如：

我們的老師不但在國内很有名，而且在國際上也很有名。

這不僅僅是你自己的事，也是大家的事。

這樣做不僅不會解決矛盾，還會增加矛盾。

4. 是……的

> "請問你們是從哪兒來的？"

在這個句子中，"是"和"的"中間是動詞短語，表示對"是"前面事物的描述或説明。原則上説，"是"與"的"兩個字是可以省略的，省略之後意思不變。用上這兩個字，有加重語氣的作用。課文中的例句也可以説"你們從哪兒來"，這與"你們是從哪兒來的"相比，強調的程度減弱了不少。類似的例句還有：

> 我是不會開這種車的。
>
> 她是不能這麼晚回家的。
>
> 這部電影是專門爲紀念他的爸爸拍攝的。

5. 不……嗎

> "你們不準備回去當個武術教練嗎？"

"不……嗎"是一種提問方式。提問的人已經給出了一種答案，然後用"不……嗎"詢問對方，請對方做肯定或否定的回答。"不"和"嗎"之間的成分就是提問的人所給出的答案。這種提問有時也會起到一定的提建議的作用。例如：

> 你不準備考大學了嗎？
>
> 大家不想下課以後去看個電影嗎？
>
> 你們不知道他已經出國了嗎？

"不"也可以換成"沒"：

> 你們沒聽説這件事嗎？

注意："不……嗎"與"不是……嗎"所表達的意思不太一樣。"不……嗎"是真正的提問，要求對方回答；而"不是……嗎"是反問句，並不要求對方回答。例如：

> 你們不是知道他已經出國了嗎？（你們知道他已經出國了。）

6. 如果……那就……

> "我想如果中國功夫成爲奧運比賽項目，那就更有名了，相信會有更多的年輕人喜歡功夫。"

"如果……那就……"連接的是一個假設複句。"如果"之後是假設的情況；"那就"引出第二分句，表示假設的情況成爲現實之後所產生的必然結果。例如：

> 如果你再不起床，那就要遲到了。
>
> 如果明天天氣好，那我們就去爬山吧。

第一分句的後面，可以加"……的話"，增強假設的語氣：

> 如果你能認真地想一想的話，那你就會明白了。

第二分句的"那就"可以單用"那"或"就"，也可以都不用。例如：

> 如果他不參加，這個晚會就沒意思了。
>
> 如果人多，減幾個吧。

這個句型裏的"如果"可以換成"要是"，意思不變，但更爲口語化。例如：

> 要是報名的人很少，那就取消這個活動吧。

(三) 常用表達式講解

結合本課 "詢問並説明原因" 這一功能項目，本課重點提出6組在實現這一功能的過程中常用的表達方式。我們在這裏對這些表達式進行了講解和擴展，供老師們在引導學生進行表達演示的過程中參考。

1. ……所以……

> "所以學習功夫不僅可以鍛煉身體，而且還可以修身養性。"

"所以" 是在説明結論或結果時經常使用的表達方式。它經常和 "因爲" 搭配使用， "因爲" 之後表示原因， "所以" 之後説明由此產生的結果或得出的結論。課文中例句的意思是， "少林功夫是在精神修煉的同時練習的武功，因此產生了兩種效果"。類似的例子還有：

> 因爲他學習非常努力，所以經常取得好成績。
>
> 這個飯店的菜又好吃、又便宜，所以每天都有許多人來這兒吃飯。
>
> 他們昨天睡得很晚，所以今天都沒起來鍛煉。

2. 請問……

> "請問你們是從哪兒來的？"

"請問" 是提問時經常要用到的一種表達方式，在提出問題之前説一聲 "請問"，顯得很有禮貌，會製造出一個良好的談話氣氛。例如：

> 請問，現在幾點？
>
> 請問，您是這個學校的老師嗎？
>
> 請問，去博物館怎麼走？

3. 怎麼會……

> "可是唸經的僧人怎麼會和武術聯繫在一起呢？"

當我們對一件事情產生的原因或實際狀況不太明白或不太相信時，可以用 "怎麼會……" 提出自己的疑問。例如，我們不明白 "今年的冬天爲什麼這麼暖和" 時，可以説："今年的冬天怎麼會這麼暖和呢？" 類似的例句還有：

> 他怎麼會考上這麼好的大學呢？
>
> 你們怎麼會沒聽説這件事呢？

課文中的例句爲了説明僧人會武術的原因，先用這種表達方式提出問題，引起讀者的注意，然後再作解釋。

4. 怎麼知道……

> "你們是怎麼知道少林寺這個地方的？"

"怎麼知道……" 是用來詢問對方之所以知道某件事的原因的。詢問的具體內容放在 "怎麼知道" 的後面。這種詢問比較直接，而且容易有歧義（有一點兒反問的語氣），一定要注意使用的場合和詢問的內容。例如：

> 你怎麼知道他已經出國了？

這句話就有一點兒反問的語氣。最好這樣使用：

你是怎麼知道他出國的消息的？

你們是怎麼知道這個飯店的？

他們是怎麼知道這個地方的？

5. 因爲……

"因爲我們對中國功夫非常感興趣。"

　　"因爲……"經常用來回答別人對某種原因的詢問。如課文中的例句是對"你們爲什麼要到中國來呢"這一問題的回答。問句裏往往有"爲什麼""怎麼"等，所以回答時會加上"因爲"。例如：

A：大家爲什麼喜歡姚明？

B：因爲他籃球打得好，對人也很誠懇。

A：你怎麼這麼晚才來？

B：因爲我起晚了。

A：爲什麼很多中學生都喜歡玩滑板？

B：因爲玩滑板很刺激，而且不用找很多人一起玩。

在面對面地回答別人這類問題時，有時也可以不用說"因爲"。例如：

A：你怎麼顯得這麼没精神？

B：昨天睡得太晚了。

6. 另外……

"因爲我們的老師來過兩次。另外，是電影的影響。"

　　在回答別人的詢問時，如果需要對答案進行補充，可以用"另外"將補充的部分引導出來。課文中的例句是對"怎麼知道少林寺"這個問題的回答，"電影的影響"就是補充的部分。用"另外"引出的不一定都是原因，也可以是同類的事物。例如：

　　我喜歡看老舍寫的小説，是因爲小説裡有動人的情節，另外，小説的人物描寫也很有特色。

　　北京的頤和園是有名的旅遊景點，另外，故宮、景山也都很有名。

　　他没參加棒球俱樂部，是因爲他没時間。另外，他也不太喜歡體育運動。

(四) 補充文化知識材料

　　根據正副課文的內容，我們補充了一些相關的文化背景知識，供老師們參考。由於篇幅的關係，其他更多的材料，我們放到網上，請老師們上網搜尋。

1. 少林寺與少林功夫

　　少林寺位於河南省登封縣的嵩山西麓，是我國最早的禪宗寺院，至今已有1500多年歷史。據史書記載。少林寺的第一位住持是一個叫跋陀的小乘佛教和尚。北魏孝文帝太和二十年（公元496年），他從古印度來到中國，得到篤信佛教的孝文帝的崇拜。因爲跋陀喜歡在幽静的地方隱居，孝文帝就讓人在少室山下密林深處爲他建了一座寺院，取名少林寺。南朝末年，菩提達摩經過三年海上漂泊從印度來到中國宣傳大乘佛教。他先在廣州光孝寺講道傳教，後被梁武帝接到南京相見。梁武帝認爲自己建寺、寫經，積有不少功德，而達摩卻認爲他所做的事情不是實在的功德。二人產生了矛盾，於是達摩便渡江入魏，來到嵩山少林寺，創立了禪宗。

少林寺在歷史上也有過多次磨難，曾一次被廢、兩次被焚。北周武帝時，國內信佛人數占居民一半，生產受到影響，損害了皇室利益。於是，建德三年（公元574年）周武帝下令禁佛、道二教，少林寺被廢弃。七世紀初，少林和尚因在李世民徵戰中助戰有功，受到皇室大力支持，重建少林寺。至宋代，寺內已有兩千多僧人，樓臺殿閣五千餘間，占地36公頃，收藏經書近萬卷，號稱"天下第一名刹"。清雍正年間（公元1723－1735年），皇帝怕武僧造反，放火圍攻寺院。乾隆以後又加以重修。1928年，軍閥石友三又縱火將名刹付之一炬，這次大火損失嚴重，大火持續了五個晝夜，七進的院落只剩下兩三間，無數經典、法器等貴重文物被毀。中華人民共和國成立後又多次整修，逐漸恢復往昔模樣。現全寺共七層院落，總面積約三萬多平方米，規模宏大，并有常住院、初祖庵、二祖庵、三祖庵、塔林、甘露臺、祠堂及南園等附屬建築。

少林寺景色優美，有很多有名的建築及景點，如碑林、中岳八景之一的"少室晴雪"，以及達摩殿、千佛殿、初祖庵、達摩洞、二祖庵，還有安葬歷代高僧的"塔林"等。

少林功夫講究"静極生動，動極驚天，禪拳歸一"，被世人稱爲"武術禪"。少林功夫有七十二種功法，按性質可分內功、外功、硬功、輕功等；還有一百多個技擊種類，分爲拳術、棍術、槍術、刀術、劍術、技擊散打、器械對練等。在這些功夫中，少林拳是最重要的。少林拳共有拳法四十餘種，剛健有力，剛中有柔，樸實無華。

2. 中國四大佛教名山

五臺山、九華山、普陀山和峨眉山，是中國的四大佛教名山。

五臺山位於山西省五臺縣境內，由五座小山峰環抱而成。這五座山峰雖然很高，但它們的峰頂卻很平坦，像一個個平臺，所以稱爲"五臺山"。又因爲這裏夏季氣候涼爽，又名"清涼山"。五臺山寺廟很多，現有顯通寺、佛光寺、塔院寺、龍泉寺等四十多座寺廟。顯通寺是五臺山最大的寺院，寺裏有一座明朝鑄造的3米多高的銅殿。佛光寺的建築具有唐代風格，寺內的文殊殿供奉著文殊菩薩像，傳說文殊菩薩就在這裏降臨人世。

九華山位於安徽省青陽縣，原名"九子山"，有99座山峰。唐朝大詩人李白曾爲它寫過一首詩："昔在九江上，遙望九華峰，天河挂綠水，綉出九芙蓉。"從此，九子山就被稱作"九華山"了。九華山景色迷人，環境清幽，有不少古刹。著名的建築有肉身寶殿、百歲宮、甘露寺、吉祥寺等。肉身寶殿始建於唐朝，供奉著地藏王菩薩金色坐像。自唐代以來，九華山一直是地藏王菩薩的道場。殿中珍藏的佛教珍品——印度貝葉真經，已有1000多年的歷史了。

普陀山位於浙江省普陀縣，是舟山群島中的一個小島。島上有普濟寺、法雨寺和慧濟寺，建於清代。普陀山是觀音菩薩的道場。島上的紫竹林後面，有一個叫做潮音洞的古洞，是傳說中觀音菩薩顯現真身的地方。洞口有一尊石刻的觀音像，并刻有"觀音現身處"五個大字。普陀山風光綺麗，氣候涼爽宜人，是避暑的好地方。

峨眉山位於四川省峨眉縣境內，主峰海拔3099米，在四大佛教名山中是最高的。峨眉山以其奇異的雲海、神秘的佛光和與人爭食的頑猴吸引著各地的游人。峨眉山是普賢菩薩的道場。金頂寺正殿之後原有一座銅造的佛殿——金殿，供奉著普賢菩薩像。寺後有一座"睹光臺"，在這裏可以看到"峨眉佛光"。

3. 中國武術

中國武術又稱"國術"或"武藝"，以技擊爲主要內容，以套路和搏擊爲運動形式。中國武術注重內外兼修，使修煉之人達到增強體質、培養意志及訓練格鬥技能等目的。武術在中國具有悠久的歷史和廣泛的群衆基礎，是中華民族的優秀文化遺產之一。

中國武術的特點很多：第一，寓技擊於體育之中。武術最初作爲軍事訓練手段，與古代軍事鬥爭緊密相連，技擊性非常明顯。搏擊運動集中體現了武術攻防格鬥的特點，目的在於戰勝對方。第二，內外兼修，形神兼備。練習時要求把內在的精氣神與外部的形體動作緊密相合，做到心動形隨、形斷意連。第三，廣泛的適應性。武術的形式、內容豐富多樣，有競技對抗性的散手、推手、短兵，也有各種拳術、器械和對練，還有與其相適應的各種練功方法。它們有不同的動作套路、技術要求和運動量，分別適應不同年齡、性別、體質的人的需要。第四，中華武術還特別強調人體整個系統的綜合作用，全面鍛煉身體的各個部位、器官。另一方面，身體的許多部位，如頭、肩、肘、拳、胯、膝、腳等，又都可以成為攻與守的武器，充分利用了身體各個有效部位，甚至腹部、背部在適當的時機都可以被很好地利用。這些都源自中華傳統文化的整體思維模式。

中國武術源遠流長，種類很多，現在比較有名的有太極拳、少林拳、太極劍等。少林武術來源於嵩山少林寺，號稱"天下武學正宗"，對其他武術派別產生了重要影響。近代太極拳源於河南省溫縣陳家溝，講究以靜製動，以柔克剛，最能體現中國人的智慧和處世之道，使中國武術步入更高的文化境界。形意拳源於山西，主張先發製人，硬打硬進，在內家拳中獨樹一幟，傳入河南後發展為河南派形意拳，并衍化出洛陽、南陽兩支。太極劍是太極門中的短兵器之一，其特點是輕靈巧妙，以靜御動，以柔克剛，後發先至，避實擊虛，演練起來輕柔和緩。因此，雖然太極劍的歷史不太長，但發展很快，影響也很大，逐漸成為最受太極拳愛好者歡迎的器械項目。

4. 關於太極拳

太極拳是中國傳統的拳術之一。它綜合性地繼承和發展了古代在民間和軍隊中流行的各家拳法，吸取了古代陰陽學說和中醫的經絡學說，成為一種內外兼修的拳術。因此，太極拳是來自群眾的、匯合眾家所長的拳種。

據說太極拳產生在明代，經過三百多年的流傳衍變，發展出許多流派。各種流派的風格、姿勢雖各不相同，但道理是一樣的，都講究靜心用意，呼吸自然，中正安舒，柔和緩慢，動作如行雲流水，連綿不斷，弧形運動，圓活完整，連貫協調，虛實分明，輕靈沉著，剛柔相濟。各大流派太極拳除拳套外，還有使用器械的套路練法，如太極劍、太極刀、太極槍等。

太極拳的功效是多方面的，它有健身、祛病、益神、養性的作用。打拳時要求放鬆平靜自然，使大腦皮層中的一部分進入保護性抑製狀態，讓人得到休息。打拳可以興奮思維，活躍情緒，長期堅持可使大腦功能得到恢復和改善，消除由神經系統紊亂引起的各種慢性病。通過輕鬆柔和的太極拳運動，還可以使年老體弱之人經絡舒暢，新陳代謝旺盛，身體機能得到增強。

1956年，中國組織武術專家創編《簡化太極拳》，對普及太極拳起了很大推動作用。1986年，國家體委正式將太極拳、太極劍等列為全國正式比賽項目。此後，每年各地區都以各種不同形式舉行太極拳比賽，大大促進了太極拳運動水平的提高。太極拳已成為中國人健身的重要手段之一。

現在，太極拳已經走出國門，受到外國人士的普遍歡迎。

《同步訓練》參考答案及相關提示

Section One

I. Multiple Choice (Listen to the dialogs)

答案：

1. A　　　2. C　　　3. C　　　4. A　　　5. B　　　6. A

7. D　　　8. A

聽力錄音文本：

1. (Woman) 我覺得有點兒不舒服，一直頭疼。
   (Man)　(A) 我陪你去看大夫吧。
   　　　　(B) 我沒有時間休息。
   　　　　(C) 你知道誰生病了？
   　　　　(D) 我昨天去醫院看過病。

2. (Man)　李萍旁邊的那個人你認識嗎？
   (Woman) (A) 我看見那個人正在和李萍說話。
   　　　　(B) 李萍今天看起來可真漂亮。
   　　　　(C) 你說的是那個戴帽子的人嗎？
   　　　　(D) 我不知道他的電話號碼。

3. (Woman) 你能幫我換一百塊錢零錢嗎？
   (Man)　(A) 我會記住帶上它的。
   　　　　(B) 你什麼時候把錢還給我？
   　　　　(C) 讓我看看錢包裏有沒有。
   　　　　(D) 你給我多少零錢？

4. (Woman) 你的乒乓球打得好嗎？
   (Man)　(A) 那還用問嗎？
   　　　　(B) 昨天的乒乓球賽好看嗎？
   　　　　(C) 週末我去打乒乓球了。
   　　　　(D) 打乒乓球是很好的運動。

5. (Man)　我喜歡躺著看書。
   (Woman) (A) 我剛吃完飯。
   　　　　(B) 這樣對眼睛不好。
   　　　　(C) 我沒去過那家書店。
   　　　　(D) 你的書桌很整齊。

6. (Woman) 這次運動會你報名了嗎？
   (Man)　(A) 王老師幫我報了。
   　　　　(B) 這幾天很適合跑步。
   　　　　(C) 我不會做報告。
   　　　　(D) 我喜歡運動。

7. (Woman) 這麼晚了怎麼還不睡覺？
   (Man) 我看完這場球賽就睡。
   (Woman) (A) 你在和誰打球？
   (B) 考試一結束就去看球賽。
   (C) 你買的球票貴不貴？
   (D) 這場比賽真的那麼吸引人嗎？

8. (Woman) 這雙鞋挺好看的，你在哪兒買的？
   (Man) 就在我們學校附近的商店裏。
   (Woman) (A) 下次去能幫我也買一雙嗎？
   (B) 這個商店裏的人真多啊！
   (C) 我有一雙很貴的鞋。
   (D) 我一點兒也不喜歡。

II. Multiple Choice (Listen to the selections)
   答案：

1. C	2. D	3. B	4. D	5. B	6. C
7. C	8. C	9. C	10. B	11. A	12. C
13. B	14. C	15. B			

聽力錄音文本：

Selection 1

(Narrator) Now you will listen once to a conversation between two persons.
(Woman) 喂，您好！這裏是大學生體育館。
(Man) 您好，明天我想和一個朋友到你們那兒打羽毛球，現在可以訂場地嗎？
(Woman) 可以。這裏的羽毛球館按小時收費，每小時100元。
(Man) 好的，我們訂早上九點到十一點的。
(Woman) 沒問題，請留下您的電話，明天直接過來就可以了。
(Man) 非常感謝！
(Narrator) Now answer the questions for this selection.

Selection 2

(Narrator) Now you will listen twice to a voice message.
(Man) 各位同學請注意，原定於本週六舉行的全校運動會，由於天氣的原因，現決定推遲，改在下週六舉行。運動會開始的時間不變，仍是早上八點半；舉辦地點則由原來的學校東操場變爲學校的西操場，請同學們準時參加。如果有問題，可以和本班的老師聯繫。
(Narrator) Now listen again.
(Narrator) Now answer the questions for this selection.

Selection 3

(Narrator)	Now you will listen once to a conversation between two persons.
(Man)	小玲，你手裏拿的是姚明的照片嗎？給我看看好嗎？
(Woman)	當然可以，給！
(Man)	啊，照片上還有姚明的簽名，你從哪裏弄到的？
(Woman)	暑假去上海時，正好趕上姚明在那裏比賽，賽後有簽名活動。
(Man)	你太幸運了！姚明是我最喜歡的籃球明星。
(Woman)	哈哈，我也是他的球迷。
(Narrator)	Now answer the questions for this selection.

Selection 4

(Narrator)	Now you will listen once to a conversation between two students.
(Woman)	小王，怎麼了，你今天看起來心情不太好。
(Man)	別提了，昨天我喜歡的足球隊輸了，這次他們參加不了決賽了。
(Woman)	你說的是昨晚英國隊對巴西隊的比賽嗎？我看了。我也特別喜歡英國隊。
(Man)	是嗎？你也喜歡看足球比賽？我還以為女孩都不喜歡足球呢。
(Woman)	哈哈，我可是個例外。
(Narrator)	Now answer the questions for this selection.

Selection 5

(Narrator)	Now you will listen twice to a voice message.
(Man)	喂，李冰，我是小張。下星期三的球賽現在已經開始賣票了，聽說這次會有很多球星參加比賽，所以現在球票特別緊張。今天週一，下午只有兩節課，我打算一下課就去體育場買票。你去嗎？如果你沒時間的話，我可以幫你買。我想買離球場近一些的座位，這樣可以看得清楚些，但價格也可能會貴一點。你呢？想好了就給我打電話吧。
(Narrator)	Now listen again.
(Narrator)	Now answer the questions for this selection.

III. Multiple Choice (Reading)

答案：

1. C	2. D	3. D	4. C	5. A	6. D
7. C	8. D	9. D	10. C	11. C	12. D
13. B	14. B	15. C	16. D	17. C	18. D
19. B	20. A	21. D	22. D	23. A	24. C
25. B	26. C	27. C	28. C		

教師手冊

教
師
手
册

Section Two

I.   Free Response (Writing)

1.   Story Narration

The four pictures present a story. Imagine you are writing the story to a friend. Narrate a complete story as suggested by the pictures. Give your story a beginning, a middle, and an end.

寫作提示:

　　　　這則看圖寫作主要是考察對一個突發事件的完整敘述，其中涉及對人物具體動作及情態的描寫，使用恰當的動詞以及形容詞能夠讓敘述更加準確生動。

(1)　交代時間以及事件場景。

　　　　……下午……，天氣……，大家在……踢球。

(2)　描述這個突發事件。

　　　　突然，……撞在……/……踩到……/……踢在……上。

(3)　描述人物的具體動作及情態。

　　①　事件本人的表現。

　　　　……痛得捂住……蹲下/坐下/倒下……

　　②　旁觀者的表現。

　　　　……同情地看著……

　　　　……迅速地扶起……

(4)　交代事件的結局。

　　　　……抬著擔架，衝進……，抬起……，離開……，另外一名隊員跑進……，比賽繼續進行。

2. Personal Letter

Imagine you received a letter from a pen pal. The letter talks about your pen pal's ideas about a healthy lifestyle and their intention to discuss this topic with you. Write a reply in letter format. Write about your opinion on healthy living. Tell your pen pal if you agree or disagree with their ideas. Justify your opinion with specific examples.

回信建議：

這是一封交流看法的信件。回覆時，可以參考下面的步驟進行：

(1) 問候。

(2) 重複主要信息。比如：

   你來信說到健康生活的方式……

(3) 就筆友提到的健康生活方式問題做出具體表述。

   ① 可以先列出不同的觀點。

   有的人認爲健康的生活方式就是……，因爲，第一……，第二……，第三……；而有的人認爲健康的生活方式是……，因爲，首先……，其次……，另外……

   ② 然後表明自己的觀點。比如：

   比較起來，我更贊同……的觀點。

   我贊成……，而不贊成……的看法。

   ③ 進一步說明理由，最好能夠舉出身邊的實例來證明自己的觀點。比如：

   爲什麼這麼說呢？因爲……

   對我來說，……，所以……

   ④ 最後，用一兩句話總結你所理解的健康生活方式。比如：

   我相信健康的生活方式就是遵守合理的作息時間……

   在我看來，健康的生活方式就是吃得好，睡得香……

   我認爲天天運動的人，就是健康生活的人。

   健康的生活方式既要……又要……

   健康的生活方式包括幾個因素，比如……

(4) 還可以補充說明這只是個人的見解並希望進一步交流。比如：

   當然，這只是我個人的看法。

   不知道你怎麼樣看，很願意以後在這個問題上能夠和你經常交流。

(5) 祝福語、署名和寫信日期。

3. E-Mail Response

Read this e-mail from a friend and then type a response.

發件人：楊風

主　題：希望了解NBA球星

　　自從姚明進入NBA賽場打球，我就特別愛看NBA籃球聯賽，最近連看了幾場，感覺真是不錯，可惜他最近受了傷。我現在特別喜歡收集各種關於NBA球星的資料，你能和我談談你了解的NBA球星嗎？我知道NBA的球員不一定都是美國人，其他國家的人要具備什麼樣的條件才可以在NBA賽場打球呢？等待你的回信。謝謝！

回信建議:

這封電郵的目的是希望從你這兒瞭解一些信息，這裏只作簡單提示。

(1) 簡短開頭，直接切入正題。例如：

知道你想瞭解……我就把我知道的……講一講。

(2) 就來信提出的問題作具體説明。

① NBA球星一般特點。通常包括球星在身高、體能、反應速度等方面及個人特長。比如：

作爲NBA球星，一般要求的身體條件是……要有……以及……

説起NBA球星，一般人就會想到，其實……

② 球星的成長過程、軼聞趣事以及球星的參賽情況等。

③ 如果你對某方面的情況不太瞭解，可以略寫，也可以給出一些其他途徑幫助對方瞭解有關信息。比如：

我對……方面的情況不太瞭解，你可以看看……

④ 就你所知道的其他國家的人在NBA賽場打球的條件進行説明：

就我所知，外國人在NBA賽場打球，需要……

(3) 結束談話。比如：

非常高興和你交流，希望經常聯繫。

今天我們先談到這兒，如果你還希望知道別的情況，我們下次還可以接著聊。

4. Relay a Telephone Message

Imagine you are sharing an apartment with some Chinese friends. You arrive home one day and listen to a message on the answering machine. The message is for one of those friends. You will listen twice to the message. Then relay the message, including the important details, by typing a note to your friend.

(Girl) 周芳，你什麼時候回啊？我是想提醒你一下，晚上去健身房的時候，別忘了帶上耳塞，上次跳健美操的時候，聲音真是太大了。你今天打算幾點出發，如果你去得早，幫我買一瓶礦泉水，我可能要晚一點去。

轉述建議:

(1) 轉述開始時要注意稱呼的使用，在這則信息中，留言中的"我"在轉述時要換成"她"。例如：

周芳，你的朋友……讓你……她提醒你……

(2) 轉述時要重點突出主要問題，不能遺漏。如：朋友讓周芳帶什麼東西，爲什麼；朋友讓周芳幫她買什麼東西，爲什麼；等等。

II. Free Response (Speaking)

1. Conversation

You are chatting with your friend, a senior high school student in China about sports activities.

(1) 問題一：美國人一般喜歡看哪些體育比賽？

回答建議:

首先對美國人喜歡看的體育比賽類型作一些概括，再列舉一些具體的比賽項目。例如：

一般來説，美國人都喜歡看對抗性強的比賽……比如……

許多美國人都比較喜歡看刺激性強的比賽，所以……都特別受歡迎。

(2) 問題二：不少年輕人喜歡聚在一起看體育比賽，你喜歡這樣看比賽嗎？你通常怎麼看比賽？

回答建議：

① 首先，簡要介紹觀看比賽的不同方式，比如：

看比賽的方式有很多種，可以在電視上看，也可以到現場觀看；可以是一個人看，也可以和朋友聚在一起看。

② 接下來，說明自己觀看比賽的方式及理由，比如：

我最喜歡的方式是……

我覺得一群人在一起看比賽……，我喜歡……

我當然喜歡……，因為……

和朋友在一起看比賽……

③ 如果你根本不喜歡看體育比賽，直接回答自己不看比賽也是允許的，但要說明不喜歡的理由，否則表述就不夠充分。比如：

我很少看體育比賽。我覺得……，我喜歡……

(3) 問題三：你最喜歡的體育明星是誰？你對他哪方面的印象特別好呢？

回答建議：

這個問題的核心是就某個人物談談你的評價，你可以直接回答喜歡的明星是誰，然後說明他在哪方面給你的印象特別深。你可以這樣表達：

我最喜歡的體育明星是……

他不但……、也……

我覺得他是……球員，因為……，特別是……

我對他的印象特別好，特別是……，因為……

(4) 問題四：你覺得經常參加體育運動都有哪些好處？

回答建議：

① 首先列舉體育運動的好處。你可以說：

我覺得經常參加體育運動的好處很多，例如：……，尤其是……

經常參加體育運動，最主要的是能夠……

② 然後結合自己的經歷，就其中某一方面作進一步的陳述。例如：

從我自己來說，因為……，所以我覺得……

③ 如果還有時間。你可以說：

參加體育運動的好處，每個人的感受並不相同。這只是我個人的看法。

(5) 問題五：如果參加體育運動的時間和學習時間有衝突，你怎麼辦呢？

回答建議：

① 可以先重複一下題目信息，並簡要地對這個問題作一個概括。比如：

高中階段，大家學習都比較緊張，所以會減少參加體育運動的時間。但是……

對我來說，參加體育運動的時間和學習時間有衝突，這的確是一個大問題。

② 接下來，談談解決的辦法。例如：

　　　　我覺得唯一的辦法就是⋯⋯

　　　　最重要的就是⋯⋯

　　　　我想可以⋯⋯，也可以⋯⋯

　　　　只要⋯⋯，就⋯⋯

　　　　如果⋯⋯就⋯⋯

③ 如果時間允許，你還可以說：

　　　　⋯⋯，這就是我的解決辦法。

(6)　問題六：如果你們學校有一個武術訓練隊，你會參加嗎？爲什麼？

回答建議：

　　這個問題包含兩個小問題，所以回答可以分兩個層次。

① 首先，表明自己的選擇，怎樣的選擇都可以，但回答要明確。

② 接下來，說明理由。可以包括以下幾個方面。

A. 你對武術運動或武術訓練隊的看法。比如：

　　　　據我所知，武術是一種⋯⋯的運動，⋯⋯

　　　　對我來說，武術隊的訓練要求⋯⋯

B. 說明自己的喜好。例如：

　　　　我最喜歡⋯⋯的運動，所以我肯定會/不會⋯⋯

　　　　我不喜歡⋯⋯，當然我也⋯⋯

　　　　我每天⋯⋯，所以⋯⋯

C. 爲了使表述更加充分，可以再談談現實的條件，比如是否有時間等。

　　　　雖然我很想參加武術隊，但是⋯⋯

　　　　如果武術隊⋯⋯，我會報名的。

2.　Cultural Presentation

There are many different schools of Chinese martial arts. Choose ONE, such as Taiji, and talk about it in as much detail as you can.

回答建議：

　　可以選擇某項中國武術談談你知道的情況。以太極拳爲例，可以從太極拳的起源、特點、作用、傳播等角度展開表述。

(1)　關於太極拳的來源，可以說：

　　　　太極拳是一種⋯⋯運動，它已經有⋯⋯的歷史了。最早的時候，據說是⋯⋯

(2)　關於太極拳的作用，可以說：

　　　　太極拳要求心靜，注意力集中，並且⋯⋯，這對鍛煉大腦很有幫助，另外⋯⋯

　　　　如果你練過太極拳，還可以結合自己的經歷來充實表述。比如：

　　　　我練了⋯⋯年的太極拳了，最大的收穫就是⋯⋯

　　　　我練太極拳的最大體會就是⋯⋯

(3)　關於太極拳的特點，可以說：

　　　我覺得太極拳最大的特點就是……

　　　打太極拳的時候，動作是……，看起來像是……

　　　太極拳的基本特點就是……

　　　太極拳有幾大特點，第一……，第二……，另外……

(4)　關於太極拳的傳播，可以說：

　　　太極拳是中國功夫的一種，原來只有中國人練，但是現在……

(5)　最後，用一句話結束表述。比如：

　　　總的來說／總體來說，我覺得太極拳……

3.　Event Plan

You have the opportunity to organize a class activity outdoors, such as trekking or mountain climbing. In your presentation, describe the advantages and disadvantages of different options. Also explain what you would prepare for the activity and other matters that require attention.

回答建議：

(1)　開始，交代事由。比如：

　　　最近天氣特別好，我們去爬山／野炊／郊遊……怎麼樣？

(2)　推進話題。

　　①　解釋作出選擇的理由，要說明不同選擇的利與弊。比如：

　　　　我們可以去……，也可以……，但是我想……，因為……

　　②　交代活動要求。比如：

　　　　大家應該準備……，帶……，別忘了……

　　③　簡單說明注意事項。比如：

　　　　有幾件事情大家要特別注意，第一……，第二……，第三……

　　　　要提醒大家的首先是……還有……

　　④　交代具體的時間、地點。

　　　　我們……點在……見面。

　　　　我們集合的時間是……，地點是……

(3)　結束。可以強調一下時間。比如：

　　　大家一定要準時到，不見不散。

第二課 **What's Your Favorite Sport?**
你喜歡什麼運動？

教師手冊

一、本課教學重點

(一) 能夠理解並運用所學的詞語討論體育運動及相關的內容，同時能夠描述自己經常參加的體育活動。

(二) 能夠運用本課所學的表達式明確地表達一種觀點。

二、本課的難點

(一) 詞語：注意"適合—合適""看法—意見"和"參與—參加"三組近義詞的辨析。

(二) 語言點：

    1. "不管……只要……都……"是兩個句型的套用，要讓學生掌握這種複雜句型的用法。

    2. "A是A"是一個固定結構，表示有條件的肯定，句子的重點是後面的否定意見。

    3. "不反對……"是一種委婉地表達不同觀點的方式。

三、有用的教學資源

(一) 有關中國傳統體育項目的介紹；

(二) 關於中國乒乓球與中美關係的資料。

四、教學安排導引

針對不同學習內容，各教學模塊及其教學設計和參考課時索引見下表。

教學模塊		交際模式	可選用的教學活動設計		課時建議
新課學習	課文閱讀與理解	理解詮釋 人際互動	教學設計1 教學設計2 教學設計3	教學設計分為必選和可選兩種，可選的活動以"可選"標明，具體實施順序請教師根據本班學生實際情況自定。	5—7課時
	詞語講解與練習	理解詮釋 表達演示	教學設計4 教學設計5 教學設計6		
	重點句型講解與練習	人際互動 表達演示	教學設計7 教學設計8		
交際活動		人際互動 表達演示	教學設計9 教學設計10 教學設計11		1課時
寫作訓練		表達演示	教學設計12 教學設計13		1課時
綜合考試訓練		綜合	教學設計14		1—2課時

注：寫作訓練活動可根據本班實際情況選做；綜合測試題應根據本班實際情況在課堂上選做或讓學生課外完成。

五、具體教學活動設計的建議

教學模塊 *1* — 新課學習

(一) 課文閱讀與理解:

🗣 教學設計1

內容: 主課文導入。

目的: 通過熱身活動,引起學生對本課話題的興趣,以積極的態度進入正課文的學習。

步驟:

第一步: 學習主課文之前,請學生講一講自己喜歡的體育活動,可提出下列思考題,請學生分組討論:

    ① 你和你的同學喜歡什麼樣的運動? 請簡單介紹一下。

    ② 你認為運動有什麼好處? 可以培養什麼精神?

第二步: 每個小組總結一下自己的討論結果,派代表向全班匯報。

第三步: 老師根據學生的匯報,及時在黑板上寫出各種體育項目的內容以及相應的動詞。

第四步: 請學生閱讀課文或仔細聽課文的錄音,開始進入正式的主課文學習。

預期效果: 通過以上兩個問題的引導,使學生對本課的主要內容有一個基本預想,有助於理解後面的課文內容。

🗣 教學設計2

內容: 主課文第一部分的聽與讀。

目的: 讓學生帶著問題仔細聽或認真讀課文,瞭解課文大意,發現、比較不同的觀點。

步驟:

第一步: 老師在黑板上列出問題,請學生帶著問題仔細聽或快速閱讀課文:

    ① 廣播電臺要對什麼問題進行採訪?

    ② 被採訪的女生甲喜歡哪種體育項目? 為什麼喜歡?

    ③ 被採訪的男生喜歡哪些運動? 他常常參加這些運動嗎? 為什麼?

    ④ 女生乙為什麼喜歡遊泳和打羽毛球?

    ⑤ 你們喜歡什麼運動? 為什麼?

第二步: 老師逐一提出每個問題請學生回答,然後請其他同學重復或補充答案,學生可以用課文中的句子來回答,也可以用自己的語言概括地表達。

第三步: 老師結合重點詞語進行講解。相關詞語的詳細講解和文化背景材料請分別參考後文中"六(一)"和"六(四)"的相關內容。

第四步: 請同學分角色朗讀課文。

可能出現的問題:

課文中提到的"踢毽子"、"放風箏"等活動,學生可能不大了解,可以利用實物做一些示範,給學生一些真實的感受。

● 教學設計3:

内容: 主課文第二部分的聽與讀。

目的: 瞭解課文內容,理解課文中的各種觀點,體會不同的表達方式。

步驟:

第一步: 老師在黑板上列出問題,請學生帶著問題仔細聽課文錄音,然後分角色朗讀:

　① 這位母親怎樣評價兒子參加體育運動?

　② 母親到底支持不支持兒子參加體育運動? 爲什麼?

　③ 説説你父母對你參加體育運動的態度和要求。

　④ 老師對學生參加體育運動有什麼擔心?

　⑤ 你想對這個問題發表什麼意見?

第二步: 全班同學一起討論以上問題。

第三步: 老師結合重點詞語和不同的表達方式講解課文。課文詞語的詳細講解和文化背景材料請分別參考後文中"六（一）"和"六（四）"的相關內容。

第四步: 以小組爲單位,模仿課文中的角色,朗讀課文。

預期效果: 學生會對不同國家的人對於參加體育活動的態度進行比較。

(二) 詞語講解與練習

● 教學設計4（可選）

内容: 詞語搭配比賽。

目的: 通過動詞與運動類名詞的搭配,激活學生頭腦中相關詞語的記憶,學會運用這些詞語。

步驟:

第一步: 老師將本課注釋的詞語寫在卡片上,分發給每個學生1－2張,同時給每人發兩張

第一步: 將學生分成兩組,一組搜集各種關於體育運動項目的詞;另一組搜集各種表示運動動作的動詞,老師做裁判。每場比賽時間爲三分鐘,根據在規定時間內得分多少決定勝負。

第二步: 首先運動項目組,提出詞語,另一組馬上説出相應動詞,正確則獲得一分,時間以三分鐘爲限;然後動詞組提出動詞,運動項目組馬上説出相配運動項目詞,正確則獲得一分,以三分鐘爲限。老師將這些搭配快速地記錄在黑板上。

第三步: 全班一起,複習學生所作的詞語搭配,老師可以適當補充學生沒有涉及的和出現錯誤的搭配,做進一步的講解。

預期效果: 活動可以形成熱烈的學習氛圍,能讓學生自然地掌握這些搭配,在課後的運動中馬上可以使用。

● 教學設計5

内容: 詞語辨析。

目的: 通過對三組詞的比較,明確它們的差異,學會正確使用。

步驟: 請參考"六（一）"中對"適合—合適""看法—意見""參與—參加"三組詞的辨析,並舉例講解。

預期效果: 學生能基本明確這三組近義詞的差別。

🗣 教學設計6

內容：寫句子。

目的：掌握本課重點詞語的實際運用。

步驟：請參考《學生用書》中的詞語練習（VOCABULARY IN CONTEXT）。

擴展：可以鼓勵學生仿照練習，寫出更多的句子鞏固複習本課的重點詞語。

(三) 重點句型講解與練習

🗣 教學設計7

內容：完成對話。

目的：通過實際運用，掌握本課的重點句型。

步驟：請參考《學生用書》中的句型練習（GRAMMAR STRUCTURES）。句型的詳細講解
　　　請參考後文"六（二）"中的相關內容。

擴展：可以鼓勵學生仿照練習，運用本課學到的詞語多做一些對話練習。

🗣 教學設計8

內容：情景對話。

目的：模擬真實情景，在具體的交際任務下練習使用本課的常用表達式。

步驟：請參考《學生用書》中的常用表達式練習（COMMON EXPRESSIONS）。表達式的
　　　詳細講解請參考後文"六（三）"中的相關內容。

組織要點：想象具體情景，在具體任務的引導下完成交際活動是本活動成功的關鍵，所以，
　　　　　應鼓勵學生根據自己的生活儘量把情景想象得具體一些。

教學模塊 *2* —— 交際活動

🗣 教學設計9

內容：說說我的想法。

目的：通過發表個人意見，學習、掌握在真實交際中表達觀點的方法。

步驟：請參考《學生用書》中的交際練習（COMMUNICATION CORNER）。

預期效果：掌握表達觀點這一功能項目，複習、擴充已學的詞彙和表達式。

🗣 教學設計10

內容：比較一般足球和美式足球。

目的：運用所學的詞語和表達方式進行比較。

步驟：

第一步：老師佈置任務，請學生課下查找材料。

第二步：分小組討論兩種足球運動的異同。

第三步：在課堂上組織一次討論，報告比較結果。

預期效果：學會查找材料；學會比較的方法；練習如何表達自己的觀點。

🗣 **教學設計11**

內容：從乒乓球看中美關係。

目的：通過體育運動貫連歷史與政治。

步驟：

第一步： 老師介紹乒乓球與中美關係史的材料，可參考後文"六（四）2"。

第二步： 請學生課下查找材料。

第三步： 在課堂上組織一次討論，談談自己對這一事件的看法。

預期效果：學會查找材料；了解在中美關係史上的一個重要事件。

(**教學模塊 3**) —■ 寫作訓練

🗣 **教學設計12**

內容：介紹一種運動。

目的：通過介紹，學會運用所學的詞語和句式，提高寫作能力。

步驟：

第一步： 老師佈置任務，要求學生查找材料，説明這種運動的起源、發展情況，現在的流行程度、參加這種運動的好處以及應該注意的問題。

第二步： 寫出來後，交老師修改。

第三步： 請同學重新抄寫文章，並配上插圖。

第四步： 在班級的牆報上展示各自的作品。

預期效果：在班裏形成一個學習漢語、使用漢語的氛圍。

🗣 **教學設計13**

內容：成立俱樂部的廣告。

目的：學會通過廣告的形式，表達一個社團的主張、目標和各種規定。

步驟：請參考《學生用書》中的寫作練習（WRITING TASK）。

可能出現的問題：

學生不知道廣告的寫作格式。可以根據《學生用書》的提示向學生介紹，也可以參考副課文。

(**教學模塊 4**) —■ **綜合考試訓練**

🗣 **教學設計14**

內容：綜合考試訓練。

目的：

1. 通過綜合考試訓練的課後自我檢測或隨堂選擇性檢測，綜合複習、強化本課所學的內容。

2. 借助綜合考試訓練內容與課文內容的相互補充，加深學生對與"體育與健身"主題相關內容的學習和了解，並進一步拓展學生的知識面。

步驟：請參考《同步訓練》第二課的相關內容。

訓練要點：

1. 完成聽力題(Rejoinders and Stimulus Types)，幫助學生進一步提高對與運動健身這一話題相關內容的瞭解，並掌握相關的交際功能。

2. 完成閱讀題（Reading），讓學生更多地接觸各種應用文體，包括短文、日記、通知、海報、新聞報導等。

3. 完成寫作訓練中的個人信件（Personal Letter）、回復電郵（E-Mail Response）以及對話題(Conversation)、文化表述題(Cultural Presentation)。此部分內容涉及對力量型體育運動的看法、中國傳統體育活動介紹以及對美國校園內外體育生活的綜合看法等。

4. 完成寫作訓練中的看圖講故事（Story Narration）、電話留言轉述（Relay Telephone Message）以及活動計劃表述題（Event Plan），訓練學生的敘述、描寫和表達能力。

六、教學參考資料

(一) 詞語講解

本課的詞語注釋表中一共列出了44個詞語，其中要求學生理解並能正確使用的詞語17個，只要求學生大致理解其在本文中的含義和主要使用場合的27個。此外，我們還對本課中的一些詞進行了詞義辨析，供老師在指導學生學習時參考。

1. 樂園：【名】供人遊玩的地方；使人感到快樂的地方。

2. 看法：【名】對人或物的認識、見解。

> **辨析 看法—意見**
>
> （1）兩者都是名詞，都有"對人或物的認識、見解"的意思，都可以做主語和賓語。例如：大家的看法/意見一致嗎？|我們可以在一起交換一下看法/意見。（2）略有不同的是："意見"還有"認為不對、不好而不滿意"的意思，常常和"有"搭配；"看法"只有加上"有"（"有看法"）才表示這個意思。例如：對於這件事，大家意見很大。|他對這件事情很有看法。

3. 速度：【名】快慢的程度。

4. 特：【副】<口語>非常。

5. 帶勁兒：【形】<口語>來勁；能引起興趣。

6. 取勝：【動】取得勝利。

7. 配合：【動】有關係的幾個方面分工合作（來完成共同的任務）。

8. 顯示：【動】明顯地表現出來。

9. 團隊：【名】有共同目的、興趣的人組成的集體。

10. 女足：【名】"女子足球"或"女子足球隊"的簡稱。

11. 彼此：【代】那個和這個；雙方。

12. 可：【副】表示強調。

13. 球類：【名】體育運動中使用的各種球的統稱。

14. 伙伴：【名】共同參加某種活動的人；朋友。

15. 滑板：【名】一種運動器械，呈平板狀。

16. 夠水平：達到一定的水平。

17. 熱鬧：【形】景象、場面活躍、喧鬧。

18. 絕活兒：【名】最拿手而有特色的本領；別人不易學會的技術。

19. 圍：【動】四週攔擋起來，使裏外不通。

20. 叫好：【動】大聲喊"好"，表示對表演的讚賞。

21. 棒：【形】<口語>好。

22. 劇烈：【形】猛烈。

23. 適合：【動】符合（實際情況或客觀要求）。

辨析 適合—合適

　　兩者都有"符合實際情況或客觀要求"的意思。"適合"是動詞，"合適"是形容詞。"適合"後可以加賓語，而"合適"不可以；"合適"可以做定語和補語，而"適合"不可以。例如：這件衣服很適合我。| 這件衣服很合適。| 他找到了一個合適的工作。

24. 踢：【動】抬起腿用腳撞擊。

25. 毽子：【名】一種用羽毛等做成的運動用品。

26. 風箏：【名】一種可以憑借風力飛上天的玩具。

27. 瞎：【副】沒有根據地；沒有效果地；胡亂地。

28. 支持：【動】給以鼓勵或幫助。

29. 連續：【動】一個接著一個。

30. 生氣：【動】因不合心意而不愉快。

31. 反對：【動】不贊成，不同意。

32. 打亂：【動】破壞常規；使混亂。

33. 作息：【動】工作和休息。

34. 正常：【形】符合一般規律和情況的。

35. 懂：【動】知道；瞭解。

36. 保護：【動】盡力照顧，使不受傷害。

37. 缺乏：【動】（需要的、想要的或一般應有的事物）沒有或不夠。

38. 意識：【名】對某個問題的認識或重視程度。

39. 傷害：【動】身體或思想感情受到損壞、打擊。

40. 值得：【動】有價值，有意義；合算。

41. 觀眾：【名】觀看演出、電影或電視節目等的人。

42. 發：【動】送出。

43. 短信：【名】用手機發送的文字；簡單的信息。

44. 參與：【動】參加（事情的計劃、討論、處理等）。

辨析 參與—參加

　　兩者都是動詞。"參與"和"參加"的對象都可以是某種活動。但是，（1）"參與"的對象不能是組織或團體，"參加"可以。（2）"參與"很少用於口語，"參加"口語和書面都常用。例如：他參加/參與了這個計劃的製定。| 我們參加了一個旅行團。| 姐姐大學一畢業就參加工作了。

(二) 重點句型講解

本課一共有6種需要學生掌握的重點句型，在《學生用書》的 "LANGUAGE CONNECTION" 中有簡單的講解。在這裏，我們再作進一步的講解，以供老師參考。

1. 要想……就得……

"要想取勝就得和大家配合好……"

這個句型表示要達到某種目的所應具備的條件。"要想"引出要達到的目的，"就得"後面是所應具備的條件。這個句型多用在口語中。例如：

> 要想學好漢語，就得多聽、多説。

> 要想身體好，就得多鍛煉。

這個句型與 "要想……就必須……" 意思相同。如：

> 要想看上這場球賽，就必須提前買票。

2. 不管……只要……都……

"不管大球小球，只要是球類運動我都喜歡。"

這是 "不管……都……" 與 "只要……就……" 套在一起使用的句型，"就"一般可以省略掉。"不管……都……" 表示在任何條件下結果和結論都不會改變，"只要……就……" 表示只要符合某種條件，就會產生某種結果。這兩個句型套在一起使用，表示只要符合某種條件，在任何情況下結果或結論都不會改變。在這個句型中，"不管"的後面可以是並列的兩個成分（詞、短語、小句），也可以是表示任指的疑問句，如 "誰" "哪" "什麼" "怎麼" 等。例如：

> 不管是高年級的學生還是低年級的學生，只要對這門課有興趣，都可以選。

> 不管你學過還是沒學過，只要喜歡棒球，都可以參加我們的棒球俱樂部。

> 不管什麼地方，只要有好玩的東西，我都願意去。

> 不管是誰，只要做了違反法律的事情，都要受到懲罰。

"不管……都……" 也可以説 "無論……都……" 或 "不論……都……"。不同的是，"不管"多用於口語，而"無論""不論"多用於書面語。如：

> 無論有沒有困難，只要大家有決心，就一定能完成這個任務。

3. 既……又……

"這些運動……既能鍛煉身體，又能練出個好身材。"

這個句型表示同時具有兩個方面的性質或情況。"既""又"分別引出同時具有的性質或情況，二者共用一個主語，是並列關係。"既"和"又"的後面可以是形容詞（如"好吃"和"便宜"），也可以是動詞或動詞短語（如"是我的老師"和"是我的朋友"），兩個關聯詞後面的成分，其詞性、結構和音節常常相同。例如：

> 那個飯館的飯菜既好吃又便宜。

> 他既是我的老師，又是我的朋友。

類似的句型還有 "又……又……" "既……也……"。如：

> 這間教室又大又亮。

> 這件衣服既不漂亮，也不便宜，別買了。

4. 要是……的話……

> "要是沒有朋友和我一起玩的話，那我就一個人踢踢毽子，放放風箏。"

　　"要是"是一個表示假設關係的關聯詞，引出假設的具體內容，後面常常有"就"與它呼應，表示在這個假設的前提下出現的情況。句型中的"的話"可以省略，意思沒有變化。"就"的前面也可以加"那"或"那麼"。這個句型一般用於口語。例如：

　　　　要是天氣不好的話，我就呆在家裏。

　　　　要是這次比賽輸了，那我們以後就沒有機會了。

　　　　要是沒有人幫助的話，我肯定做不完這個工作。

　　"如果……"也表示相同的意思，但"要是……"多用於口語，"如果……"多用於書面語。可參考第一課的句型"如果……那就……"。

5. 這麼說來……

> "這麼說來，您特別支持兒子參加運動了？"

　　在聽到對方講出一番話以後，用"這麼說來"引出自己根據對方的話所做的推測。課文中的這個句子，就是根據"母親"說的話，做出"您特別支持兒子參加運動"的推測。這個短語一般用在口語中。例如：

　　　　{ A：漢語的發音不容易，語法也比較複雜。
　　　　　 B：這麼說來，漢語很難學，是嗎？

　　　　{ A：今天太累了，我現在就已經睏了。
　　　　　 B：這麼說來，你想早點睡覺，對不對？

　　"這麼說來"也可以說"這麼說"，意思相同。有文言色彩的說法是"如此說來"。

6. A是A

> "支持是支持，但有的時候看到他打完球回家……"

　　"A是A"這一結構表示有條件地肯定，有"雖然"的意思，緊跟在它後面的句子通常有"但是""不過""就是"等詞，表示輕微的轉折。課文中這個句子的意思是：雖然支持兒子參加運動，但不希望他打亂作息時間，影響學習。在這個結構中，"A"可以是形容詞、動詞或動詞短語。例如：

　　　　{ A：你覺得這件衣服怎麼樣？
　　　　　 B：漂亮是漂亮，就是價錢太貴。

　　　　{ A：你沒看過這個電影嗎？
　　　　　 B：看過是看過，但已經忘了。

　　　　{ A：他學習不努力嗎？
　　　　　 B：努力是努力，不過學習方法不太好。

(三) 常用表達式講解

結合本課"表達觀點"這一功能項目,本課重點提出4組在實現這一功能的過程中常用的表達方式。我們在這裏對這些表達式進行了講解和擴展,供老師們在教學中參考。

1. 我覺得……

"我覺得足球是一種速度和力量結合的運動。"

"我覺得……"在表達觀點時使用,有"認爲"的意思,但語氣不那麼肯定。後面接具體的觀點、看法。例如:

我覺得打太極拳對大腦很有好處。

我覺得做實際的工作比讀書更有用。

2. 我喜歡……

"我喜歡遊泳、打羽毛球,這些運動不太劇烈,特別適合我。"

"我喜歡……"通常用來表達個人對某種事物的喜好,有時也可以通過個人的喜好來表達對某種事物的看法,這時後面常有對喜好這一事物的原因的表述。例如:

我喜歡學習漢語。

我喜歡在圖書館裏看書。

我喜歡跑步,因爲跑步對心臟很有好處。

3. 不反對……

"我不反對兒子參加體育運動,但不希望他打亂正常的作息時間,影響學習。"

"不反對"在表達觀點時使用,可以表示有保留的同意。在討論中,當你需要就一種觀點、看法發表你的意見時,你雖然同意這個觀點,但又有所保留或有所補充時,可以使用這個表達式。"不反對"後面接的是別人的觀點,後面常有"但是(但)""不過"等詞,後面再接你的補充看法。例如:

A:我覺得學生應該多參加社會活動。
B:你的看法呢?
C:我不反對學生參加社會活動,但我覺得參加社會活動一定要有老師的指導。

4. 不希望……

"我不反對兒子參加體育運動,但不希望他打亂正常的作息時間,影響學習。"

當表示自己不願意看到某種情況出現或某種事情發生的態度時,可以使用這個句型。在對話時,如果你想委婉地向對方表達某種意見,也可以使用"不希望……"這個表達方式。例如:

我不希望考試的次數太多。

我不希望明天下雨。

A:你覺得大學只通過考試錄取新生合理嗎?
B:我覺得考試是必要的,但不希望學生成爲考試的機器。

(四) 補充文化知識材料

　　根據正副課文的内容，我們補充了一些相關的文化背景知識，供老師們參考。由於篇幅的關係，其他更多的材料，我們放到網上，請老師們上網搜尋。

1.　中國傳統體育活動

踢毽子

　　踢毽子是中國民間傳統運動項目之一。根據史料記載和出土文物證明，它起源於中國漢代。唐宋時期，踢毽子開始盛行，在民間流傳極廣，集市上還出現了專門製作、出售毽子的店鋪。明代開始有了正式的踢毽比賽。清代這項運動達到鼎盛，在毽子的製作工藝和踢法技術上，都達到空前的高度。

　　踢毽子是一項良好的全身性運動，它不需要任何專門的場地和設備，運動量可大可小，老幼皆宜，尤其有助於鍛煉人的靈敏性和協調性，有助於身體的全面發展。由於它的娛樂性和靈活性，踢毽子運動深受中國人喜愛。1984年，中國國家體育工作委員會正式將踢毽子列爲全國比賽項目，並改稱踢毽子爲“毽球”；1987年，中國毽球協會成立，此後每年都舉辦全國毽球錦標賽、全國職工毽球賽、全國中學生毽球賽三大賽事。目前，毽球運動已成爲中國普遍開展的熱門運動項目之一。

　　毽子可分爲鷄毛毽、皮毛毽、紙條毽、絨線毽等幾種。毽子的製作方法是：先將動物的尾羽（或皮條、紙條、絨線條等）捆扎成束，插入作爲底托的銅錢方孔（或其他有一定重量的、類似銅錢的物體）中，再用布裹緊縫牢，使鷄毛與下面的承載物合爲一體。毽子的基本踢法，主要有“盤、拐、繃、蹬”四種。用腳内側踢爲“盤”，用腳外側踢爲“拐”，用腳面踢爲“繃”，用腳掌踢爲“蹬”，用腳趾踢爲“挑”，用腳後跟踢爲“磕”等。依照踢法的不同，傳統踢毽子比賽可分爲記數賽、計時賽、花樣賽幾種。

放風箏

　　放風箏是中國民間盛行的一種傳統遊戲，也是一項傳統體育活動。風箏起源於戰國時期。據《墨子·魯問》篇記載，“公輸般削木爲鵲，成而飛之，三日不下”；又説“公輸般作木鳶，以窺宋城”。公輸般就是後人所説的巧匠魯班。他製作的“鵲”或“鳶”，其原材料是極薄的木片或竹片。漢朝以後，由於紙的發明和應用，在製作風箏時，逐漸以紙代木，稱爲“紙鳶”。五代時，又在紙鳶上繫竹哨，風吹竹哨，好像箏的鳴聲，故此後稱爲“風箏”。到明清時，放風箏的活動達到極盛。每年清明節前後，風和日麗，家家户户扶老攜幼，競相把自己製作的風箏送上藍天。

　　中國的風箏，以山東濰坊和江蘇南通製作的最爲有名。最有代表性的大型龍頭蜈蚣風箏，長達百餘尺，十分壯觀。現在，山東濰坊每年都舉行盛大的風箏節活動，每逢節日，形形色色的風箏在藍天上翱翔，吸引了成千上萬的中外遊客前來觀光。

2.　乒乓球與中美關係

　　乒乓球是中國的國球。中美曾經關係冰冷，兩個希望改善關係的國家通過乒乓球邁出了第一步。

　　1971年3月，中國乒乓球隊參加了在日本舉行的第31屆世界乒乓球錦標賽。4月4日，美國三號球員科恩在與中國球員梁戈亮練了10多分鐘球後，無意中搭上了中國球員的交通車。中國球員莊則棟主動將一幅綉有黃山風景圖的杭州織錦贈送給科恩，並合影留念。科恩後來回送莊則棟一件帶有和平標誌的運動衫。這一戲劇性事件被新聞媒體廣爲報導。1971年4月6日，中國乒乓球協會邀請在日本參加第31屆世乒賽的美國乒乓球代表團訪華。4月10日，美國乒乓球代表團抵達北京，成爲第一個到中華人民共和國訪問的美國代表團。4月14日，周恩來總理在人民大會堂會見美國客人時説：“你們這次應邀來訪，打開了兩國人民友好往來的大門。”幾小時後，美國總統尼克松發表聲明，宣佈放鬆美國對中國的禁運，對願來華者加快簽證，放寬貨幣管製，以改善和鬆動兩國關係。

　　美國乒乓球代表團在中國期間，兩國運動員在北京舉行了友誼比賽，美國客人還訪問了上海和廣州。1972年4月，以莊則棟爲團長的中國乒乓球代表團對美國進行了回訪。一時間，中美兩國出現了友好交往的熱潮。兩國之間以"乒乓外交"正式揭開了改善關係的序幕，"乒乓外交"也促進了尼克松訪華乃至中美建交。這一事件被譽爲"小球轉動大球"。在此前後，中國還邀請了澳大利亞、加拿大、哥倫比亞、英格蘭、尼日利亞等國的乒乓球隊訪華，中國乒乓球隊也出訪了尼泊爾、錫蘭、埃及、尼日利亞、南斯拉夫、蘇聯、意大利、法國、瑞典、加拿大、智利等國，並舉辦了幾次亞非拉乒乓球邀請賽。這些外交事件，對中國發展與其他國家的友好關係，起到了正面的作用。

　　"乒乓外交"不僅是中美關係史上的一段佳話，更稱得上是國際外交史上的一個傳奇。

教師手冊

《同步訓練》參考答案及相關提示

Section One

I.　Multiple Choice (Listen to the dialogs)

答案：

1. C　　　　2. D　　　　3. B　　　　4. A　　　　5. A　　　　6. C

7. D　　　　8. C

聽力錄音文本：

1. (Man)　　　你是什麼時候學會游泳的？
   (Woman)　　(A) 我不想和你一起去游泳。
   　　　　　　(B) 我喜歡看跳水比賽。
   　　　　　　(C) 我從小就會。
   　　　　　　(D) 我爸爸不會游泳。

2. (Man)　　　知道這次放幾天假嗎？
   (Woman)　　(A) 放假我就去上海。
   　　　　　　(B) 我告訴媽媽已經放假了。
   　　　　　　(C) 他不知道放幾天假。
   　　　　　　(D) 我聽說是一週。

3. (Woman)　　你平時都喜歡看什麼樣的書？
   (Man)　　　(A) 我喜歡聽古典音樂。
   　　　　　　(B) 小說和雜誌。
   　　　　　　(C) 什麼樣的電視節目我都喜歡看。
   　　　　　　(D) 我一點兒都看不清楚。

4. (Man)　　　今天報紙上有什麼新聞嗎？
   (Woman)　　(A) 沒看到什麼大事。
   　　　　　　(B) 你的報紙在哪兒？
   　　　　　　(C) 我沒有看昨天的新聞。
   　　　　　　(D) 你一般什麼時候看新聞節目？

5. (Woman)　　你把行李送到我的房間了嗎？
   (Man)　　　對啊，我已經送上去了。
   (Woman)　　(A) 那我怎麼沒看到啊？
   　　　　　　(B) 電梯怎麼不動了？
   　　　　　　(C) 我的行李在出租汽車裏。
   　　　　　　(D) 你的行李箱特別好看。

6. (Woman)　　你今天看起來心情特別好。
   (Man)　　　我昨天乒乓球比賽得了第一。
   (Woman)　　(A) 我一定會去看你比賽的。
   　　　　　　(B) 我很喜歡你給我買的禮物。
   　　　　　　(C) 向你表示祝賀！
   　　　　　　(D) 你沒參加比賽嗎？

7. (Woman) 我們早點兒出發吧，一會兒堵車就趕不上飛機了。

  (Man) 今天是週末，應該不會堵車。

  (Woman) (A) 我們要遲到了。

     (B) 我昨天已經去過了。

     (C) 我忘了把地圖放哪兒了。

     (D) 我們還是早點兒走吧。

8. (Woman) 你看見我的信用卡了嗎？

  (Man) 你不是剛才還用了嗎？

  (Woman) (A) 我沒看見你的信用卡。

     (B) 你先用我的信用卡吧。

     (C) 可我現在不知道把它放哪兒了。

     (D) 你下午再去找信用卡吧。

II. **Multiple Choice (Listen to the selections)**

  答案：

1. C	2. D	3. D	4. D	5. A	6. C
7. D	8. C	9. B	10. C	11. A	12. B
13. C	14. B				

聽力錄音文本：

Selection 1

(Narrator) Now you will listen twice to a voice message.

(Man) 各位觀眾，您現在收看的是在首都體育館舉行的2007年北京國際乒乓球比賽的男子單打決賽，由中國隊對韓國隊。在第一場的比賽中，中國隊贏了，雙方的比分是11比9，在第二場的比賽中，韓國隊以11:8的比分贏回一局。現在雙方戰成一比一平。馬上要開始的是第三場比賽，歡迎大家收看。

(Narrator) Now listen again.

(Narrator) Now answer the questions for this selection.

Selection 2

(Narrator) Now you will listen twice to a voice message.

(Man) 喂，小李，我是張華。學校東門附近最近開了一家體育健身中心，我同屋的同學昨天剛去過。他說那兒設備齊全，不僅可以打羽毛球、乒乓球、籃球等，還可以練跑步、舉重什麼的。我聽說那兒的價格也十分合理，現在還有專門針對學生的優惠活動，你有興趣一起去看看嗎？

(Narrator) Now listen again.

(Narrator) Now answer the questions for this selection.

Selection 3

(Narrator)	Now you will listen twice to a voice message.
(Woman)	告訴各位同學一個好消息，在剛剛結束的全市中學生運動會上，我校一共有12名同學參加了比賽。其中有3人分別在游泳、1500米中長跑和乒乓球的比賽項目中獲得了第一名，其他同學的表現也非常不錯，比如羽毛球比賽中有4人進入了決賽。讓我們向他們表示祝賀。
(Narrator)	Now listen again.
(Narrator)	Now answer the questions for this selection.

Selection 4

(Narrator)	Now you will listen twice to a voice message.
(Man)	請大家注意，我校學生體育運動中心現在招聘兼職工作人員2名，符合以下條件的同學都可以報名：第一，喜歡體育鍛煉，身體健康；第二，辦事認真負責；第三，可以週末上班。願意報名的同學需要在本月15日前到一樓的1002房間，與本中心的王老師聯繫。
(Narrator)	Now listen again.
(Narrator)	Now answer the questions for this selection.

Selection 5

(Narrator)	Now you will listen once to a conversation between two persons.
(Man)	這幾天天氣都不錯，週末找個時間一塊兒去爬山吧。
(Woman)	我倒是挺喜歡去爬山的，不過就是覺得太累了，每次都到不了山頂。
(Man)	沒關係，我們可以早點出發，慢慢爬，累了的話就休息一會兒。
(Woman)	要不我們去看電影吧？
(Man)	不好，爬山可以呼吸一下新鮮空氣，對身體有好處。
(Woman)	那聽你的吧。
(Narrator)	Now answer the questions for this selection.

III. Multiple Choices (Reading)

答案：

1. C	2. D	3. D	4. B	5. B	6. D
7. A	8. B	9. D	10. A	11. B	12. C
13. D	14. C	15. B	16. B	17. C	18. D
19. C	20. D	21. B	22. C	23. D	24. C
25. D					

Section Two

I. Free Response (Writing)

1. Story Narration

The four pictures present a story. Imagine you are writing the story to a friend. Narrate a complete story as suggested by the pictures. Give your story a beginning, a middle, and an end.

教師手冊

寫作提示:

　　這則看圖寫作主要考察對人物系列活動的完整敘述。關鍵在於交代出場景的轉移, 人物的動作、人物的具體狀態以及心理活動。因此, 動詞、形容詞以及時間詞、方位詞的運用是很重要的, 可以運用以下一些句式。

(1) 交代時間及事件背景。

　　　　下課以後, 同學們都離開教室……, ××跑下樓去。他今天要參加……

(2) 敘述場景的轉移以及人物的心理活動。

　　　　××快走到球場了, 看到……, 想起……

(3) 使用一系列的動詞以支持連貫的敘述。

　　　　返回……打開……取出……套上……

　　　　跑回……打開……拿出……穿起……

　　注意形容詞的搭配, 會使寫作更加生動具體。

　　　　匆匆忙忙地跑回/急急忙忙地返回/飛速地衝回/快速地走回……

　　　　迅速拿出/飛快取出……

　　　　一下子穿上/很快套上……

(4) 交代事件的結局。

　　　　飛快跑進……, 比賽剛剛開始。

　　　　很快跑進……。還好, 沒有遲到。

2. Personal Letter

Imagine you received a letter from a pen pal. He mentions that he likes "strength sports" (weightlifting, body building, etc.) very much and would like to discuss this topic with you. Write a reply in letter format. First, write about what kind of "strength sports" are common in high schools in the United States. Then explain why you like or dislike these sports. Justify your opinion with specific examples.

回信建議：

(1) 問候語。

(2) 重複主要信息。比如：

> 你在信中談到力量型體育運動……

(3) 主要内容。

① 簡要介紹美國中學主要開展哪些種類的力量型體育運動。

> 美國中學一般開展的力量型體育運動有……
>
> 大多數美國人都喜歡力量型體育運動，在中學裏，主要開展……

② 簡要説明美國人對力量型體育運動的態度，爲下文的表態作出鋪墊。

> 很多美國人認爲力量型體育運動能夠……
>
> 美國人大多喜歡力量型體育運動，因爲……
>
> 在美國，喜歡力量型體育運動的是……，而……並不喜歡力量型體育運動……

③ 結合自身體會進一步表述，説明自己爲什麼喜歡或不喜歡力量型體育運動，如果能就某具體項目作一些説明，會使表述更加充實。比如：

> 從我自己的情況來説，……所以我非常喜歡力量型體育運動。
>
> 我自己的確非常喜歡力量型體育運動，比如……運動，因爲……
>
> 力量型運動當中，我喜歡的是……我不太喜歡……，因爲……
>
> 我真的不喜歡力量型體育運動，這些運動太……沒有意思。
>
> 我不喜歡力量型體育運動，我喜歡的是……因爲……

(4) 補充内容。比如希望瞭解對方對這一問題的看法，或對方國家這方面的情況，使回信更加真實自然。

> 你們學校的情況也是這樣嗎？和我的中學有什麼區别呢？盼望你的回信。

(5) 祝福語、署名和寫信日期。

3. E-Mail Response

Read this e-mail from a friend and then type a response.

發件人：張剛

主　題：體育成績對上大學有没有幫助

　　有一個好消息要告訴你，最近參加全市中學生游泳賽，我的一百米、二百米自由泳、四百米蛙泳都拿了冠軍。在中國，如果一個學生有體育方面的特長，一般都會受到大學的歡迎。不清楚美國是怎麼樣的，我知道美國人都特别看重體育運動，但是體育成績對上大學有没有幫助呢？我很想瞭解這方面的一些具體信息，希望你能和我談談。謝謝了！

回信建議:

(1) 表示祝賀。祝賀對方取得的成績。因爲是朋友之間的祝賀,可以用一些輕鬆的表達方式。比如:

> 你真棒啊!一下子拿了那麼多金牌……
>
> 祝賀你,游泳冠軍!
>
> 你太棒了,真讓我羨慕。

(2) 切入正題。對提出的問題給出具體回答。需要和上文承接,並舉一些具體的例子充實內容。比如:

> 你説想瞭解體育成績對上大學有沒有幫助,據我所知,……,比如……
>
> 説到體育成績對上大學的幫助,美國的情況是這樣的……,我知道的一個同學就是……
>
> 在美國,學生在體育方面的表現挺重要的,對進入大學很有幫助。有的大學……,有的大學……

(3) 結束郵件。結束郵件的方式是多種多樣的,可以通過詢問對方一些相關問題,或通過表示關心來結束。例如:

> 你還想知道哪些相關情況,可以隨時問我,只要是我知道的,我都會儘量告訴你……

4. Relay a Telephone Message

Imagine you are a high school student called Qiangqiang. You arrive home one day and listen to a message on the answering machine. The message is from your mother. She wants you to pass a message to your father. However, you are about to go out to your friend's party. You will listen twice to the message. Then relay the message, including the important details, by typing a note to your father.

(Woman) 强强,晚上我不回家吃飯了,我要到春天商場給你換球鞋,換完以後要去看老李,他住院了。你告訴你爸爸,可能我回來會比較晚,但不會超過10點。冰箱裏有吃的東西,拿出來熱一熱就可以了。讓他別老看球賽,修一下衛生間的鎖。

轉述建議:

和前面幾課的轉述練習不同,這則消息轉述的難點不在於時間、地點的交代以及人稱的轉換,而在於能否把握留言中交代的多個事件。

(1) 簡要概括事件背景及人物關係。例如:

> 爸爸,媽媽下午來了個電話,她説了幾件事情……

(2) 爲了把留言中重要事情都準確地轉告爸爸,你需要在聽的時候做一個記録。如:

> 媽媽説的幾件事情:一……二……三……四……

II. Free Response (Speaking)

1. Conversation

You will have a conversation with Huang Hua, a school news reporter, about your views on the variety of subjects being offered at your school.

(1) 問題一: 你的學校有哪些體育活動?

回答建議：

① 本題重要的是要有一些總括性的表達，而且能夠列舉出足夠多的體育項目詞語。比如：

> 我們學校的體育活動非常豐富，有……有……還有……

② 爲了使表達更加充實，對不同體育運動的情況作一下區分。比如：

> 其中，……項目，高年級同學參加人數較多；……項目，低年級學生參加人數較多。

(2) 問題二：參加體育活動重要嗎？爲什麼？

回答建議：

既可以説參加體育活動很重要，也可以説不重要，關鍵是要説明理由。例如：

> 我覺得參加體育活動……，因爲……，另外……
>
> 我認爲參加體育活動……第一……第二……
>
> 從我自己的經歷來説，參加體育活動……

① 認爲參加體育活動很重要。比如：有的體育活動可以鍛煉身體，讓人保持充沛的精力（跑步、游泳……）；有的體育活動可以鍛煉大腦，讓人注意力集中（下棋、打太極拳……）；有的體育活動鍛煉意志，培養競爭意識與團隊合作精神（棒球、籃球、橄欖球……）。

② 認爲參加體育活動不重要。可以用比較的方式，比如：在有限的時間內，你寧願選擇讀書、看電影等其他活動，這些活動比體育活動更有意思。或者從生活方式上談，比如：很多人沒有太多體育活動，一樣健康地生活。

(3) 問題三：你最喜歡參加哪項體育活動？爲什麼？

回答建議：

本題的關鍵是要結合個人的經歷，談自己的感受。表達方式如下：

> 我最喜歡的是……，因爲……
>
> ……是我喜歡的運動項目，我覺得……，有一次……，後來……

回答的角度還可以參考上面"問題二"。

(4) 問題四：哪項體育活動在美國最受歡迎？爲什麼？

回答建議：

> ……在美國是最受歡迎的體育活動。因爲，首先……其次……另外……

(5) 問題五：什麼樣的人可以成爲一個成功的運動員？

回答建議：

如果只簡單地回答一兩句，很難展開話題。如：

> 身體條件好的人往往更容易成爲一個成功的運動員。
>
> 意志堅強的運動員更容易成功。

所以，應該先擺出普遍的觀點，再表明自己的態度。比如：

> 説起成功的運動員，人們會想起……，想起這些運動員都……。……的運動員就一定可以成爲成功的運動員嗎？我覺得往往不是這樣。比如……。所以我認爲，成功的運動員是……

(6)　問題六：你想去北京參加2008年的奧運會嗎?爲什麼?

回答建議：

這是一個開放性的問題。表面上是問你想不想參加2008年奧運會，實際是想瞭解你對2008年奧運會的感受。

　　① 首先，作一個總體的表態。比如：

　　　　　我當然想去北京參加2008年奧運會，……

　　　　　2008年的奧運會，如果是……我可能會……

　　　　　我不想去北京參加2008年的奧運會……

　　② 接下來，説明理由。

　　A. 如果想參加奧運會，可以從以下角度進一步説明：

　　　　　希望更好地瞭解中國文化，奧運會是一個良好的契機。

　　　　　自己是運動員，要是有可能，當然願意參加這樣的盛會。

　　　　　想借這個機會去中國旅遊。

　　　　　……

　　B. 如果不想參加奧運會，可以從以下角度進一步説明：

　　　　　奧運會的水平很高，認爲自己的能力未達到這種水平。

　　　　　奧運會的會前訓練必定很吃重，擔心會影響學業。

　　　　　……

2.　Cultural Presentation

Choose ONE traditional Chinese sport you know (kite flying, dragon boat racing, etc.). In your presentation, describe your understanding of this sport in as much detail as possible.

回答建議：

這裏以踢毽子爲例。

(1)　首先，簡要介紹踢毽子遊戲的性質和特點。比如：

　　　　踢毽子是中國傳統的體育運動，非常有意思。可以自己玩，也可以幾個人一起玩。……

　　　　據説踢毽子是中國傳統的體育運動，在我看來，它其實是一種遊戲……

(2)　接下來，可以從這項運動的規則、地點、群衆參與性，甚至毽子的製作材料等方面來擴展你的話題。比如：

　　　　人們一般是在……踢毽子。

　　　　毽子是用……做的，很輕。

　　　　玩毽子的時候，可以……，然後再踢來踢去。……要是你不能把對方踢來的毽子踢回去，讓毽子落到地上，那就輸了。……

　　　　踢毽子也可以是一種對抗性很强的運動……，還有一些別的玩法兒，如……

(3)　結束。用一兩句話總結自己對踢毽子運動的個人感受。比如：

　　　　我很喜歡這項體育運動。

　　　　以前我不會……現在我學會了……

3. Event Plan

You have the opportunity to organize a basketball game with another class of the same grade. In your presentation, explain your plan to your classmates (how to prepare, matters that require attention, etc.), reasons for organizing this game, and persuade them to accept your plan and to participate in the game.

回答建議：

(1) 開頭。簡要說明活動計劃。比如：

> 最近大家學習都很忙……，所以……
>
> 我想組織一次……比賽，因為……

(2) 推進話題。

① 說明這樣安排的理由。比如：

> 組織和……班進行比賽，是因為……
>
> 上次和……班比賽……，這次，我想……

② 介紹比賽的方式。比如：

> 先在我們班進行選拔，選拔的辦法是……，同學們可以自願組成球隊，……比賽採用循環賽的方法，從中選出優秀的隊員。凡是對籃球有愛好、願意參加比賽的同學都可以報名。

③ 具體要求。如：

> 有幾件事情大家要特別注意，第一……第二……第三……
>
> 我希望大家都……
>
> 下課以後，我們……
>
> 要提醒大家的是……還有……

(3) 結束。可以強調一下這次活動的意義：

> 我想通過比賽，使同學之間能夠更好地相互交流，籃球水平也可以得到提高……
>
> 也可以簡單地提一下希望：
>
> 希望大家支持這次活動。
>
> 希望大家積極參加比賽。
>
> 也可以通過詢問的方式結束談話，比如：
>
> 不知道大家覺得這個想法怎麼樣，請大家多提意見。

UNIT 2 Food and Fashion 飲食與服裝

單元教學目標

一、 溝通

1. 掌握與飲食和服裝這一話題相關的重點詞語及語言點，並學會將這些語言知識成功地運用於日常交際之中。理解一般詞語。
2. 學會準確表達自己親身感受的方式。
3. 學會如何清楚地表達自己的觀點。

二、 比較

結合自己國家以及自己所了解到的情況，理解並詮釋不同國家在飲食與服飾等方面的特點及彼此間的差異。

三、 文化

了解中國的飲食文化和服飾文化的特點與變遷，並通過這些文化表現進一步體會它們所反映出的中國人的文化理念和世界觀。

四、 貫連

與歷史課、社會課相貫連，從歷史和社會學的角度理解不同民族的風俗習慣及其演變所反映的民族特色和民族心理。

五、 實踐活動

通過寫作訓練和演講比賽，運用所學到的漢語和文化知識進行交流和表達。

單元導入活動說明

本單元主要介紹中國的飲食文化和服飾文化。不同的國家和民族，都有自己的飲食習慣和服飾習慣。在引導學生進入這個單元的時候，要把重點放在飲食和服飾的民族、地域、時代特點上。建議引導步驟如下：

第一步： 請學生說一說，在他們的國家或他們所熟悉的國家裏，在古代和現代，人們都吃什麼，穿什麼，並對其特色和變化進行評價；同時請學生設想一下，一百年後，人們會吃什麼穿什麼？爲什麼？

第二步： 將學生分成小組，進行討論，各小組派代表在全班發言。

第三課 The Beijing Teahouse
北京的茶館

一、本課教學重點

(一) 能夠理解並運用所學的詞語討論與中國飲食相關的內容，同時能夠與自己國家的相關內容作比較。

(二) 能夠運用本課所學的表達式表達親身感受。

二、本課的難點

(一) 詞語：注意"展覽—展示"和"嚐—吃"這兩組近義詞的辨析。

(二) 語言點：

　　1. "學會＋V"這一句型，如果要表示已經學會了，"了"放在動詞前後都可以，但所用的語境有少許差別。

　　2. "少於"的"於"是古漢語的用法，注意與"比"字在用法上的區別。

　　3. "肯定……""特別……""……極了""……得＋不得了""太……了"這一組表示程度的表達式與表示褒義的詞連用，都可以用來表示稱讚，但是它們的具體用法以及在句中的位置等都存在著一定的差異，請注意引導學生進行比較。

三、有用的教學資源

有關中國飲食的圖片或者實物（如茶、茶壺、茶館、中國菜譜等）。

四、教學安排導引

針對不同學習內容，各教學模塊及其教學設計、參考課時索引見下表。

教學模塊		交際模式	可選用的教學活動設計		課時建議
新課學習	課文閱讀與理解	理解詮釋 人際互動	教學設計1 教學設計2 教學設計3 教學設計4	教學設計分爲必選和可選兩種，可選的活動以"可選"標明，具體實施順序請教師根據本班學生實際情況自定。	5—7課時
	詞語講解與練習	理解詮釋 表達演示	教學設計5 教學設計6 教學設計7		
	重點句型講解與練習	人際互動 表達演示	教學設計8 教學設計9		
交際活動		人際互動 表達演示	教學設計10 教學設計11		1課時
寫作訓練		表達演示	教學設計12		1課時
綜合考試訓練		綜合	教學設計13		1—2課時

注：寫作訓練活動可根據本班實際情況選做；綜合測試題應根據本班實際情況在課堂上選做或讓學生課外完成。

五、具體教學活動設計的建議

教學模塊 *1* → 新課學習

(一) 課文閱讀與理解：

🗣 教學設計1

內容： 主課文導入。

目的： 通過激活學生已有的記憶或經驗的，爲理解主課文、瞭解其中的文化含義做好準備。

步驟：

第一步： 在進入本課學習之前，向學生提出幾個思考題，可以請學生分組討論：
　① 你喜歡喝茶還是喜歡喝咖啡？
　② 你去過茶館嗎？你覺得和咖啡館有哪些不同？

第二步： 每個小組總結一下自己的討論結果，派代表向全班匯報。

第三步： 老師根據學生討論的結果，及時在黑板上寫出學生提及的、與本課重點詞語或文化主題相關的字、詞或其他信息。

第四步： 根據黑板上列出的信息，請學生閱讀課文或仔細聽課文的錄音，找出課文中這些信息所在的位置，開始進入正式的主課文學習。

預期效果： 通過小組討論、小組向全班同學匯報的方式，調動全班同學的學習積極性，並根據學生已有的知識或信息儲備進入新的主課文學習，更好地實現與本課有關語言和文化的教學目的。

🗣 教學設計2

內容： 主課文第一部分的聽與讀。

目的： 讓學生帶著問題仔細聽或認真讀課文，在瞭解課文大意的基礎上抓住重要細節。

步驟：

第一步： 老師在黑板上列出問題，請學生帶著問題仔細聽或快速閱讀兩遍課文：
　① "開門七件事"都是什麼事？
　② 小雲的爺爺是哪裏人？

第二步： 老師再次提出問題，請學生回答，再請其他同學進行補充。要求不僅找出課文中的關鍵句子來回答問題，而且要用自己的語言進行組織和表達。

第三步： 老師根據學生的回答情況逐一講解問題，可結合重點詞語進行講解。詞語的詳細講解和文化背景材料請分別參考後文中"六（一）"和"六（四）"的相關內容。

可能出現的問題：

對學生來說，中國的茶文化可能是比較生疏的內容。老師可以根據相關的材料向學生介紹。

🗣 教學設計3：

內容： 主課文第二部分的聽與讀。（"在家裏"部分）

目的： 讓學生帶著問題仔細聽或認真讀課文，在瞭解課文大意的基礎上抓住重要細節。

步驟： 請參考"教學設計2"。思考題如下：
　① 爺爺爲什麼説看不到老北京的樣子了？
　② 這個茶館爲什麼叫老舍茶館？

可能出現的問題：

這一部分涉及到北京人飲食方面的變化，老師可以根據相關材料向學生介紹。由於第六課會涉及大量有關老舍的內容，在此處可不作重點介紹。

🔊 **教學設計4**

內容：主課文第三部分的聽與讀。（"在茶館裏"部分）

目的：讓學生帶著問題仔細聽或認真讀課文，在瞭解課文大意的基礎上抓住重要細節。

步驟：請參考"教學設計2"。思考題如下：
① 老北京的茶館是什麼樣的？
② 現在北京的茶館是什麼樣的？你喜歡哪一種？
③ 如果你去茶館，希望是什麼樣的？

（二）詞語講解與練習

🔊 **教學設計5**

內容：組詞比賽。

目的：通過組詞比賽的活動，激活學生對於本課詞語的記憶，幫助學生掌握詞語的用法，並可複習已經掌握的相關詞語。

步驟：

第一步：將學生分爲兩組，老師每次在黑板上給每個組寫出一個本課的詞語，讓學生們組成詞組。

第二步：請兩組的同學將他們組成的詞組分別寫在黑板上，看哪個小組寫得多。依次寫下去，最終分出勝負。

第三步：全班一起，再複習一下黑板上所有的詞語，可以請勝出小組的學生爲老師，爲同學講解或帶讀。

預期效果：組詞比賽活動是課堂上複習詞語的常規活動之一，可以通過競賽的形式激發學生們的學習熱情，形成活躍的課堂氣氛，同時也可以促進學生之間的交流。

可能出現的問題：學生可能會組出老師預想不到的詞組，對於不正確的組合，老師可以指出，並給出適當的解釋。

🔊 **教學設計6**

內容：詞語填空。

目的：通過填空，使學生掌握一些詞語的意思及其使用的環境。

步驟：請參考《學生用書》中的本課詞語練習（VOCABULARY IN CONTEXT）之練習A。

🔊 **教學設計7**

內容：語段表達。

目的：掌握本課重點詞語的實際用法。

步驟：請參考《學生用書》中的本課詞語練習（VOCABULARY IN CONTEXT）之練習B。

擴展：可以鼓勵學生仿照本練習，用更多的詞語進行語段表達練習，鞏固對本課重點詞語的掌握。

（三）重點句型講解與練習

🔊 **教學設計8**

內容：完成句子。

目的：理解、掌握和實際運用本課的重點句型。

步驟：請參考《學生用書》中的本課句型練習（LANGUAGE CONNECTION）。句型的詳細講解請參照後文"六（二）"中的相關內容。

擴展：可以鼓勵學生仿照練習中的句子，自己再說出一到兩組結構相似的句子或情景對話。

🗣 **教學設計9**

内容：練一練，説一説。

目的：模擬真實情景，在具體的交際任務下練習使用本課的常用表達式。

步驟：請參考《學生用書》中的本課常用表達式練習（COMMON EXPRESSIONS）。表達式的詳細講解請參照後文"六（三）"中的相關内容。

組織要點：本課的功能項目是表達感受，所提出的表達式也是圍繞這一功能項目的。設計出具體的情景，在具體任務引導下完成交際活動是本活動成功的重要保證，所以老師可以幫助學生想象一些真實情景，請學生使用學到的常用表達式進行練習。

教學模塊2 → 交際活動

🗣 **教學設計10**

内容：比一比，有什麽不一樣？

目的：通過比較不同的食物，練習並掌握在真實交際中如何恰當地表達親身感受。

步驟：請參考《學生用書》中的本課交際練習（CONMUNICATION CORNER）。

🗣 **教學設計11**

内容：説説你的感覺。

目的：通過對真實交際任務的分解，練習並掌握在真實交際中如何恰當地表達親身感受的方法。

步驟：將學生分成小組，讓學生和自己的朋友一起去茶館或咖啡館，可以去喝茶、喝咖啡，也可以只是去看一看，然後在小組裏談談自己對茶館或咖啡館的感覺，並提一些建議。要求學生儘量使用本課所學的表達式。建議將這一活動與"教學設計4"中的第三個問題"如果你去茶館，希望是什麽樣的"結合起來進行。

預期效果：本活動與課文中的一些内容相關，學生剛學完課文，記憶比較深刻，這樣親身參加的活動，既可以引起他們的興趣，積極地進行交流，也可以幫助他們及時複習新學到的内容，並串聯起已有的相關記憶，儘可能多地調動知識儲備完成這項活動。

教學模塊3 → 寫作訓練

🗣 **教學設計12**

内容：我喜歡的美食。

目的：通過介紹自己喜歡的美食，學習如何就飲食表達自己的感受，提出自己的觀點。

步驟：請參考《學生用書》中的寫作練習（WRITING TASK）。（按：除了這項寫作任務之外，還可以根據本班學生的實際情況，在課堂上選作《同步訓練》中相關的寫作練習。）

可能出現的問題：

學生可能因爲對美食的感受不多，寫起來會比較困難。老師可以根據具體情況給出一些相關詞語，如食物的顏色、外觀、味道、口感等等。

教學模塊 *4* —— 綜合考試訓練

👤 教學設計13

內容：綜合考試訓練。

目的：

1. 通過綜合考試訓練試題的課後自我檢測或隨堂選擇性檢測，使學生達到綜合性複習、並強化本課所學內容的目的。

2. 借助綜合考試訓練試題的內容與課文內容的互補性，拓展學生對與"飲食與服飾"的主題有關內容的學習。

步驟：請參考《同步訓練》相關內容。

訓練要點：

1. 完成聽力題（Rejoinders and Stimulus Types），幫助學生進一步理解和掌握與餐飲、購物活動等場景相關的詞語以及相關的功能項目，內容涉及在餐館點菜、吃飯，以及約會、飯店預約時的對話等。

2. 完成閱讀題（Reading），幫助學生拓展對課文內容的學習和理解，讓學生更多地接觸與餐飲文化有關的各種內容，諸如中國南北飲食差異、對中餐的感受、火鍋、北京烤鴨等。

3. 完成寫作訓練之個人信件（Personal Letter）、回復電郵（E-Mail Response）等，拓展和訓練學生對中西餐飲文化的比較和理解，以及如何表述個人觀點的能力。內容涉及對西餐的看法及感受、當地特色食品的介紹、中西餐的差異等。

4. 完成寫作訓練之看圖說故事（Story Narration）、個人信件（Personal Letter）以及電話留言轉述（Relay Telephone Message）、活動計劃表述（Event Plan）等，訓練學生對於日常生活事件的敘述能力，如何轉述準備工作的細節，以及某項計劃的表述說明能力等。

六、教學參考資料

(一) 詞語講解

本課的詞語注釋表中一共列出了39個詞語，其中專有名詞4個，要求學生理解掌握並能正確使用的詞語18個，只要求學生大致理解其文中的含義的詞語17個。此外，我們還對本課中的一些詞語進行了詞義辨析，供老師參考。

1. 俗話：【名】簡練、形象、流行廣泛的固定語句。
2. 柴：【名】做燃料用的木頭、樹枝等。
3. 鹽：【名】做菜用的調味品，顆粒狀、有咸味，總稱爲食鹽。
4. 醬：【名】豆、麥發酵後，加上鹽做成的糊狀調味品。
5. 醋：【名】一種酸味的液體調味品。
6. 種植：【動】把種子埋在土裏或把幼苗栽在土裏。
7. 茶樹：【名】嫩葉可以做成茶的一種木本植物。
8. 傳播：【動】廣泛散佈。
9. 世紀：【名】一百年爲一個世紀。
10. 激動：【形】（感情）因受刺激而衝動。
11. 遺憾：【形】（感到）不滿意或可惜。

12. 逛：【動】遊覽；漫無目的地到處走。

13. 咱們：【代】〈口語〉總稱自己這一方（我或我們）和對方（你或你們）。

14. 陪：【動】隨同作伴。

15. 壺：【量】用來計量可以用壺這種容器盛放的東西。

16. 花茶：【名】用各種花薰製過的綠茶。

17. 稍：【副】程度不深或數量不多。

18. 陳設：【名】擺放的物品。

19. 小吃：【名】飲食中正式飯菜以外的食品，如粽子、湯圓、春卷等。

20. 身份：【名】人在社會上或法律上的地位。

21. 下棋：【動】進行棋類比賽或活動。

22. 生意：【名】商業活動。

23. 談天説地：隨意地閒談。

24. 節奏：【名】這裏比喻某種有規律的進程。

25. 悠閒：【形】節奏緩慢，安靜舒服。

26. 呆：【動】停留；等待。

27. 咖啡：【名】指用咖啡種子磨成末做成的飲料。

28. 匆匆忙忙：形容心裏着急，行動很快的樣子。

29. 老式：【形】樣式舊的或過時的。

30. 壓力：【名】精神上的負擔。

31. 空閒：【名】空著的時間。

32. 茶藝館：【名】出售茶水供客人飲用兼表演烹茶、飲茶藝術的場所。

33. 展示：【動】清楚地擺出來（給別人看）；明顯地表現出來。

辨析 展覽—展示

　　這兩個詞的意思都是"擺出來給大家看"，"展覽"是動詞，常做謂語，也可以做名詞，可做主語、賓語、定語；"展示"是動詞，常做謂語。但是"展示"的賓語多是抽象名詞，而"展覽"的賓語多是具體名詞。它們不能互相替換。例如：故宮博物院正在展覽中國古代的名畫。| 快走吧，電子產品展覽已經開始了。| 胡同展示了老北京的歷史和風情。| 漢語節目表演展示了同學們的漢語水平和表演才能。

34. 免費：【動】不要錢，不收費。

35. 嘗：【動】吃一點試試味道。

辨析 嘗—吃

　　二者都是動詞，都可以做謂語。"嘗"是吃一點兒，以嘗試一下味道爲目的；"吃"的量要比"嘗"大，以吃飽吃好爲目的。例如：餃子煮好了，你先來嘗嘗味道怎麼樣。| 我已經吃飽了，不吃了。| 他餓了，吃了兩大碗飯。

專有名詞

36. 肯德基：連鎖快餐店的名字。

37. 麥當勞：連鎖快餐店的名字。

38. 老舍：（1899——1966）原名舒慶春，北京人，中國現當代著名作家。

39. 舊金山：美國城市名。

(二) 重點句型講解：

本課一共有5種需要學生掌握的重點句型，在《學生用書》的 "LANGUAGE CONNECTION" 中有簡單的翻譯。在這裏，我們又做了進一步的講解，供老師們參考。

1. 幾乎

"老北京的樣子幾乎一點兒也看不見了。"

"幾乎" 表示非常接近、差不多的意思，在它的後面可以加動詞、形容詞等，而且往往包含數量詞語。例如：

這道題太難了，我幾乎做了一下午，也沒做完。

今天幾乎有五十萬人參加了集會。

媽媽的頭髮幾乎全白了。

"幾乎" 和 "簡直" 有時可以通用，如：

這幅畫幾乎/簡直像真的一樣。

它們的不同在於 "幾乎" 只表示 "接近"，"簡直" 的意思是 "接近完全"，近似 "等於"，在程度上比 "幾乎" 要高。此外，"簡直" 的後面很少用數量詞語。

2. 要……還……嗎

"要去那些地方，我還用回國嗎？"

這是一個反問句，"要……" 是提出一種情況或條件，這些情況或條件往往是假設的，即 "如果想……"，然後用後面的小句以反問的形式說明自己的意見。課文中這個句子是說 "如果想去那種地方，我就不用回國了"。"要" 後面緊跟著主要動詞。"要" 也可以省略不用。"還……嗎" 在這裏是反問的語氣。例如：

你要去面試，還不得好好準備準備嗎？

要吃北京小吃，那還不容易嗎？

參加一個工作會議，還用這麼精心地打扮嗎？

3. 請+ V

"兩位請這邊坐。"

"請＋動詞" 是一種表示禮貌、尊敬的說法，在希望對方做某件事時使用。課文中的例句是北京的飯店、茶館裏的服務員招呼客人時的習慣用語，意思是說："兩位客人請到這邊來坐"。又如：

請進！

請不要緊張，隨便講一講就可以了。

請勿吸煙。

"請" 有時也可以單用，如："請！別客氣。" 北京的服務員招呼客人，有時把 "請" 放在這種禮貌用語的最後，如 "二位裏邊請"，意思是說："兩位客人請到裏邊來。"

4. 除了……以外，還……

"有的茶館只賣茶，有的除了茶以外，還賣北京小吃。"

這個句型表示把"除了"之後所提到的內容排除出去之後，還有……，從這個意義上講，和"既……又……"的意思有些相近。如課文中的例句就是說"既賣茶，又賣北京小吃"。又如：

我們這裏除了有山以外，還有一條小河。

我除了選修數學、物理以外，還選修了音樂、美術等文藝類的課。

中國是一個多民族的國家，除了漢族以外，還有五十多個少數民族。

(三) 常用表達式講解

結合本課"表達親身感受"這一功能項目，本課重點提出6組在實現這一功能的過程中經常可能用到的表達方式。我們在這裏對這些表達式進行了講解和句型擴展，供老師們在引導學生進行表達演示的過程中參考。

1. 實在……

"北京的變化實在太大了。"

這裏的"實在"是"的確"的意思，可以用在動詞、形容詞的前面，具有一種對自己所講的情況十分肯定的語氣。例如：

中國的人口實在太多了。

這件事的經過她實在不知道。

我實在是很喜歡吃北京烤鴨。

2. 一點兒也……

"老北京的樣子幾乎一點兒也看不見了。"

"一點兒"本是數量詞組，表示很少的數量，它與"也"（或"都"）連用時，一般後面會有否定詞，表示對某件事情或某種情況的完全否定，有時略有誇張的作用。如課文中的例句，是說"幾乎完全看不到老北京的樣子了"。又如：

他什麼時候來的，我一點兒也不知道。

好幾年過去了，他的樣子一點兒都沒變。

那個飯店的菜太難吃了，我一點兒都不想去。

"一點兒"和"也"（或"都"）之間也可以加上其他的詞。如：

昨天的電視劇一點兒意思也沒有。

對於你們這個計劃，我一點兒興趣都沒有。

3. 跟……不太一樣

"不過跟老北京的風格也不太一樣。"

這是一個用來表示比較的手法。"不太一樣"表示還是有些"一樣"的地方，但不是非常"一樣"；"太"表示一種很高的程度；"跟"引出比較的對象。在課文的句子中，"也"表示的是在做這個比較之前，已經有其他的比較了。在說這句話之前，爺爺和小雲已經把現在的茶館、美國的咖啡館跟老北京的茶館做過比較了，所以這裏才會有"也"字。又如：

我們這裏的氣候和上海差別很大，跟北京也不太一樣。

剛才那個菜的味道很特別，這個菜的味道跟家裏自己做的也不太一樣。

弟弟不同意爸爸媽媽的意見，我的看法跟他們也不太一樣。

4.　不錯

"不錯，這裏的陳設很有老北京的味道。"

　　"不錯"在漢語中是一種表示肯定的説法，可以單獨使用，表示一種態度。課文中的例句是"對的""挺好"的意思。類似的例句還有：

　　　　不錯，你説的情況都對。

　　　　不錯，他當時就是這麼講的。

　　"不錯"還可以用在句子的中間或最後，表示"不壞""正確"的意思。如：

　　　　雖説年紀大了，身體還挺不錯。

　　　　這是一個不錯的主意。

5.　不過（感覺）還是……

"不過感覺還是不太一樣。"

　　"不過"有轉折的意思。這個表達方式通常在承認了某種事實之後，再講述自己的真實感受時使用。"感覺"的前面可以加上其他成分。用這種表達方式講出的話顯得比較委婉。例如：

　　　　這個菜味道不錯，不過感覺還是不太地道。

　　　　工作人員做了很多努力，不過大家的感覺還是不太好。

　　除了"感覺"之外，可以用來表達親身感受的詞語還有很多，如"印象""感受""體會"等等。也可以不用"還是"。例如：

　　　　北京的變化很大，不過我對北京的印象還是沒有改變。

6.　還可以，就是……

"還可以，挺香的，就是有點淡。"

　　"還可以"是回答詢問時經常使用的一種表達方式，它表示雖然基本肯定，但又有所保留的意思；而"就是"的後面則是不太滿意，具體否定的內容。如課文中的例句，爺爺對茶的味道總體上是肯定的，但又覺得"有點淡"，這就是他不太滿意的具體內容。又如：

　　　┌ A：昨天的電影怎麼樣？
　　　└ B：還可以，演員演得不錯，就是情節有點簡單。

　　　┌ A：這次的考試題難嗎？
　　　└ B：還可以，不太難，就是時間有點緊。

　　　┌ A：你的中文學得怎麼樣？
　　　└ B：還可以，我挺喜歡學的，就是漢字比較難寫。

(四) 補充文化知識材料

　　根據正副課文的內容，我們補充了一些相關的文化背景知識，供老師們參考。由於篇幅的關係，其他更多的材料，我們放到網上，請老師們上網搜尋。

1. 中國的茶文化

中國人的生活離不開茶，茶被譽爲"國飲"。俗話説，"文人七件寶，琴棋書畫詩酒茶"，這説明，茶不但是中國人生活中的必需品，而且"茶通六藝"，它與其他文化活動也密切相關，這就逐漸形成了燦爛奪目的茶文化，并成爲中國傳統文化的重要組成部分。

中國茶文化的核心是茶道。茶道包括兩個內容：一是泡茶的技藝、規範和品飲方法；二是思想內涵，即通過飲茶陶冶情操、修身養性，把道德和行爲規範寓於飲茶的活動之中。古代眾多的茶道專著，儘管年代不同，流派不同，在泡飲技藝上卻有一個共同點，即一切行爲都是爲反映茶的自然美，襯托茶的"鮮香甘醇"，絕不是單純的表演。中國茶道講究：

水：要用甘甜、潔淨、清鮮的天然水。

茶具：要使用名貴優質茶具，如江西景德鎮的白瓷、江蘇宜興的紫砂茶具等。

技術與方法：泡茶在茶葉用量、水溫和沖泡時間上都有一定的要求，不同的茶有不同的衝泡技巧。如綠茶以沸水沖泡，清飲爲主；紅茶多用沸水沖泡或在茶湯中加牛奶、白糖後飲用；花茶用沸水稍涼再沖泡，以防香氣散失。

漢族人的飲茶方式，有品茶和喝茶之分。大致説來，品茶重在意境，以品鑒茶的香氣滋味、欣賞茶色茶形爲目的。品茶時要細飲慢咽，注重精神享受。以清涼、消暑、解渴爲目的是喝茶。漢族人飲茶，大多是清飲，方法就是將茶直接用滾開水沖泡，不在茶中加入姜、椒、鹽、糖之類佐料，保持茶的本色。很多少數民族飲茶時會在茶中加入奶、鹽、酥油等。

世界第一部茶葉專著爲唐代陸羽的《茶經》，該書系統地總結了當時的茶葉採製和飲用經驗，全面論述了有關茶葉的起源、生產、飲用等各方面的知識，開中國茶道的先河。陸羽也被稱爲茶神、茶仙。

中國是茶葉大國，茶葉種類很多，最常見的有綠茶、花茶、紅茶、白茶、烏龍茶、沱茶等。現在全國能夠叫得出名的茶葉就有一千多種。最受人們喜愛的名茶有：杭州龍井、蘇州碧螺春、黃山毛峰、廬山雲霧、六安瓜片、恩施玉露、白毫銀針、茉莉花茶、武夷岩茶、安溪鐵觀音、普洱茶。

教師手冊

2. 北京的茶館

在忙碌之後與三五個朋友相約一起，找一處環境清幽的茶館，喝喝茶、聊聊天，真是一件無比舒適愜意的事情。歷史上，喝茶一直是北京人生活中不可缺少的重要內容，北京的茶館歷來就種類繁多、功用齊全、文化氛圍濃鬱，匯集了全國各地茶館的特色。在這些茶館裏會客、談生意、下棋、聽曲藝等，費用低廉，自由方便。

老北京的茶館根據形式、功能的不同大致分爲書茶館、酒茶館、清茶館、棋茶館、野茶館五種。

書茶館：人們來這種茶館的目的，主要不是爲了喝茶，而是要看藝人們的表演。在這裏，人們可以聽到、看到傳統的曲藝節目（如評書、北京琴書等）。

酒茶館又叫茶酒館，顧名思義，這是可以飲酒的茶館。這種茶館規模很小，適宜於小型的聚會或請客。這種茶館不預備菜，所以很多賣食品的小販愛聚集在這種茶館的門前兜售各色小菜。

清茶館是專門賣清茶的地方。清茶館裏一般陳設比較簡單，但十分雅致，喝茶所用的器具也極爲講究，大多用蓋碗。人們在這裏評論時世、閑話家常，解決自己在生活中需要解決的問題。

棋茶館和清茶館類似。茶館裏的佈置簡單樸素，都備有棋盤，喜歡下棋的人可以到這裏一邊喝茶一邊下棋。

野茶館，顧名思義，一般是設在郊外村野的茶館，幽靜而簡陋。野茶館可以給行人提供一個可休憩的場所。

除了這五種茶館以外，還有一種特殊的大茶館。大茶館集多種功能於一體，既可以喝茶，也可以享受美食，欣賞曲藝，聚會暢談。

當代北京的茶館在繼承古風的同時又善於吸收新的元素，推陳出新，使得古都的茶道不但沒有衰落下去，更增添了新的文化韻味。作爲北京的傳統民俗文化之一，新型的茶館吸引著越來越多的人。

提到當代北京的茶館不能不提到著名的"老舍茶館"和"五福茶藝館"。

老舍茶館環境典雅，陳設古樸，用的是清式的桌椅，充滿了老北京的情調。男女服務員身著傳統的長衫、旗袍，提壺續水、端送茶點，穿梭不停。這個茶館白天賣飯菜，晚上則有北京琴書、京韻大鼓、口技、快板、京劇、昆曲等文藝表演。老舍茶館的茶客來自全國各地，很多外國人也到老舍茶館感受老北京的茶館風情。據說，老舍茶館是從在前門賣二分錢一碗的"大碗茶"起家的，所以至今該茶館經理還在"老舍茶館"的金字牌匾旁立著一個"老二分"的銅牌，意思是不忘二分錢一碗的大碗茶。該茶館至今仍在前門設攤售賣"大碗茶"，以方便群眾。

五福茶藝館位於地安門大街，是改革開放以後北京最早的茶社之一，也是北京第一家引進潮州功夫茶和臺灣功夫茶的茶藝館。五福茶藝館遵照南方的飲茶習俗，茶具和茶葉與北方不同。茶館分兩層，一層是茶葉店，出售各種茶葉；二層供客人飲茶。茶館的環境佈置極爲幽雅，服務小姐一律身著中式旗袍。喝茶的人在溫馨高雅的氛圍中一邊品茶，一邊欣賞茶道表演，別具一格。

3. 北京的飯館

中國菜分爲魯（山東）、粵（廣東）、川（四川）、湘（湖南）、閩（福建）、浙（浙江）、徽（安徽）、蘇（江蘇）八大菜系。北京作爲一個有著悠久歷史的古都，在飲食文化上吸收了各地飲食文化的精華并且形成了自己的特點。老北京菜以"魯菜"爲正宗，東興樓、全聚德、便宜坊都是以魯菜爲主的著名飯館。有名的北京烤鴨就是魯菜，保留了山東人喜食大蔥、麵食的習慣。到了民國初年，淮揚菜（蘇菜）、閩菜、浙菜開始大舉進軍北京。西長安街上有"長安十二春"，因爲它們的字號中都有一個"春"字，如同春園、淮揚春、慶林春等，南方菜一時非常流行。

現代北京的餐飲業非常發達，匯集了全國各地的風味。據不完全統計，北京大大小小的飯館有上萬家之多。有特色的飯館很多，例如，位於北京什刹海後海的孔乙己酒家是以魯迅先生的小說《孔乙己》命名的，經營地道的紹興菜（浙菜），很有特色。喜歡吃素的朋友可以去有名的功德林素菜飯莊，這裏的菜肴以揚州風味爲主，做工精細，清淡而不失美味。喜歡山東菜的朋友除了去全聚德烤鴨店，也可以去萃華樓飯莊，它以經營山東風味的菜肴而著稱，菜品講究精致美觀、清香鮮醇。喜歡清淡口味的可以去北京五湘齋飯莊，那是一家江蘇淮揚風味飯館，以製作魚蝦類菜品最爲拿手，其糕點、小吃堪稱一絕。喜歡吃辣的朋友可以去嚐嚐馬凱餐廳的地道湘菜。如果想體驗一下當皇帝的感覺，可以去北海公園裏的仿膳，都說那裏的宮廷菜很正宗。

4. 北京的"洋快餐"

近年來"洋快餐"在中國發展很快，中國已是它們在全球的第二大市場。1987年11月12日中國的第一家肯德基快餐店在北京前門開業，它的老對手麥當勞不甘示弱，很快也殺入了中國市場。這以後必勝客、棒約翰、艾德熊、賽百味等也先後進入中國。在中國這個飲食文化非常發達的國家，洋快餐以其方便快捷、環境整潔優美的特點受到了很多中國人，特別是孩子們的喜愛。這些洋快餐店有的爲了適應中國市場的需要而對產品進行了改進，逐漸本土化，從而快速發展。如肯德基推出了適應北京人口味的老北京雞肉卷、粥等食品。也有的洋快餐品牌因爲不適合中國市場的需要而被淘汰出局，如美國快餐之父艾德熊就因爲不適應中國市場，無法吸引大眾而退出中國市場。洋快餐的蓬勃發展也給中國本土快餐業的發展注入了新的活力。更適合中國人口味的中式快餐店在北京的各大商業街隨處可見，如半畝園、和合谷、永和豆漿等。無論是洋快餐還是中式快餐都豐富了中國人的飲食結構，給人們的生活提供了更多的便利。

5. 筷子

筷子是中國人特有的飲食用具。據史料記載，最早的筷子出現在距今七千多年的新石器時代。筷子的出現不僅是中華飲食文化的革命，更是一種人類文明的象徵。經過歲月的磨練和時間的洗禮，筷子不但沒有被歷史淘汰，而是慢慢地演化成一種實用與文化相結合的形式，散發出歷久彌香的氣息。

看起來非常普通、簡單的兩根小細棒，卻巧妙地運用了物理學上的槓杆原理。長期使用筷子，可以使手指靈活，頭腦聰明，有益於身心健康。中國傳統上的筷子，一般頭是圓的，柄是方的。這種上方下圓的設計不僅可以使筷子方便、靈活、適用，而且反映了中國古人"天圓地方"的宇宙觀。現在已經不注重這些了，而是更注重筷子的外觀。

製作筷子的原料很普通，除了人們常用的竹筷以外，還有其他材質的筷子，如具有測毒功能的銀筷，美觀環保的鋼筷，色澤黑亮的烏木筷，樸素淡雅的冬青木筷，材質細密的楠木筷，高貴典雅的檀木筷，等等。今天的筷子，已經不單作爲一種就餐工具，而是成爲一種獨特的文化形式，代表著一種文明氣息，出現在世人面前，成爲研究、使用、欣賞、饋贈、收藏相結合的藝術品。

筷子是中國傳統文化的一個象徵，其使用方法也體現出中國傳統的禮儀規範。筷子的使用也有很多講究，如：

(1) 在用餐前或用餐過程當中，將筷子長短不齊地放在桌子上，這種做法會被老人認爲是失禮；

(2) 將筷子的一端含在嘴裏，用嘴來回去吸，并不時地發出聲響，這種行爲是缺少家教的表現；

(3) 用餐時不可以用筷子敲擊碗、盤子等餐具；

(4) 用餐時不能拿著筷子來回在菜盤裏翻找或用筷子叉菜；

(5) 用筷子往自己盤子裏夾菜時，不要將菜湯流落到其他菜裏或桌子上；

(6) 用餐時不可以將筷子隨便交叉放在桌上，這種做法是對人也是對自己的不尊敬；

(7) 幫別人盛飯時，一定不要把筷子插在飯中遞給對方。這是用筷子的大忌，會被人視爲大不敬，因爲按北京的傳統，在爲死人上供時才這樣做；

(8) 無意間將筷子失手掉落在地上是一種嚴重失禮的表現。一旦筷子落地，按老北京的禮節應該用右手撿起；

(9) 將筷子橫過來表示用餐完畢，晚輩和客人不可以先將筷子橫過來放置；

(10) 一定不能用筷子指人，這是對他人的侮辱；

(11) 一副筷子不要分放在餐具的兩旁，這是要與其他人絕交的表示。

教師手冊

《同步訓練》參考答案及相關提示

Section One

I. Multiple Choice(Listen to the dialogs)

答案:

1. C   2. D   3. A   4. B   5. B   6. C
7. D   8. A

聽力錄音文本:

1. (Woman)　您要帶走還是在這裏吃？
   (Man)　　(A) 我已經帶走了。
   　　　　(B) 我已經把它帶來了。
   　　　　(C) 我要帶回家吃。
   　　　　(D) 我在這家飯館吃過。

2. (Woman)　服務員，可以給我開一張發票嗎？
   (Man)　　(A) 您一共消費五十六塊錢！
   　　　　(B) 開發票是爲了報帳。
   　　　　(C) 這是給您的零錢。
   　　　　(D) 單位寫哪兒？

3. (Woman)　先生，您需要換一個盤子嗎？
   (Man)　　(A) 好的，謝謝。
   　　　　(B) 下一個盤子裏有什麼？
   　　　　(C) 那個盤子裏的東西太多了。
   　　　　(D) 對不起，我自己來。

4. (Woman)　今天中午去哪兒吃飯？
   (Man)　　(A) 我中午在那兒吃的飯。
   　　　　(B) 下課以後再説吧。
   　　　　(C) 我餓死了，趕緊去吃飯吧。
   　　　　(D) 等我一會兒，我還沒吃飽呢！

5. (Woman)　你能吃辣的嗎？
   (Man)　　(A) 我聽説四川菜很辣。
   　　　　(B) 沒有辣的東西，我吃不下飯。
   　　　　(C) 冬天吃辣的很好。
   　　　　(D) 有一種小辣椒特別辣。

6. (Woman)　你好，我要一份醪糟湯圓。
   (Man)　　大碗的還是小碗的？
   (Woman)　(A) 一碗就夠了。
   　　　　(B) 醪糟湯圓多少錢？
   　　　　(C) 小碗的太少了吧。
   　　　　(D) 我趕時間，請儘量快一點兒。

7. (Woman)　　請問你們喝什麼?

　　(Man)　　　有免費的茶嗎?

　　(Woman)　　(A) 那就喝汽水吧。

　　　　　　　(B) 這是菜單,你們點菜嗎?

　　　　　　　(C) 茶太貴了,我們不喝。

　　　　　　　(D) 對不起,茶都是收費的。

8. (Woman)　　服務員,我們的菜怎麼這麼長時間還沒上來?

　　(Man)　　　我幫您去看看。

　　(Woman)　　(A) 我們都等了半個小時了。

　　　　　　　(B) 我們的菜都涼了。

　　　　　　　(C) 你們的菜很好吃。

　　　　　　　(D) 我們不喜歡吃這個菜。

II.　Multiple Choice (Listen to the selections)

答案:

1. C	2. A	3. B	4. B	5. C	6. B
7. D	8. C	9. D	10. A	11. B	12. C
13. B	14. A	15. B			

聽力錄音文本:

Selection 1

(Narrator)　　Now you will listen twice to the following selection.

(Woman)　　各位同學大家好!今天晚上我們要去的地方是老舍茶館。中國現代一位著名的文學家叫老舍,他有一部很有名的話劇,劇名是《茶館》,老舍茶館的名字就是這樣來的。今年正好是老舍茶館開店二十年。很多北京人都知道這個地方,也都喜歡來這個地方喝茶。老舍茶館與別的茶館不一樣的地方是茶館裏每天都有京劇、曲藝表演。希望今天晚上大家能玩得高興!

(Narrator)　　Now listen again.

(Narrator)　　Now answer the questions for this selection.

Selection 2

(Narrator)　　Now you will listen once to a conversation between two students.

(Woman)　　今天晚上在哪兒見面呢?

(Man)　　　老地方,一心茶館。

(Woman)　　每次都去那兒,我都膩了。

(Man)　　　方便呀,不是離我們倆的家都很近嘛!

(Woman)　　那就不能換個地方(嗎)?離茶館沒幾步不是就有一個咖啡館嗎?

(Man)　　　我聽說那兒挺貴的。

(Woman)　　我請你還不行?

(Man)　　　行,八點在那兒的門口見吧!

(Narrator)　　Now answer the questions for this selection.

Selection 3

(Narrator)	Now you will listen twice to a voice message.
(Man)	嗨，王建，我是李強。去哪兒了？這麼晚了還不在家？我都打了好幾次電話了。明天有時間一起出來吃飯嗎？我有個表妹聽說你小號吹得很好，一定要讓我給她介紹介紹。你想去哪兒都可以，不過麥當勞、肯德基什麼的就免了吧。前幾天你不是說想吃燒鵝了嗎？如果你方便，我們一起去安定門燒鵝店吧。你看怎麼樣？你回來以後一定要給我打一個電話，告訴我你的意見。我等你電話！
(Narrator)	Now listen again.
(Narrator)	Now answer the questions for this selection.

Selection 4

(Narrator)	Now you will listen twice to a conversation between two students.
(Woman)	您好，歡迎光臨，請問幾位？
(Man)	一共五位，還有兩位過一會兒到。
(Woman)	好，請跟我來。
(Man)	請問還有靠窗的座位嗎？
(Woman)	實在不好意思，沒有了。這邊請吧！您現在點菜嗎？
(Man)	對，拿菜單來看看吧。你們店我是第一次來，可以給我們說說你們店有什麼特色菜嗎？
(Woman)	我們店的菜是四川風味的，許多辣的菜都很有特色，比如說辣子雞丁什麼的。
(Man)	行，那就先來個辣子雞丁，不過可以等人來齊了再做嗎？
(Woman)	當然可以。您還要些什麼？
(Narrator)	Now listen again.
(Narrator)	Now answer the questions for this selection.

Selection 5

(Narrator)	Now you will listen twice to the following dialog.
(Woman)	您好，麗都飯店，請問您有什麼需要幫忙的？
(Man)	你好，我想在你們飯店訂一張桌子。
(Woman)	可以的，請問您是要訂哪一天的？
(Man)	後天晚上的。
(Woman)	那是一月二十號，對吧？
(Man)	對。
(Woman)	請問您幾個人呢？
(Man)	四個人。
(Woman)	好的。先生，請問您貴姓？
(Man)	免貴姓王。
(Woman)	王先生，可以留下您的手機號碼嗎？
(Man)	13677322442。
(Woman)	好的。王先生，您需要現在點菜嗎？

(Man)	去了再說吧！
(Woman)	好，那謝謝您選擇我們飯店，再見，王先生。
(Narrator)	Now listen again.
(Narrator)	Now answer the questions for this selection.

III. Multiple Choice (Reading)

答案：

1. C	2. C	3. C	4. D	5. C	6. C
7. D	8. D	9. D	10. D	11. D	12. D
13. C	14. D	15. A	16. D	17. B	18. D
19. C	20. C	21. C	22. D	23. C	24. A
25. B					

Section Two

I. Free Response (Writing)

1. Story Narration

The four pictures present a story. Imagine you are writing the story to a friend. Narrate a complete story as suggested by the pictures. Give your story a beginning, a middle, and an end.

寫作提示：

這則看圖寫作主要是考查對細節的觀察和描述。請參考下列表述：

(1) 交代事件的開始。

……時候，小藝準備做飯，她拿了……然後……

(2) 敘述事件的進展。

不一會兒工夫，鍋裏的雞蛋……聞起來……小藝一邊……一邊……覺得……

(3) 突出事件的變化。

在這個時候，……突然響起了電話鈴聲，鈴聲一遍一遍不斷地傳來，小藝只好……

(4) 交代事件的結局和人物狀態。

電話是……打來的，小藝……急急忙忙跑回廚房，這時，……

教師手冊

2. Personal Letter

Imagine you received a letter from a Chinese pen pal. In the letter, he tells you that he likes eating Western fast food. However, his mother calls it junk food and prefers him to eat less of it. Sometimes, she doesn't even allow him to eat it at all. He is very upset and would like to discuss this topic with you. He wants to know whether fast food is popular in the United States, who eats it, and what your opinions are about it. Write a reply in letter format to discuss this topic.

回信建議：

(1) 問候語。

(2) 重複主要信息。

> 你在信中問到關於……的問題，其實我也有同感，我很願意和你談談這個問題。

(3) 主要内容。可以先談個人的看法，也可以先談在美國的一般情況，順序並不重要，關鍵在於通順的敘述。

① 對這些西式快餐的看法。

> 對於這類食品，我自己其實……因爲我覺得它們……所以，通常情況下，我會……

> 不過，我倒是認爲……，所以……

② 這些西式快餐在美國的情況。

> 在美國，這些快餐一般……相比較而言，……喜歡……而……不喜歡……因爲人們認爲……

> 據我所知，在美國，人們對這些快餐也有不同看法，一方面，有人……，另一方面，也有人……，所以，我想這些情況也許和中國的情況差不多。

(4) 除了介紹基本情況和説明自己的看法外，還可以對他遇到的問題給出建議。比如：

> 你説你自己很喜歡吃這些食品，可是你的媽媽又不讓你多吃，其實我也有類似的經歷，我建議……

(5) 祝福語、署名和寫信日期。

3. E-Mail Response

Read this e-mail from a friend and then type a response.

發件人：張華

主　題：我可以買些什麼東西帶回去？

> 我今天剛剛到達你所在的這個城市，在這兒待一天半，就得返回中國了。可能我們倆這次沒有機會見面了，不過想到現在和你同在一個城市，感覺很好！我聽説你們這兒有不少好吃的東西，我應該買些什麼有當地特色的食品帶回去呢？盼望你的回覆。

回信建議：

(1) 對朋友的到來表示歡迎。如：

> 知道你到……市了，真的很高興，如果你的時間方便的話，我還是很希望和你見個面！

(2) 因爲朋友的這封郵件要求答覆的問題比較急，所以直接回答。如：

> 你問在我們這個城市可以買些什麼食品帶回中國，我建議有……種食品你一定要帶上，第一種是……第二種是……因爲這些食品……如果帶回中國，可以體現……當然，還有其他一些食品，比如……它們的特點是……但是我覺得……所以你自己看看，再決定要不要買它們吧。

(3) 結束。這封郵件的祝福方式可以更有針對性。例如：

> 希望你在這兒玩得愉快，而且能有豐富的收穫。

4.   Relay a Telephone Message

Imagine you are sharing an apartment with one of your classmates. One day you listen to a message for him on the answering machine. You will listen twice to the message. Then relay the message, including the important details, by typing a note to your classmate.

(Man)文文，你又不在呀！給你打了好幾次電話了，老是沒人，你上哪兒去了？不會忘了我們這個週日的活動吧？那可就是後天哦。我和其他幾個人都商量好了，後天的野外聚餐我們到百花山去。大華和我負責帶鍋碗瓢盆，麗麗負責帶餐布、餐具和垃圾袋，小勝會去買一些麵條、麵包等主食，成子會買瓜子、花生等乾果，你就負責買一些香腸、飲料什麼的吧。我們大家都騎車去，集合地點是學校東門的小賣部門口，時間是早上八點一刻。不要遲到，帶齊你負責的東西啊！對了，如果你方便的話，再帶上兩副撲克吧！

轉述建議：

　　這則留言中干擾的信息比較多，其實，你只需要告訴朋友他要帶些什麼，以及集合的時間和地點，其他的不需要轉述。因此，要注意重要細節不能遺漏，而干擾信息要進行相應的總結。如：

　　　　你的朋友給你打電話，提醒你別忘了……（時間）的……（活動）。他在電話中說，你們同行的其他人都進行了分工，你負責帶……還有……最好還有……而且，他告訴你，集合的時間是……地點在……

II. Free Response (Speaking)

1.   Conversation

Imagine you had dinner with your Chinese friend. Afterwards, you have a conversation with him about the meal you just ate together.

(1)　問題一：你覺得這兒的飯菜怎麼樣？

回答建議：

　　從中國人的習慣來看，如果是朋友請你吃飯，飯後一般他會這樣問你。那麼，從禮貌的角度來說，對於這個問題的回答，應該不同於一般性的"怎麼樣"問題的回答，你可以從肯定飯菜味道、品質的角度，表達你對朋友請你吃飯的謝意。例如：

　　　　不錯，每道菜都很有特點，尤其是……我很喜歡。還有那個……很……很適合我。我覺得我已經吃得太多了，謝謝你！

(2)　問題二：平時你特別喜歡什麼樣的口味，最喜歡吃什麼？

回答建議：

　　這是一個閒聊形式的問題開頭，詢問的是個人傾向，所以回答的空間很大，你可以根據自己的情況如實回答。例如：

　　　　我喜歡吃……菜。

　　　　我的口味偏……

　　　　……是我最愛吃的，尤其是……

(3)　問題三：你喜歡吃中餐嗎？為什麼？

回答建議：

　　①　表達個人觀點。例如：

　　　　　我不喜歡/不太喜歡/比較喜歡/很喜歡吃中餐。

　　　　　我覺得中餐……

② 對 "爲什麼" 的回答，可以從中餐的口味、烹飪方法、營養等方面來直接闡述，也可以舉一些實例，說明自己喜歡或不太喜歡的原因。例如：

> 我原來……後來有一次……使我……

> 因爲我的……所以我經常吃中餐，很習慣它的口味，而且，中餐的做法……營養上……

(4) 問題四：你覺得中餐和西餐有什麼區別？

回答建議：

這個問題要求從比較的角度進行回答。你仍然可以從口味、烹飪方法、營養等方面來進行比較，然後再歸納中餐和西餐各自的特點，即採取先分後總的順序；也可以倒過來，採取先總後分的順序。如果回答時間不夠，歸納的部分可以省略。例如：

> 和一般的西餐相比，我覺得中餐的口味……而西餐更……中餐的做法……西餐的做法則……營養價值上中餐……西餐……總的來說，中餐的特點是……而西餐則在……方面有特色。

(5) 問題五：平時吃東西時，飯菜味道和營養搭配，你更看重哪一個？爲什麼？

回答建議：

從這個問題開始，提問者的注意力轉向了關於飲食的一般性問題。對於這個問題的回答，重點仍舊是在對 "爲什麼" 的解釋上，需要闡述的還是你對這個問題的個人觀點。你可以直接回答。如：

> 我更看重營養搭配，因爲……

> 我更注重飯菜的味道，因爲……

(6) 問題六：你理想中的一日三餐是怎樣的？

回答建議：

這個問題的實質仍然是你對飲食的看法，所以，對這一問題，除了說出你的看法以外，還可以解釋一下原因。例如：

> 我理想中的一日三餐是這樣的：早餐就吃……中餐應該有……至於晚餐，當然會……這樣一來，……就很合理了。

也可以先說明理由，再說具體看法，如：

> 我覺得一日三餐，最重要的是要注意……還要……所以，我希望早飯……中飯……晚飯……

2. Cultural Presentation

In your presentation, talk about your opinion of Chinese cuisine and the Chinese style of eating (chopsticks, etc.).

回答建議：

這是一道關於中國飲食文化以及進食方式的文化表述題。你可以先談談對中國飲食的瞭解，再談談你對中國人進食方式的瞭解或印象。

(1) 關於中國的飲食文化，除正面的表述外，還可以通過與美國文化的比較來談。相關內容可參考上文 "六（四）、文化知識補充材料" 部分。

(2) 關於中國人的進食方式，你可以先說說你知道的進食方式有哪幾種，和美國人的進食方式有什麼不同。再來，你可以結合你的經驗，具體說明其中一種或多種的進食方式。例如你可以談談你使用筷子的經驗——誰教你學習使用筷子、你花了多久的時間學會、使用筷子的利弊等等。如果你沒有學習使用筷子的經驗，也可以直接說明對筷子的印象。

3. Event Plan

You have the opportunity to invite your classmates over for dinner. Discuss your plan with your family. Talk about what you need to buy and what you need to cook.

回答建議:

(1) 首先,説明活動安排。比如:

> 我邀請了大約……同學後天到家裏來……準備在家裏給同學們安排一次聚餐。爲了這次聚餐,我列了個菜單,同時準備了一個採買計劃,現在請大家聽聽我的計劃吧。

(2) 接下來,具體説明你的計劃。第一部分先要説明烹飪計劃,因爲你的採買計劃應該是根據烹飪計劃來決定的,所以第二部分再説明採買計劃。例如:

> 因爲來聚餐的同學一共是……人,所以我的烹飪計劃包括……加起來是……道菜……種主食,因此,需要準備和採買的東西有……一共是……樣。

(3) 第三,説明這樣計劃的理由。比如:

> 因爲來的這些同學大多……而且同學聚餐一般……所以,我的菜單裏安排了……

你也可以與其他的安排方式相比較。例如:

> 當然,安排同學聚餐也可以……但是如果那樣的話,就會……也許非常麻煩,而且……不方便,所以,我想還是……比較好。

(4) 結束。由於這是一個需要馬上實施的具體計劃,所以重點説明分工安排。這樣,計劃的可操作性就非常突出了。如:

> 由於聚餐活動是在後天,所以我們可以把準備工作分成兩個部分,第一部分主要包括……可以今天完成;第二部分主要是……可以明天再做。這樣,爸爸請您……媽媽請您……哥哥可不可以幫助我……其他的事情我自己來做,我會……

(5) 最後,和同類題目一樣,要徵求"聽衆"的意見。

教師手册

第四課 What Should a Bridesmaid Wear?
伴娘的服裝

一、本課教學重點

(一) 能夠理解並運用所學的詞語討論中國人的服裝特色及其相關的內容,同時能夠與本國和自己所知道的其他國家的服裝相比較,説出它們之間的差異。

(二) 能夠運用本課所學的表達式進行談論,並在討論中準確地發表自己的意見。

二、本課的難點

(一) 詞語:注意"式樣─樣子"和"講究─講求"這兩組近義詞的辨析。

(二) 語言點:

1. "V+起來"這一句型中的"V"是"看""説"等動詞時,表示著眼於某一方面。"起來"所表示的意義與"拿起來"表示動作的去向、"唱起來"表示動作的開始等結構的"起來"意思不同。

2. 除了"AABB"式,形容詞的重疊還有不同的形式,如"A裏AB"(糊裏糊塗)、"ABB"(白茫茫)等。

三、有用的教學資源

(一) 有關中國的服裝和婚慶喜筵的圖片。

(二) 有關中式服裝的剪裁圖(唐裝、旗袍等)。

四、教學安排導引

針對不同學習內容,各教學模塊及其教學設計和參考課時索引見下表。

教學模塊		交際模式	可選用的教學活動設計		課時建議
新課學習	課文閱讀與理解	理解詮釋 人際互動	教學設計1 教學設計2 教學設計3 教學設計4	教學設計分爲必選和可選兩種,可選的活動以"可選"標明,具體實施順序請教師根據本班學生實際情況自定。	5─7課時
	詞語講解與練習	理解詮釋 表達演示	教學設計5 教學設計6		
	重點句型講解與練習	人際互動 表達演示	教學設計7 教學設計8 教學設計9		
交際活動		人際互動 表達演示	教學設計10		1課時
寫作訓練		表達演示	教學設計11		1課時
綜合考試訓練		綜合	教學設計12		1─2課時

注:寫作訓練活動可根據本班實際情況選做;綜合測試題應根據本班實際情況在課堂上選做或讓學生課外完成。

五、具體教學活動設計的建議

教學模塊 *1* —▶ 新課學習

(一) 課文閱讀與理解

👄 **教學設計1**

內容：主課文導入。

目的：通過激活學生的已有記憶或經驗，爲理解主課文以及其中的文化含義做好學習準備。

步驟：

第一步：　在進入本課學習之前，向學生提出幾個思考題，可以請學生分組討論：
　　　　　① 你參加過婚禮嗎？
　　　　　② 參加婚禮時人們常常穿什麼服裝？

第二步：　每個小組總結一下自己的討論結果，派代表向全班匯報。

第三步：　老師根據學生的討論結果，在黑板上寫出學生提及的、與本課的語言知識或文化內容相關的字、詞及其他信息。

第四步：　根據黑板上列出的信息，請學生閱讀課文或仔細聽課文的錄音，找出課文中這些信息所在的位置，開始進入正式的主課文學習。

預期效果：通過小組討論、小組匯報的方式，調動全班同學學習的積極性，並根據學生已有的知識或信息進入新課文學習，幫助學生更好地掌握本課所要求的學習重點。

👄 **教學設計2**

內容：聽、讀主課文的第一部分。（從"明明，你是從中國來的"到"咱們問問其他同學吧。"）

目的：讓學生帶著問題認真聽、讀課文，在瞭解課文大意的基礎上抓住重要細節。

步驟：

第一步：　老師在黑板上列出問題，請學生帶著問題仔細聽或快速閱讀兩遍課文：
　　　　　① 明明在姐姐的婚禮上要做什麼？她有什麼問題？
　　　　　② 明明平時喜歡穿什麼？她能不能穿這樣的衣服參加婚禮？
　　　　　③ 新郎新娘一般穿什麼顏色的衣服？

第二步：　老師逐一提出問題請學生回答，再請其他同學重複或補充答案，要求不僅找出課文中的關鍵句子來回答問題，而且要用自己的語言組織答案，並準確地表達出來。

第三步：　老師根據學生的回答情況逐一講解問題。並可和重點詞語的講解結合。相關詞語的詳細講解和文化背景材料請分別參考後文中"六（一）"和"六（四）"的相關內容。

第四步：　請學生收集有關中國服裝或婚禮活動的圖片以及其他資料。

可能出現的問題：

　　學生可能沒有參加過婚禮，或對參加婚禮的服裝不感興趣，可以請有過這類經驗的學生多說一些，或者找一些有關這方面的電影資料給學生們看（如《喜宴》、《四個婚禮和一個葬禮》中的婚宴場景和《花樣年華》中的旗袍等）。

🐾 教學設計3

內容：聽、讀主課文的第二部分。（從"哎，各位，在婚禮上伴娘應該穿什麼衣服"到"然後我再準備一套。"）

目的：讓學生結合他們所掌握的詞語和文化知識進行討論，加深他們對中國婚禮服裝的理解。

步驟：

第一步：　請學生展示並講解自己在課前收集到的圖片資料（婚禮的照片、中國或其他國家的各種服裝的照片或實物等），請同學們就"婚禮的服裝"這一問題發表自己的意見。

第二步：　老師在黑板上列出問題，請學生帶著問題仔細聽或快速閱讀兩遍課文，並請同學們模仿課文中的角色，讀課文。

　① 歐漢為什麼主張穿旗袍？

　② 大衛主張穿唐裝的理由是什麼？

　③ 你認為林宏為新娘和伴娘搭配的衣服怎麼樣？

全班一起反復聽課文錄音。

第三步：　以小組為單位，為珍妮設計伴娘的服裝，然後各組選一個代表向全班匯報。

預期效果：請學生們親自參與服裝設計，可使學習活動顯得主動輕鬆，讓他們對課文有興趣，願意進一步學習。

🐾 教學設計4

內容：聽、讀主課文的第三部分。（從"按照中國的傳統習俗"到"哈哈！"）

目的：讓學生結合他們所掌握的詞語和文化知識進行討論，幫助他們理解中國的婚俗。

步驟：

第一步：　請參加過婚禮的學生講一講婚禮的經過。（注意：最好請不同種族、不同文化背景的學生都講一講。）

第二步：　老師在黑板上列出問題，請學生帶著問題仔細聽或快速閱讀兩遍課文，並請同學們模仿課文中的角色，讀課文。

　① 新娘為什麼要蓋紅蓋頭？

　② 大衛提出了什麼願望？

　③ 如果你做伴娘或伴郎，會穿什麼衣服？

第三步：　以小組為單位，設想一下珍妮姐姐的婚禮會怎樣進行。然後各組選一個代表向全班匯報。

預期效果：請學生們設想婚禮的經過，可引導學生主動地進行文化對比，並使學習顯得輕鬆活潑。

按："課文閱讀與理解"部分的相關詞語的詳細講解和文化背景材料請分別參考後文中"六（一）"和"六（四）"的內容。

(二) 詞語講解與練習

教學設計5（可選）

內容：連詞成句。

目的：通過連詞成句，幫助學生掌握詞語的不同使用方式，達到學習和複習的目的。

步驟：老師預先將本課的詞語寫成卡片，每次給出3—4個詞語，請學生加上適當的詞語，將它們連成完整的句子。如給出"婚禮、教堂、唐裝"，學生可以組成"我哥哥的婚禮準備在教堂舉行，所以不適合穿唐裝。"

可能出現的問題：

學生可能組出很簡短的句子，老師要鼓勵他們儘量把句子說得長一些。學生組出的句子也可能每個詞都用得比較準確、但小句之間缺乏邏輯關係、或邏輯關係不正確，老師應予以糾正。

教學設計6

內容：完成改寫。

目的：通過改寫練習，掌握本課重點詞語的實際運用。

步驟：請參考《學生用書》中的詞語練習（VOCABULARY EXERCISES）。

擴展：可以鼓勵學生仿照練習中的對話，自己再編一到兩組對話，鞏固對本課重點詞語的掌握。

(三) 重點句型講解與練習

教學設計7

內容：完成句子，並說出更多句子。

目的：通過對重點句型的理解和實際運用，掌握本課的重點句型。

步驟：請參考《學生用書》中的句型練習（GRAMMAR STRUCTURES）。句型的詳細講解請參照後文"六（二）"中的相關內容。

擴展：可以鼓勵學生使用練習中的句型，自己編出一到兩組對話。

教學設計8

內容：模擬非正式辯論。

目的：模擬非正式辯論，練習使用本課的常用表達式。

步驟：請參考《學生用書》中的本課常用表達式練習（COMMON EXPRESSIONS）。常用表達式的詳細講解請參考後文"六（三）"中的相關內容。

組織要點：創建具體情境，在具體任務的引導下完成交際活動是本活動成功的重要保證，所以，應營造出辯論的氛圍，讓學生在比較真實的情境中完成交際活動。

🗣 **教學設計9（可選）**

內容：舞會服裝的準備。

目的：通過學生們對準備參加舞會這一具體情景中交際任務的分解和完成，練習並掌握本課所學到的重點句型和表達方式。

步驟：

第一步：　將學生分成四人小組。

第二步：　爲學生設定一個或者幾個主題的舞會，比如歡迎新生晚會、中秋節晚會、萬聖節化妝舞會、聖誕節晚會、中國傳統新年晚會、畢業晚會等等。讓各組學生自行選擇某個主題

第三步：　請各組學生討論在這樣的舞會上應該穿著什麼樣的服裝。在學生開始討論前，請學生注意所談論的內容要包括服裝的款式、顏色等等。

第四步：　每組選出兩名組員在全班做報告，請大家提建議，對別人的服裝設計說出自己的看法。

預期效果：因爲服裝的搭配是本課剛剛學習過的，學生記憶比較深刻，而且也會非常感興趣。這樣的活動，既可以幫助他們及時複習新學習的內容，也可以串聯起他們已有的相關文化知識，儘可能多地調動他們的知識儲備。

教學模塊 *2* ── 交際活動

🗣 **教學設計10**

內容：討論——萬聖節的服裝設計。

目的：通過學生們對服裝的設計和評論，幫助他們進一步掌握本課所學的詞語及其他語言知識，練習並掌握如何在討論中恰當地表示自己肯定、稱讚或否定的意見。

步驟：請參考《學生用書》中的交際練習（COMMUNICATION CORNER）。

教學模塊 *3* ── 寫作訓練

🗣 **教學設計11**

內容：寫報告——萬聖節的服裝設計。

目的：通過對服裝的設計和評論，幫助學生進一步掌握本課所學的詞語及其他語言知識。

步驟：請參考《學生用書》中的寫作練習（WRITING TASK）。

重點和難點：通過具體的描述寫清楚服裝的特色以及自己的評價是本課寫作練習的重點和難點。老師可以根據學生掌握的資料，幫助學生組織例句，供其參考。

教學模塊 *4* ── 綜合考試訓練

🗣 **教學設計12**

內容：綜合考試訓練。

目的：

1. 通過綜合考試訓練的課後自我檢測或隨堂選擇性檢測，使學生達到複習、強化本課所學的內容的目的。

2. 借助綜合考試訓練內容與課文內容的互補性，拓展學生對"飲食與服飾"相關內容的學習。

步驟：請參考《同步訓練》的相關內容。

訓練要點：

1. 完成聽力題(Rejoinders and Stimulus Types)。幫助學生進一步理解購物時的具體情景、相關事件以及相關的功能項目，內容涉及買服裝、試穿服裝、講價時的對話以及關於顏色、服裝愛好，場合與服裝等內容的對話。

2. 完成閱讀題（Reading）。加強學生對與課文話題相關內容的學習和理解，讓學生熟悉與服裝文化有關的一些應用文體，包括商家廣告、服裝展覽廣告等。

3. 完成寫作訓練之回復電郵（E-Mail Response）以及對話題(Conversation)、文化表述題(Cultural Presentation)，增強學生對於中美服飾文化及相關文化要素的理解、和個人觀點表述能力，內容涉及對服裝問題普遍心態的描述、對中性服裝的看法以及對如何理解"紅""黃""黑""白"四種顏色的文化內涵等等。

4. 完成寫作訓練之看圖説故事（Story Narration）以及電話留言轉述題（Relay Telephone Message）、活動計劃表述題（Event Plan），訓練學生對於一個具體事件前因後果的完整敍述能力、對具體細節相關理由的陳述能力。

六、教學參考資料

(一) 詞語講解

本課的詞語注釋表中一共列出了43個詞語，要求學生掌握、理解並能正確使用的詞語12個，只要求學生大致理解其在文中的含義和主要使用場合的31個。此外，我們還對本課中的一些詞進行了詞義辨析，供老師在指導學生學習時參考。

1. 華裔：【名】華人在僑居國所生並取得了僑居國國籍的子女。
2. 伴娘：【名】舉行結婚儀式時陪伴新娘的女子。
3. 牛仔褲：【名】一種緊腰身的褲子，多用厚布製成。
4. T恤：【名】一種套頭上衣，因略呈T形而得名。
5. 高跟鞋：【名】後跟部分特別高的女鞋。
6. 休閑：【動】這裏是閒暇輕鬆的意思。
7. 婚禮：【名】結婚儀式。
8. 教堂：【名】基督教徒舉行宗教儀式的場所。
9. 旗袍：【名】一種婦女穿的長袍，原爲滿族婦女的服裝。
10. 唐裝：【名】一種經過改造的傳統中式服裝。
11. 新郎：【名】結婚時的男子，也叫新郎官。
12. 新娘：【名】結婚時的女子，也叫新娘子。
13. 伴郎：【名】舉行結婚儀式時陪伴新郎的男子。
14. 混：【動】不同的東西放在一起，難以區分。
15. 式樣：【名】人造物體的形狀，也可以稱"樣式"。

> **辨析 式樣—樣子**
>
> "式樣"專指由人設計、製造出的東西的形狀：衣服的式樣/玩具的式樣/房子的式樣。"樣子"表示形狀，既可以指人造物品的形狀，也可以指天然的、自然生成的形狀：衣服的樣子很好看/她長的樣子很可愛。

16. 傾向：【動】（對於不同的意見、事物）偏於讚同（某一種）。

17. <u>講究</u>：【動】重視某一方面，並設法讓它實現、滿足要求。

辨析 講究─講求

    在做動詞時，這兩個詞的意思相同。但是"講究"還可以做名詞和形容詞用：結婚時穿什麼衣服大有講究。/這個房間的佈置很講究。而"講求"沒有這些用法。

18. 特色：【名】事物所表現出的獨特的風格等。

19. 和服：【名】日本傳統服裝。

20. 韓服：【名】韓國傳統服裝。

21. 沙麗：【名】印度傳統服裝。

22. <u>風格</u>：【名】一個時代、一個民族、一個流派或一個人所表現出的特點。

23. 現代感：【名】能讓人感受到的現代精神和現代風格。

24. 婚紗：【名】結婚時新娘穿的一種特製的禮服，多是用白紗製成。

25. 淺色：【名】色彩淡的顏色。

26. 禮服：【名】在莊重的場合或舉行儀式時穿的服裝。

27. 套裙：【名】上衣和裙子在色彩、式樣等方面有固定搭配的服裝。

28. 髮型：【名】頭髮梳理成的式樣。

29. <u>顯眼</u>：【形】明顯而容易被人看出。

30. 首飾：【名】指戴在頭上或身上的裝飾品。

31. <u>套</u>：【量】用於成組的事物。

32. <u>習俗</u>：【名】習慣和風俗。

33. 轎子：【名】舊時的交通工具，由人抬著行走。

34. 蓋頭：【名】舊式婚禮上蒙在新娘頭上的紅色綢布。

35. 儀式：【名】舉行重要活動的程序、形式。

36. 蒙：【動】從上面蓋住。

37. <u>揭</u>：【動】把蒙蓋的東西拿開。

38. <u>驚喜</u>：【形】又吃驚又高興。

39. <u>肯定</u>：【形】一定。

40. <u>合格</u>：【形】符合標準。

41. <u>帥</u>：【形】英俊、漂亮（多用來形容男子）。

42. <u>出風頭</u>：在別人面前顯示自己。

43. <u>嫉妒</u>：【動】對才能、成績、相貌等比自己好的人，在心裏感到不舒服甚至怨恨。

(二) 重點句型講解

　　本課一共有4種需要學生掌握的重點句型，在《學生用書》的 "LANGUAGE CONNECTION"
中有簡單的講解。在這裏，我們再作進一步的講解，以供老師們參考。

1. V + 起來

> "我平時總是穿牛仔褲、白T恤，而且從不穿裙子和高跟鞋，看起來比較休閒。"

　　這個句型表示著眼於某一方面。動詞表示的是説話人所關注的角度，"起來" 的後面
是從這個角度所產生的看法、評價。課文中的這個句子是説，"我平時總是穿牛仔褲、白
T恤"，"從不穿裙子和高跟鞋"，這種裝束，從別人的眼光 "看"，讓人覺得很休閒。這是
從 "看" 的角度所得出的評價。"起來" 的後面可以是形容詞性的短語或動詞性的短語。再看幾
個句子：

> 這篇文章讀起來很有意思。
> 這種錄音機帶起來很方便。
> 這套新課本用起來覺得很省力。

2. 形容詞重疊

> "在中式婚禮上，新郎新娘都穿大紅顏色的衣服，打扮得漂漂亮亮的。"

　　"漂亮" 是一個形容詞，在這個句子裏重疊使用，用來加深新郎、新娘 "漂亮" 的程度。
形容詞重疊使用，可以用來描寫，也可以表示程度很深。一般來説，當用在主語的後面作謂語或
用在名詞的前面作定語時，描寫性一般都很強。例如：

> 她的眼睛大大的，頭髮長長的。
> 她穿著一件寬寬大大的衣服。

當用在動詞前做狀語或放在動詞後做補語時，一般有加深程度的作用。例如：

> 我的視力很好，黑板上的小字我能看得清清楚楚。
> 他仔仔細細地問了有關那個學校的情況。

除了AABB式，形容詞的重疊還有不同的形式，如 "A裏AB" 式，"ABB" 式等。例如：

> 他一天到晚糊裏糊塗的，頭腦真不清醒。
> 下雪了，白茫茫的大地真漂亮。

3. 儘管……但是……

> "儘管我只在臺灣參加過一次婚禮，但是對伴娘的服裝還是有印象的。"

　　"儘管" "但是" 連接的是兩個分句。"儘管" 引出的分句表示姑且承認某種事實，"但
是" 引出的分句表示不受前一分句所描述的事實的影響。如課文中的這個句子，"只在臺灣參加
過一次婚禮" 是説話人承認的實際情況，但並不影響 "對伴娘的服裝還是有印象的" 這樣一個事
實。再看幾個句子：

> 儘管今天天氣不好，但是比賽進行得很順利。
> 儘管這次考試比較難，但是通過的學生很多。
> 儘管他的年歲很大了，但是身體仍然很好。

教師手冊

這個句型中的 "儘管" 與 "雖然" 在意思和用法上基本相同。 "但是" 也可以説 "但" "可是" "然而"，意思不變。如：

　　雖然已經是冬天了，但天氣並不冷。

　　雖然他很聰明，可是學習不努力，成績並不好。

4. （別説……）就是……也……

> "別説新郎了，就是其他的小伙子也會嫉妒你。"

這個句型用 "別説" 引出一種情況（或人）， "就是" 是一個表示假設兼讓步的連詞，用來引出假設的、與前文所講的不同的情況（或人）； "也" 的後面説出前後兩種不同的情況（或人）所産生的相同結果。 "別説" 有時也可以不用。如：

> "這點困難算什麼？就是有再大的困難，我們也能做好這件事。"

這個句型多用於口語。例如：

　　別説是冠軍隊，就是一般的球隊，也肯定能贏他們。

　　別説自費旅遊，就是有人出錢請我去，我也不去。

　　別説是你，就是別人，我也會幫忙的。

這個句型與 "即使……也……" 相近，但 "即使……也……" 多用於書面語， "就是……也……" 多用於口語。如：

　　別説現在才7點，即使再晚，我們也必須做完再回家。

(三) 常用表達式講解

　　結合本課 "表達觀點" 這一功能項目，本課重點提出5組在實現這一功能的過程中常用的表達方式。我們在這裏對這些表達式進行了講解和擴展，供老師們在引導學生進行表達演示的過程中參考。

1. ……認爲……

> "我認爲在中式婚禮上應該穿一件紅顏色的唐裝。"

這個表達式可以在陳述觀點時使用。在辯論中，不管是陳述別人的觀點還是表達自己的觀點，都可以是用這個表達式。 "認爲" 的後面是觀點的具體內容。例如：

　　我認爲多吃蔬菜更有利於健康。

　　有人認爲，吃肉更有利於健康，我不同意這種觀點。

　　我認爲體育運動可以培養學生的團隊精神。

2. 在……上

> "因爲我聽説東方人在婚禮的服裝上很講究民族特色。"

這個表達式中的 "上" 是 "方面" 的意思。 "在……上" 的意思是 "在……方面"。在辯論中，可以列舉某一個方面的證據來證明自己的觀點，反駁對方的觀點。例如：

　　在教學上，張老師總是能想出好辦法來提高教學效果。

　　在學習上，謙虛的態度是有益無害的。

　　在生活上，他從來都很嚴謹。

3.　比如……就……

　　"比如在日本就穿和服，在韓國穿韓服，在印度穿沙麗。"

　　當需要用一個具體的例子來證明或反駁某一個觀點時，可以使用"比如……就……"這個表達式。"比如"的後面是具體的例子，"就"的後面是需要證明或反駁的觀點。例如：
　　　　有人以爲中國人過春節都吃餃子，其實是不對的，比如廣東人過春節就不吃餃子。
　　　　北京的夏天越來越熱，比如去年，最高氣溫就達到39度。
　　"比如"也可以和"就是"搭配使用，但用"就是"時，"是"即爲句子的主要動詞。
　　　　進化論認爲，動物都是從低級到高級進化的，比如人就是從猿進化來的。
　　　　這幾所大學都很有名，比如北京師範大學，就是最有名的師範類大學。

4.　傾向於……

　　"我還是傾向於旗袍。"

　　在幾種不同的觀點中，當你偏於贊成其中的一個觀點時，可以使用這個表達式進行説明。"傾向於"的後面是贊成的觀點。這個表達式一般用於書面表達或正式場合下的口語表達。例如：
　　　　男生的觀點和女生的觀點不同。我傾向於男生的觀點。
　　　　有人認爲應該先發展農業，有人認爲應該先發展工業。我傾向於先發展農業。
　　　　在發生衝突的時候，大多數人更傾向於同情弱者。

5.　此外……

　　"此外，你的髮型也要和新娘不一樣。"

　　"此外"可用於補充説明，意思是"除了這以外"。在討論時，當你説出自己的意見或觀點、並舉出一些例子進行説明之後，需要進一步補充時，就可以用"此外"把要補充的部分引出來。"此外"在句中也可以單獨使用。例如：
　　　　打太極拳可以鍛煉人的四肢、大腦，此外對人的性格發展也有好處。
　　　　全球氣候變暖與工業的發展有很大的關係。此外，植被的破壞也產生了一些影響。

(四) 補充文化知識材料

　　根據正副課文的内容，我們補充了一些相關的文化背景知識，供老師們參考。由於篇幅的關係，其他更多的材料，我們放到網上，請老師們上網搜尋。

1.　**中國傳統服裝**

　　漢服

　　漢服，即中國漢民族的傳統服裝，又稱爲"漢裝""華服"。漢服具有濃鬱的華夏民族風格，是中華民族傳統文化的代表和象徵。從黃帝"垂衣裳而治天下"開始，直至明末清初，漢服有近4000年的歷史，是世界上歷史最悠久的服飾體系之一。

　　早在新石器時代，中國人就開始用麻布做衣服，後來人們又開始養蠶，製作絲織品。周代後期，由於政治、經濟、思想、文化的急劇變化，特別是諸子百家學説的影響，服飾越來越受到人們的重視，冠冕製度日趨完善，服飾漸漸成爲地位、權勢和身份的象徵。當時的漢服從樣式上看，主要有“上衣下裳”（裳在古代指下裙）、“深衣”（把上衣下裳縫在一起）、“襦裙”（襦即短衣）等類型。“上衣下裳”是帝王百官最隆重、最正式的禮服，“深衣”是百官及士人的常服，“襦裙”則爲婦女喜愛的穿著。普通人一般上身穿短衣，下身穿長褲。

幾千年來，漢服隨著時代的發展和變遷演變出了豐富多彩的樣式，但其主要樣式——“交領右衽”“上衣下裳”卻始終沒有改變。漢服長衣寬袖，中間用一根帶子繫住，給人一種優雅大方、灑脫飄逸的感覺。漢服不僅是中華民族幾千年來的傳統服飾，它對整個東方民族的服飾都產生了很大的影響。

旗袍

旗袍原是清代滿族男女通用的長袍。滿族分爲八旗，各旗分管的軍民都稱爲旗人，因此他們穿的服裝就被稱爲旗袍。

辛亥革命後，西方思想對中國的影響越來越大，人們的思想、生活方式都產生了很大的變化，服裝也是一樣。漢族婦女在滿清旗袍樣式的基礎上吸收了西式服裝簡潔的特點，將旗袍進行了改進定型：長及足面的長袍縮短至小腿，直筒式的腰身改爲收腰式，寬大的袖子改成窄小的，領子仍保留著高領的樣式。隨身合體、曲線鮮明、行動自如的改良旗袍最能體現東方女性端莊、典雅、沉靜、含蓄的特點，因而深受各界婦女的喜愛。

旗袍裁製簡單，普通家庭婦女完全可以自己做。製作旗袍的衣料可貴可賤，既可用高檔的錦緞、絲絨，又可用普通的棉布、民間的藍印花布，適合於各個階層婦女的需要。旗袍的服飾搭配也非常容易，比如加一個馬甲或羊毛衫、披肩。此外，旗袍的樣式和中國傳統的審美觀念也十分吻合，既表現出中國人含蓄、端莊的審美要求，也符合中國女性溫和、內斂的性格特點，因此旗袍成爲20世紀20-30年代最流行、最普遍的女裝。

到了40年代，人們又去掉了旗袍的袖子，省去了繁瑣的裝飾，使它更加嫵媚精緻，輕便合體。旗袍從50年代開始消沉，到了80年代，隨著改革開放的深入，服裝個性化特點的加強，旗袍又重新受到人們的重視，並加以改良，人們稱之爲現代旗袍。到20世紀90年代，旗袍更加絢麗多彩，成爲中年婦女的一種禮服，也是青年女子擔任禮儀小姐時的必選服裝。新款旗袍作爲中國服裝的代表參加國際服裝展，受到世界服裝界人士的好評。

長袍、馬褂

長袍、馬褂是中國清代的官服。馬褂穿在長袍的外面，因起源於騎馬時所穿的短衣而得名。其特點是前後開，胸前補一塊方形的補子。馬褂在清初僅是八旗士兵的服裝，後來八旗子弟也多穿馬褂。雍正以後，長袍、馬褂在社會上普遍流行，漸漸具有了禮服的性質。民國時期，馬褂仍爲中國男子的傳統服飾。

2. 中國服裝的百年變遷

服裝是一種記憶，也是一種語言，它記錄了社會歷史的變遷。我們對中國一百年的服裝進行了一次調查，瞭解了服裝從近代走向現代的進程。

20世紀初，正當中國的清朝末期。從皇帝到各級官員的服飾都有嚴格的規定。那時的普通人中，男人穿長袍馬褂，長袍是男式的長衣服，馬褂是一種穿在袍服外的短衣，沒有袖子；女人穿旗袍大襖，旗袍是長衣，大襖是短衣。那時的旗袍、大襖都是寬大的。漢人婦女則以上衣下裙爲時尚。

1911年的辛亥革命結束了清朝的統治。服裝師根據孫中山的建議，設計了一種四個口袋的翻領上裝，孫中山自己帶頭穿，於是人們就把這種服裝稱爲“中山服”。20年代，民國政府確定男子禮服爲中山裝，女子禮服爲旗袍。

30年代，是旗袍的黃金時代。全世界家喻戶曉被稱作Chinese dress的旗袍，實際上就是指30年代的旗袍，以後的旗袍只不過是在這個基礎上略作變化罷了。

　　1949年新中國建立，人民生活發生了很大變化，服裝也隨之豐富起來。蘇聯服裝曾作爲革命象徵，深深地影響著城鎮居民，列寧裝、連衣裙一度成爲最流行的服裝。此外還有幹部穿的灰色中山裝、軍人服裝以及勞動工裝等。

　　60年代，中國遭遇自然灾害，中國人只能靠自力更生來克服困難。那時提倡"新三年、舊三年，縫縫補補又三年"。1966年"文革"開始後，身穿綠軍裝、腰束武裝帶的裝束風靡整個中國。

　　70年代，牛仔褲、牛仔裙、百褶裙、長裙、短裙、西裝裙開始走向市場，套裝也成了當時的一種時尚，人們想用服裝表現自我，張揚個性。

　　到了80年代中國改革開放後，流行服裝不斷變化。在全國範圍內，很多男人都穿起了西裝，女人穿起了裙裝、套裝。

　　進入90年代，人們的思想有了很大的轉變，他們開始把目光投向唐裝：立領、敞領、斜襟、對襟、盤花扣、織錦緞爲特徵的"古裝式樣"重新包圍了追逐時尚的時髦男女。

　　現在已經是21世紀了，我們的服飾越來越多元化了。走上街頭，你看到的已不是單一的衣服，人們穿著各種各樣絢麗的服裝，有穿針織衫的，有穿牛仔褲、牛仔裙的，也有嘻哈裝、露臍裝之類的。當然,還有不少人身著帶有復古味道的衣服，像唐裝、旗袍之類的。這些不同風格的服裝使街頭更加亮麗和奪目了。

　　服裝是隨著時代的發展而演變的。從清朝服裝、中山裝、旗袍到今天的各式服裝，從"一片灰"和舉國上下的西裝熱，到追求個性化和時裝化，中國服裝的百年歷程，始終與中國的政治、經濟的發展緊密相關。

教師手冊

《同步訓練》參考答案及相關提示

Section One

I.   Multiple Choice (Listen to the dialogs)

答案:

1. C   2. A   3. D   4. D   5. D   6. B

7. C   8. D

聽力錄音文本:

1. (Woman)   請問是你穿嗎?

(Man)   (A) 這件衣服是在你們店買的。

(B) 這件衣服有大號的嗎?

(C) 我是給我弟弟買。

(D) 這件衣服的質量非常好。

2. (Woman)   這件衣服現在可以打幾折?

(Man)   (A) 現在很便宜了!打兩折。

(B) 行,我幫您摺好,裝起來。

(C) 還有三件了,過一會兒就沒有了。

(D) 這件衣服賣得很好。

3. (Woman)   你覺得紅色的適合我還是棕色的適合我?

(Man)   (A) 幫我把那件紅色的包起來吧。

(B) 我覺得棕色的衣服很適合我。

(C) 這件衣服既有紅色也有棕色的。

(D) 我覺得你穿兩種顏色都好看。

4. (Woman)   你最喜歡哪一種顏色?

(Man)   (A) 這種花布的顏色真漂亮!

(B) 綠色的很適合你。

(C) 我有太多灰色的衣服了。

(D) 黃色是最漂亮的。

5. (Woman)   她打扮得就像一個假小子。

(Man)   (A) 她是一個小個子。

(B) 那個女孩很溫柔。

(C) 她總喜歡穿裙子。

(D) 她性格也不像女孩子。

6. (Woman)   請問我可以試一下這件衣服嗎?

(Man)   (A) 這件衣服你穿起來真合適。

(B) 試衣間在櫃臺的那邊。

(C) 可以看看你的證件嗎?

(D) 您要訂什麼樣式的衣服?

7. (Woman) 你們學校上課的時候一定要穿校服嗎?

(Man) 我不喜歡我們的校服,但是一定得穿。不過,我看你很少穿校服。

(Woman) (A) 校服就是學校統一的服裝。

(B) 你們學校的校服很可愛。

(C) 我們學校只要求星期一穿。

(D) 今天我媽媽會幫我洗校服。

8. (Woman) 老師,我星期五想請假。

(Man) 有什麼事嗎?

(Woman) (A) 沒事的話,我就來。

(B) 這件事要告訴誰?

(C) 我週一會來。

(D) 我的外婆生病了。

II. Multiple Choice (Listen to the selections)

答案:

1. B	2. A	3. C	4. C	5. B	6. B
7. D	8. C	9. B	10. C	11. D	12. D
13. C	14. A	15. A	16. B		

聽力錄音文本:

Selection 1

(Narrator) Now you will listen twice to the following selection.

(Woman) 老師好,各位同學好! 現在我代表我們小組來匯報一下暑假期間我們調查的結果。在所有被調查的同學中,77%的同學表示父母常常會反對他們在穿衣上的選擇。這一比例在女生中最高,大概81%的女生的父母不同意她們自己的選擇。很多女生說父母總是希望他們穿得像一個漂亮的小公主,可是大部分女生卻更喜歡舒服、隨意一點的衣服,比如T恤衫、牛仔褲什麼的……

(Narrator) Now listen again.

(Narrator) Now answer the questions for this selection.

Selection 2

(Narrator) Now you will listen once to a conversation.

(Man) 您好,請問這件衣服有我穿的號嗎?

(Woman) 什麼號都有。您穿小號吧!

(Man) 我一般穿中號。

(Woman) 這個牌子的衣服號碼一般比較大一點。可能小號就行。這樣吧,我兩件都拿給您試一下,您自己看看哪件合適。

(Man) 好的。謝謝!

(旁白: 兩分鐘後)

(Woman) 您覺得哪件合適呢?

(Man) 你說對了,還是小號的合適一點。這件中號的你收起來吧。

(Woman)	好的。那我替您把這件小號的包好。
(Man)	好的，謝謝。
(Narrator)	Now answer the questions for this selection.

Selection 3

(Narrator)	Now you will listen twice to a voice message.
(Woman)	李艷，你好！我是陳源。我打電話是想提醒你，明天晚上的晚會比較正式，校長、很多的老師和家長都會來，你可別穿得太隨便了。王老師説我們最好穿黑色的上衣，裏邊套白色的襯衣。牛仔褲可不行，裙子最好。我覺得我跟你的身材差不多，如果你沒有的話，我可以借給你。你平常總是穿那麼隨隨便便的衣服，所以王老師特別囑咐我要告訴你。沒有什麼其他的事了。再聯繫吧！
(Narrator)	Now listen again.
(Narrator)	Now answer the questions for this selection.

Selection 4

(Narrator)	Now you will listen twice to a conversation between two students.
(Woman)	你覺得這件衣服好看嗎？
(Man)	好看。
(Woman)	你覺得這件衣服漂亮嗎？
(Man)	漂亮。
(Woman)	那你看我穿這件衣服合適嗎？
(Man)	合適。
(Woman)	你就不能多給點意見？
(Man)	你已經試了三十多件衣服了，你也不煩？
(Woman)	買衣服當然要找到最合適的再買呀。
(Man)	好，你慢慢試，我在外面等你。
(Woman)	行了，行了，不買了還不行！
(Narrator)	Now listen again.
(Narrator)	Now answer the questions for this selection.

Selection 5

(Narrator)	Now you will listen once to the following selection.
(Woman)	一班的服裝表演之後，大家看到的是二班的服裝表演。今天二班服裝表演的特色是：既有男裝的展示，也有女裝的展示。首先我們看到的是女裝。這些女孩個個有著飄逸的長髮，穿著潔白的公主裙向我們走來。緊跟在後面的是帥氣的男生，跟平時不一樣，今晚他們都穿上了西服。讓我們用掌聲感謝他們精彩的表演！
(Narrator)	Now answer the questions for this selection.

Selection 6

(Narrator)	Now you will listen once to a conversation.
(Man)	您好，請問您想剪成什麼樣？
(Woman)	我想剪個短髮。

(Man)	你的頭髮這麼長了，剪短了多可惜！
(Woman)	我一直都是長髮，有點膩了，想換一換。
(Man)	好的。那麼剪多短呢?
(Woman)	跟你的一樣。
(Man)	現在確實有很多女孩剪成我這樣的平頭，不過你可要想清楚了，頭髮剪短容易，留一頭長髮可難了。而且，從一頭長髮到短短的平頭，這個變化可是很大的，你能保證自己不會後悔?
(Woman)	我們班很多女孩都變成短髮了，沒關係的，你就剪吧!
(Narrator)	Now answer the questions for this selection.

III. Multiple Choice (Reading)

答案:

1. C	2. C	3. B	4. C	5. C	6. C
7. D	8. D	9. C	10. D	11. A	12. D
13. A	14. C	15. D	16. B	17. C	18. B
19. B	20. C	21. C	22. A	23. D	24. C

Section Two

I. Free Response (Writing)

1. Story Narration

The four pictures present a story. Imagine you are writing the story to a friend. Narrate a complete story as suggested by the pictures. Give your story a beginning, a middle, and an end.

寫作提示：

　　　這則看圖寫作主要考查學生對於一個具體事件前因後果的敘述是否清楚完整，以及是否能夠準確說明其中涉及的具體細節以及人物心態。可供參考的描寫線索是：

　　　××最近要參加……希望爸爸給他買一套……運動服。爸爸下班以後，到……商場，給兒子挑選運動服。回到家以後，爸爸興高採烈地把運動服拿出來，讓××試穿，沒想到運動服太小……××笑著跟爸爸說："……"爸爸沮喪地說："那我們只好……"爸爸和××一起來到商店，打算換一套……的運動服，店員非常耐心，對他們說："……"這一次，……終於，××穿上了合適的運動服……

2.　Personal Letter

Imagine you received a letter from a pen pal. The letter talks about your pen pal's favorite pop music and asks about pop singers you like and your taste in music. Write a reply in letter format. First, talk about the kinds of music that is generally popular in the United States these days. Then write about the kinds of music you like or dislike and why.

回信建議：

(1)　問候。寫給朋友的信，用簡單、親切的問候方式是最好的。按中國人的習慣，名字如果是三個字，稱呼時可去掉姓，直接稱名。

(2)　簡單回應朋友來信的主要信息並且作相應的過渡，比如：

　　　　　沒想到你也喜歡……歌曲，我覺得……

　　　　　你談到喜歡……歌曲，和你不太一樣，我喜歡……

(3)　回信的主要部分。

　　①　可以從美國學生對音樂的普遍態度這樣比較寬泛的問題入手。比如：

　　　　　美國學生大都喜歡……音樂……

　　　　　對美國學生來說，……的音樂是最受歡迎的……

　　　　　也可以稍微具體一點，說明不同學生對不同音樂的喜好。比如：

　　　　　大部分人都喜歡……有的人喜歡……也有的人喜歡……

　　②　接下來，介紹個人的具體感受。並說明自己對某類音樂喜歡或不喜歡的原因。另外，爲了使寫作內容變得豐滿，可以交待一些相關的信息，比如一些聽音樂的習慣，喜歡在哪裏、什麼時候聽音樂或者一些別的相關愛好，如喜歡收集歌星資料等。

(4)　根據內容表達得充分與否，可以考慮作一些補充，比如推薦一些有關音樂欣賞的網站等。

(5)　祝福語、署名和寫信日期。

3.　E–Mail Response

Read this e-mail from a friend and then type a response.

發件人：劉言

主　題：應該準備什麼樣的服裝

　　　再過十來天，我就會隨著藝術團訪問美國東部和西部的幾所學校。我們在美國一共要待25天。我現在對服裝問題非常發愁。我們要去的地方現在有的特別冷，比如波士頓；有的地方比較熱，比如洛杉磯。美國學生一般都穿什麼樣的服裝呢？我這次過去帶什麼樣的服裝合適，你可以給我一些建議嗎？謝謝！

回信建議：

　　這封來信涉及兩個問題，第一個是希望瞭解具體信息及你的建議。第二個是希望你談談美國學生對服裝問題的普遍看法。

這裏提示了回信的內容及角度。

(1) 簡短開頭，直接切入正題。

(2) 具體説明。可以包括以下內容。

　① 首先從氣候的角度，談談美國人一般的著裝特點。比如：

　　　美國不同的城市氣候差別很大，在一些城市，比如你要去的波士頓，這個季節人們常常是穿……而在另一些城市，比如你要去的……人們喜歡穿……

　然後稍微總結一下：

　　　不過總體來説，美國人的服裝……

　② 接下來，聯繫自己的實際，談談美國學生對於服裝的一般態度。最好聯繫你的個人喜好對具體的觀點展開説明。比如：

　　　從學生的服裝來説……很多學生平時的著裝比較隨意，……我自己呢……特別喜歡……我最討厭的是……因爲……

　　　有的學生……我不喜歡這樣，我覺得……

　③ 然後在服裝方面給對方具體的建議。由於來信沒有説清楚他具體到哪幾個城市以及具體參加哪些活動，對於這種信息量不足的問題，你需要作一些設想，從而給出相關的説明。比如：

　　　由於不同城市氣溫差異大，所以你最好……另外，我想你們的訪問活動中可能會有一些正式場合，因此……

(3) 結束談話。比如：

　　　今天我們先談到這兒，如果你還有別的問題，你再給我來信。

4. Relay a Telephone Message

Imagine you arrive home one day and listen to a message from your sister to your mother. You will listen twice to the message. Then relay the message, including the important details, by typing a note to your mother.

(Girl)媽媽，你昨天打電話來的時候我正在實驗室。有什麼事情嗎？另外，我想要兩件毛衣，一件男式一件女式的，你幫我買了寄過來好嗎？毛衣要純羊毛的，男式的那件最好是藍色的，號碼要大號。女式的呢，最好是紫紅色的，中號就可以了。我現在要睡覺了，好累啊！

轉述建議：

　　姐姐一直忙於實驗室的工作，非常累，另外她向媽媽提出想買毛衣，這是轉述的兩個基本內容。

(1) 交待相關背景，注意稱呼及人稱轉換。比如：

　　　媽媽，姐姐來電話了，她剛剛做完試驗，特別累，她説要您給她買毛衣……

(2) 交待具體細節。涉及式樣、數量、號碼等相關細節，需要在聽的時候做一個記錄。

II. Free Response (Speaking)

1. Conversation

Imagine you have a guest visiting you today. You tell her about a party your class is planning to held. You have a chat with her about the kind of clothes people should wear to this party.

(1) 問題一：這次同學聚會，你打算穿什麼衣服？

回答建議：

　　① 首先要交待一下同學聚會的性質，比如是某個同學的生日晚會，還是一個化裝晚會等，如果把這次同學聚會設計爲化裝晚會，可以這樣展開：

　　　　因爲是化裝晚會，大家愛穿什麼就穿什麼，關鍵是不要讓別人認出來。

　　② 也可以直接說明自己的打算以及理由。比如：

　　　　我想穿……因爲……

　　　　因爲是很多人的聚會，所以應該穿得正式一些，我想穿……

(2) 問題二：你平時的著裝更注重什麼？

回答建議：

　　上一個問題是關於特殊場合的服裝選擇，這個問題希望瞭解你對平時著裝的看法。可選擇下面的答案：

　　　　穿衣服嘛，舒服是最重要的，尤其是平時的衣服……

　　　　我平時主要是在學校，主要是穿校服……

　　　　我平時特別愛運動，所以大部分的時間是穿運動服。穿運動服特別方便，也特別舒服……

(3) 問題三：你的同學中，有沒有在穿著上特別有個性的？你怎麼看的？

回答建議：

　　① 首先介紹一下穿著比較特別的同學。比如：

　　　　我的好幾個同學的穿著都比較有特點。××成天穿……特別奇怪；××喜歡穿……她覺得這樣特別酷……

　　② 對這樣的著裝進行評價。比如：

　　　　我就喜歡這樣的服裝，我也打算買……

　　　　我覺得穿這樣的衣服挺無聊的，根本沒有必要，而且也不好看……

(4) 問題四：現在很多學生都喜歡中性服裝。你喜歡嗎？爲什麼？

回答建議：

　　對這個問題的回答可以參考本課課文中的表述。例如：

　　　　我喜歡中性服裝，因爲現在男、女界線越來越不明顯，人們對傳統女生留長髮、穿裙子已經看膩了，而女孩子反傳統的中性打扮會給人帶來一種清新感。

　　　　我不喜歡中性服裝，因爲那樣和男生就沒有太大區別了。我們班有一個女生裝扮得很中性，她把頭髮理得短短的，老有人誤認爲她是男生。可有時這類女生總是很受人歡迎，怪！（然後進一步表明態度）女生還是要穿得比較像女生一點，比如應該留長髮、穿裙子。

(5) 問題五：你的衣服是自己買的還是爸爸媽媽替你選的？

回答建議：

要回答好這個問題，不僅僅要説明自己的衣服主要由誰購買，更重要的是表明態度，説出自己喜歡由誰來挑選衣服，從而擴展表述的内容。比如：

我的衣服大部分是自己買的，我比較喜歡自己買衣服，……爸爸媽媽買的衣服呢，……

我的衣服主要是爸爸買的，因爲……不過，我還是喜歡自己買衣服，因爲……

我的衣服有時候……有時候……都不一定。只要……就會把衣服買下。

(6) 問題六：如果一件衣服你非常喜歡，你會穿很久嗎？

回答建議：

回答可以從不同的角度展開，並且要説出相應的理由。比如：

如果是我非常喜歡的衣服，即使有些舊，我也會穿挺長的時間，因爲我覺得……

如果一件衣服我特別不喜歡，我會……

對我來説，喜歡一件衣服和穿衣服的時間長久之間没有什麽關係，所以……

2. Cultural Presentation

People of different cultures and nationalities have different understandings of the meaning of colors. In your presentation, describe the significance of the colors red, yellow, black, and white in Chinese culture.

回答建議：

① 關於紅色。

中國人都非常喜歡紅色，紅色是一種喜慶的顏色，結婚的時候，過年的時候，老年人過生日的時候，中國人都非常喜歡用紅色裝飾很多東西，比如……

② 關於黃色。

黃色在中國古代是非常高貴的顏色，只有皇帝才配得上這個顏色，到了後來，不知道爲什麽，説到黃色，就想起色情……

③ 關於黑色。

黑色在中國人眼裏是不吉利的顏色，往往和死亡聯繫在一起……

④ 關於白色。

白色在中國人眼裏含義非常豐富。一方面，白色讓人想起悲傷的情景，如果親人死了，人們往往穿上白衣服，表示哀思和悼念。可是現在很多新娘子結婚的時候都穿起白色的婚紗，白色又是非常美好、純潔的顏色。

3. Event Plan

You have the opportunity to attend a summer camp and need to pack your luggage. In your presentation, list the items you plan to pack and explain why you included them. This could include the purpose of the activity they will be used for, and the weather conditions at your destination.

回答建議：

(1) 開始。交代事由。比如：

最近因為……所以要組織一個夏令營。

(2) 推進話題。

① 簡單說明這次夏令營的目的、組織者、時間以及地點。比如：

這次夏令營是由……組織的，為了……這次夏令營一共是……天時間，目的地是……

② 根據活動目的，說一說具體的行裝準備。比如：

我帶了一個帳篷、幾件衣服、一個電筒，還有各種藥和幾本書，因為沒有書是不行的，到哪裏都一樣……

③ 根據當地的氣候，交待其他的準備及理由。比如：

考慮到這兩天的氣候，我還打算帶上……

(3) 結束語。比如：

現在我什麼都準備好了，所以希望出發的日子趕快到來。

UNIT 3 School and Family 學校與家庭

單元教學目標

一、 溝通

1. 掌握與學校、家庭這一話題相關的重點詞語及語言點，並理解一般性詞語，學會將這些語言知識運用於日常交際之中。

2. 學會有條理地說明喜好的理由；學會提問題的表達方式，比如圍繞主題並針對別人所講的內容提出恰當的問題，推進交流等。

二、 比較

結合自身實際經歷，理解並詮釋中國父母與孩子之間的關係，並與自己和父母的關係相對比，體會不同國家在這一問題上的特點及其差異。

三、 文化

了解中國的家庭倫理關係所反映出的文化背景，並能瞭解由此體現的社會變化。

四、 貫連

通過第六課主課文的學習，幫助學生瞭解中國現代文學史中的一些著名作家作品。

五、 實踐活動

讓學生運用所學的漢語知識，完成第五課填寫夏令營申請表的活動。

單元導入活動說明

這個單元的主要內容是學校生活以及中國的家庭關係和倫理觀念。不同文化背景的學校生活以及家庭關係、倫理觀念都表現出較大的差異，老師在引導學生進入這個單元的時候，重點應放在家庭關係和倫理觀念上。可參考以下活動步驟：

第一步： 使用《學生用書》中的表格，請學生說說自己的活動安排和喜歡的課程。

第二步： 根據《學生用書》中的家庭關係圖，請學生說說家庭成員之間的關係和稱呼，並與美國的相應關係和稱謂進行比較。這個活動可以分小組進行。

第五課 Chinese is Fun!
我愛學中文

教師手冊

一、本課教學重點

(一) 能夠理解並運用所學的詞語討論與學習生活相關的內容。

(二) 能夠運用本課所學的表達式有條理地説明喜好的理由。

二、本課的難點

(一) 詞語：注意"固然—雖然"和"好像—也許"這兩組近義詞的辨析。

(二) 語言點：

　　1. "被"字句與"把"字句都是比較難掌握的語言點，本課複習了這兩個語言點。請注意這兩個語言點的一般使用規律。

　　2. "並"的作用是加強否定的語氣，注意在它後面，一般要有"不"或"沒（有）"這樣的否定詞。

　　3. "別看……可是……"用來連接兩個具有轉折關係的句子，與"別看"相搭配的詞，還有"但是""卻""不過"等。

三、有用的教學資源

(一) 有關中國學生學校生活的圖片。

(二) 中國漢語網。

四、教學安排導引

針對不同學習內容，各教學模塊及其教學設計、參考課時索引見下表。

教學模塊		交際模式	可選用的教學活動設計		課時建議
新課學習	課文閱讀與理解	理解詮釋 人際互動	教學設計1 教學設計2	教學設計分爲必選和可選兩種，可選的活動以"可選"標明，具體實施順序請教師根據本班學生實際情況自定。	5—7課時
	詞語講解與練習	理解詮釋 表達演示	教學設計3 教學設計4		
	重點句型講解與練習	人際互動 表達演示	教學設計5 教學設計6		
交際活動		人際互動 表達演示	教學設計7		1課時
寫作訓練		表達演示	教學設計8		1課時
綜合考試訓練		綜合	教學設計9		1—2課時

注：寫作訓練活動可根據本班實際情況選做；綜合測試題應根據本班實際情況在課堂上選做或讓學生課外完成。

五、具體教學活動設計的建議

教學模塊 *1* ── 新課學習

(一) 課文閱讀與理解：

♟ 教學設計1

內容：主課文導入。

目的　結合學生自身情況，激活學生已有的記憶或經驗，爲理解主課文做好準備。

步驟：

第一步： 在進入本課學習之前，向學生提出幾個思考題，可以請學生分組討論：

　　① 你喜歡學中文嗎？爲什麼？

　　② 你覺得應該怎樣學習中文？你學中文有什麼好的方法？請跟大家講一講。

第二步： 每個小組總結一下自己的討論結果，派代表向全班匯報。

第三步： 老師根據學生的匯報，及時在黑板上寫出學生提及的、與本課重點詞語或文化主題相關的字、詞或其他信息。

第四步： 根據黑板上列出的信息，請學生閱讀課文或仔細聽課文的錄音，找出課文中這些信息所在的位置，開始進入正式的主課文學習。

預期效果： 通過小組討論、小組向全班同學匯報的方式，調動全班同學的學習積極性，並根據學生已有的知識或信息儲備進入新的主課文學習，以更好地實現本課有關語言和文化的教學目的。

♟ 教學設計2

內容：主課文的聽與讀。

目的：讓學生帶著問題仔細聽或認真讀課文，在複解課文大意的基礎上抓住重要細節。

步驟：

第一步： 老師在黑板上列出問題，請學生帶著問題仔細聽或快速閱讀兩遍課文：

　　① 爲什麼説 "外語不能只在教室裏學"？

　　② 麥特在北京留學有什麼好的經驗？

　　③ 麥特爲什麼認爲中文學習是 "師傅領進門，修行在個人"？

　　④ 你知道爲什麼曼徹斯特聯隊也叫 "曼聯"，皇家馬德里隊也叫 "皇馬" 嗎？

　　⑤ 麥特爲什麼愛學中文？你的感覺跟他一樣嗎？

第二步： 老師再次提出問題，逐一請學生回答，再請其他同學進行補充。要求不僅找出課文中的關鍵句子來回答問題，而且要用自己的語言進行有條理的組織和表達。

第三步： 老師根據學生的回答情況逐一講解問題，並可結合重點詞語進行講解。相關詞語的詳細講解和文化背景材料請分別參考後文中 "六（一）" 和 "六（四）" 的相關內容。

預期效果： 關於中文學習，每個學生都有自己的經驗和看法，所以在學習課文時，可儘量結合學生自身的體驗進行。

教師手冊

(二) 詞語講解與練習

● 教學設計3

內容： 詞語比賽。

目的： 通過比賽激活學生對與主題相關詞語的記憶，複習已掌握的相關詞語。

步驟：

第一步： 把學生分成兩組，每組分別説出與漢語學習相關的詞語，並將這些詞語寫在黑板上。比一比，寫出詞語多的一組勝出。

第二步： 全班一起複習一遍黑板上的所有詞語，可以請勝出小組的學生爲老師，爲同學講解或帶讀。

預期效果： 詞語比賽作爲課堂上復習詞語的常規活動之一，可以通過競賽的形式激發熱烈的學習氣氛，而且也可以實現學生之間互通有無。

● 教學設計4

內容： 談學習中文的經驗。

目的： 通過閱讀和表達，掌握本課的重點詞語。

步驟： 請參考《學生用書》中的本課詞語練習（VOCABULARY IN CONTEXT）。

可能出現的問題：

　　這個活動要求學生在表達的過程中儘可能多地使用所給的詞語，所以學生在表達時，很可能出現詞語使用不當的情況，老師應適時予以糾正。

(三) 重點句型講解與練習

● 教學設計5

內容： 完成句子。

目的： 通過對重點句型的理解和實際運用，掌握本課的重點句型。

步驟： 請參考《學生用書》中的本課句型練習（LANGUAGE　CONNECTION）。句型的詳細講解請參照後文"六（二）"中的相關內容。

擴展： 可以鼓勵學生仿照練習中的句子，自己再説出一到兩組具有相似結構的句子或對話。

● 教學設計6

內容： 談談你的看法。

目的： 通過模擬真實情景，在具體的交際任務下練習使用本課的常用表達式。

步驟： 兩人一組，談談各自喜歡的體育隊、樂隊、歌手等，並説明自己喜歡的原因。

組織要點： 本課所學的功能項目是有條理地表達喜歡的理由，所以教師在指導學生進行此項活動時，要讓學生注意表達的條理性，並儘量多的使用本課所學的表達式。

教學模塊 2 ── 交際活動

● 教學設計7

內容： 採訪。

目的： 通過小組的採訪活動，練習並掌握在交際中如何有條理地表達喜好的理由。

步驟： 請參考《學生用書》中的本課交際練習（COMMUNICATION CORNER）。

教學模塊 *3* — 寫作訓練

🗣 教學設計8

內容： 填寫夏令營活動申請表。

目的： 通過對夏令營申請表的填寫，熟悉中文表格的填寫方法

步驟： 請參考《學生用書》中的寫作練習（WRITING TASK）。

教學模塊 *4* — 綜合考試訓練

🗣 教學設計9

內容： 綜合考試訓練。

目的：

1. 通過綜合考試訓練試題的課後自我檢測或隨堂選擇性檢測，使學生達到綜合性複習、並強化本課所學內容的目的。

2. 借助綜合考試訓練試題內容與課文內容的互補性，訓練及拓展學生對與“學校與家庭”主題相關內容的學習。

步驟： 請參考《同步訓練》相關內容。

訓練要點：

1. 完成聽力題（Rejoinders and Stimulus Types）。幫助學生理解校園學習、課外活動的具體情景以及相關的功能項目。內容涉及借書、棋類比賽、拔河比賽時的對話，還有老師對學生學習進步的表揚等。

2. 完成閱讀題（Reading）。有利於學生學習和理解與課文話題相關的內容，幫助學生進一步學習校園生活中的各種應用文體，包括電郵、明信片、講座、海報、短信、活動通知、倡議書等。

3. 完成寫作訓練之個人信件（Personal Letter）、回復電郵（E-Mail Response）以及對話（Conversation）和文化表述題（Cultural Presentation），以增強學生對於學習方式、娛樂生活及個人喜好的表述能力，並進一步加深對中美兩國學校教育的瞭解。

4. 完成寫作訓練之看圖寫故事（Story Narration）、電話留言轉述題（Relay Telephone Message）以及活動計劃表述題（Event Plan），以訓練學生對人物活動的完整表述，對校園生活相關的內容的理解和轉述能力。

六、教學參考資料

(一) 詞語講解

本課的詞語注釋表中一共列出了46個詞語，其中專有名詞2個，要求學生理解掌握並能正確使用的詞語7個，只要求學生大致理解其文中的含義的詞語37個。此外，我們還對本課中的個別詞語進行了詞義辨析，供老師參考。

1. 體會：【動】體驗領會。
2. 首先：【連】第一；用於列舉。
3. 欣賞：【動】喜歡；認爲……好；對……感興趣。
4. 實用性：【名】有實際應用價值的性質。

5. 詞彙：【名】一種語言中所使用的詞和固定詞組的總彙。

6. <u>固然</u>：【連】表示承認某一個事實，然後轉入下文，前後意思有轉折。

辨析 固然一雖然

　　二者都是連詞，都可以表示承認一個事實，引起下文轉折，這時二者用法接近。但是"雖然"多用於句首，而"固然"多用在主語後面。例如：雖然沒有人這麼說，但是可能會有人這麼想。｜你的做法固然好，可就是太費時間了。

　　"固然"還可以表示承認一個事實，也不否認另一個事實，"雖然"無此用法。另外，"固然"偏重於確認某種事實，"雖然"偏重於讓步。例如：這家餐廳的菜固然好，但是有點兒貴。

---

7. 街道：【名】道路，兩邊有建築物的大路。

8. 超市：【名】超級市場的簡稱。

9. 籃球場：【名】專門用來進行籃球運動的場地。

10. 自然：【形】不做作，不呆板。

11. 其次：【連】第二；用於列舉。

12. 經驗：【名】從實踐中得到的知識、技能。

13. 證明：【動】用證據來表明或判斷人或事物的真實性。

14. 圍牆：【名】圍繞著某個特定區域修建的起攔擋作用的牆。

15. <u>曾</u>：【副】表示過去有過某種情況或行為。

16. 留學：【動】在國外學習。

17. 姥姥：【名】媽媽的媽媽。

18. 姥爺：【名】媽媽的爸爸。

19. 聊天：【動】閒談。

20. 火鍋店：【名】專門經營火鍋的餐廳。火鍋是一種炊具，也指用這種炊具加工的飲食。

21. 點菜：在餐廳吃飯時指定所需要的飯菜。

22. 上街：走出房間，到街上去（遊逛、購物等）。

23. 購物：【動】買東西。

24. 開玩笑：用言語或行動拿別人開心、取樂。

25. 否認：【動】不承認。

26. 小販：【名】做小本生意的商販。

27. 服務員：【名】服務性行業中直接為客人提供服務的人。

28. 隊友：【名】運動隊、考察隊等隊員之間的親密稱呼。

29. 成語：【名】一種長期沿用、結構穩定、表達精煉、意義完整豐富的固定詞組。

30. 方言：【名】和標準語有區別的、只在一定地區範圍內使用的語言系統。

31. 俚語：【名】通俗的口頭語。

32. <u>好像</u>：【副】表示不太肯定。

辨析 好像一也許

　　"好像""也許"這兩個詞都是副詞，都可以放在動詞、形容詞或主語前，表示不十分確定的意思，在很多場合是可以互換的。區別在於"好像"表示類似、大概，使用時往往會提出相類比的對象，有時會用"好像……似的""好像……一樣"的表達式。使用"也許"表示不確定時，個人推測和判斷的意味更強。例如：來到這裏就好像回到家一樣。｜好像要下雨了。｜這件衣服好像大了點兒。｜明天也許會下雨。｜他也許去過中國。

33. <u>不知不覺</u>：沒有意識到或感覺到。

34. 挑戰性：【名】形容某件事情具有相當的難度，具有激勵人去競爭的性質。

35. 課本：【名】教材。

36. 進步：【動】比原來有提高或發展。

37. 意味著：含有某種意思。

38. 勇氣：【名】敢於行動、不懼怕困難的精神狀態。

39. 師傅領進門，修行在個人：老師只教給最基本的知識、技能，進一步的學習在於自己的努力。

40. 球隊：【名】爲球類比賽組織起來的運動員隊伍。

41. 球星：【名】著名的球類運動員。

42. 堅定：【動】使（立場、想法、主張等）穩定不動搖。

43. 羞怯：【形】害羞膽怯。

44. 有害無益：只有壞處，沒有好處。

專有名詞

45. 曼徹斯特聯隊：英國著名足球俱樂部的球隊名。

46. 皇家馬德里：西班牙著名足球俱樂部的球隊名。

(二) 重點句型講解：

本課一共有4種需要學生掌握的重點句型，在《學生用書》的 "LANGUAGE CONNECTION" 中有簡單的講解。在這裏，我們又做了進一步的講解，供老師們參考。

1. 別看……可是……

"別看他們説的普通話不太標準，可是跟他們交流對提高聽力是非常有用的。"

"別看……可是……"用來連接具有轉折關係的兩個句子，表示雖然承認某個事實，但實際情況並沒有受到該事實的影響。"別看"的後面是被承認的事實，它可以是一個名詞性短語（如"小小的年齡"），也可以是動詞性短語（如"得了冠軍"），或主謂結構的短語（如"這件衣服價格不高"）；"可是"後面講出實際的情況。例如：

別看他小小的年齡，可是知道的事情卻不少。

別看他得了冠軍，可是一點兒也沒有高興的樣子。

別看這件衣服價格不高，可是質量不錯。

"可是"也可以換成"卻""但是""不過"等表示轉折關係的詞，意思不變。例如：

別看他在中國學過一年，但是漢語説得並不好。

別看他很瘦，力氣卻很大。

2. 並＋Neg.

"我並沒有被嚇倒。"

在課文的句子中，"並"的作用是用來加強否定的語氣。"並"的這種用法常常出現在表示轉折的句子中，有否定某種看法、説明真實情況的意味。"並"的後面一般要有"沒（有）"或"不"這樣的否定詞。例如：

他說他已經給我發了郵件，可是我並沒有收到。

現在已經是冬天了，但天氣並不太冷。

大家都以為考試會很難，其實考試並不難。

3. "被"字句

"我並没有被嚇倒。"

這是一個表示被動的句型結構。例句中的主語"我"是在外界的影響下"嚇倒"，是被動的；"被"的後面還可以有一個代詞或名詞性結構（如"她""困難""這件事"等），這個代詞或名詞性結構表示動作的施動者。例如：

他們的衣服被雨淋濕了。

媽媽的花瓶被他打碎了。

我們被這裏的景色迷住了。

在上下文清楚的情況下，"被"後面的部分可以省略。例如：

那個箱子已經被拿走了。

課文中的例句是否定句，肯定句的説法是：

我被嚇倒了。

4. "把"字句

"更重要的是把這些知識用在實際的生活中。"

"把"字句用來表達對某事物進行處置以及處置後產生的結果、發生的變化。"把"字句可以用來表示已經發生的事情，也可以用來表示將要發生的事情。通常的結構是"'把'＋名詞/代詞＋動詞＋其他"。例如：

我　把　作業　做　完了。
　"把"　名詞　動詞　其他

又如：

請把門關好。

請把你的地址告訴我。

你把電腦帶來了嗎？

我昨天就把書包放在這兒了。

咱們把教室打掃打掃吧。

使用"把"字句通常要遵循下面的原則：

(1) "把"後面的事物必須是聽話人可以理解的、確定的事物。

(2) "把"字句中的動詞多數是及物動詞，而且具有處置意義。"走""跑""離開""開始""結束""來""去""喜歡""愛"等動詞一般不用在"把"字句中。

(3) 在"把"字句中，動詞後面的"其他"成分是必要的，不能只説"我把作業做"而必須説"我把作業做完了"。

(4) "把"字句中的助動詞（即能願動詞）、否定副詞、表時間的詞一般放在"把"的前面。例如：

我得把信寄出去。

他没把這件事告訴你嗎？

我明天把書帶來。

(三) 常用表達式講解

結合本課"有條理地説明喜歡的理由"這一功能項目,本課重點提出4組在實現這一功能的過程中常用的表達方式。我們在這裏對這些表達式進行了講解和擴展,供老師們在引導學生進行表達演示的過程中參考。

1. 首先……其次……最後 ……

> "首先,我愛學中文的原因是……;其次,我愛學中文是因爲……;最後,我愛學中文是因爲……"

"首先……其次……最後……"這種表達可以用來分條陳述喜歡的原由。在陳述時,通常把最主要的内容放在"首先"的後面。例如:

> A:你爲什麽喜歡旅遊?
> B:首先,旅遊可以增長我的見識。其次,我可以欣賞各地的風光。最後,我還可以品嚐不同地區以及不同國家的美食。

2. 我非常欣賞它(他)的……

> "我愛學中文的原因是非常欣賞它的實用性。"

"欣賞"的意思是"認爲……好"。當你需要説明對某人或某一事物喜歡的原因時,可以使用這個表達式。例如:

> A:你爲什麽喜歡那個小伙子?
> B:我非常欣賞他的才能。

3. 我愛(喜歡)……是因爲……

> "我愛學中文,是因爲漢語能幫助我瞭解中國文化。"

當别人詢問你爲什麽喜歡某種事物或喜歡做某件事時,你可以用這個句式陳述理由。在"我愛"的後面講出自己喜歡的事物,在"是因爲"的後面講出喜歡的原因。例如:

> 我喜歡去雲南旅遊,是因爲我希望更多地瞭解當地少數民族的風俗習慣。
> 我愛打太極拳,是因爲太極拳能鍛煉大腦。

4. 在我看來,……

> "在我看來,中文學習真的是'師傅領進門,修行在個人'。"

如果你喜歡某一事物,又要講出喜歡的理由時,可以用這個句式進行進一步的解釋,"在我看來"的意思就是"我覺得""我認爲",解釋的内容放在"在我看來"的後面。例如:

> A:你爲什麽想去上海學習漢語?
> B:在我看來,上海是個非常現代化的城市,所以我願意去那裏學習漢語。

> 在我看來,練氣功是預防疾病的最好方法,所以我經常練氣功。

(四) 補充文化知識材料

根據正副課文的內容，我們補充了一些相關的文化背景知識，供老師們參考。由於篇幅的關係，其他更多的材料，我們放到網上，請老師們上網搜尋。

1. 中國中學生的課外活動

課外活動是指學生課餘時間在老師的指導下，根據自己的興趣、愛好、特長以及實際需要自行組織的各項活動，也稱爲"第二課堂"。豐富多彩、形式多樣的課外活動可以激發學生的主動性、創造性，充分發揮學生的特長，開拓學生的視野，是培養學生動手能力、觀察能力、語言表達能力的有效途徑。

課外活動是課堂教學的延伸和擴展，是學校教育不可缺少的重要部分。中國的中小學都有各種形式的課外活動，有參觀、聽講座、看電影、體育比賽、興趣小組等。興趣小組是課外活動的主要形式，它涉及體育、文藝、科技等各個方面，如美術小組、攝影小組、書法小組、朗誦小組、棋類小組、航模小組、科技活動小組、舞蹈隊、音樂隊、體操隊、合唱團、軍樂團等等。學生可以根據自己的興趣、愛好選擇參加感興趣的小組。

除了上面説的這些課外活動外，一些學校還組織了與課堂教學内容密切相關的課外活動。這些活動可以提高學生的感性認識，加深學生對書本知識的理解。比如，化學課上講水污染的情況，老師會讓學生去觀察自己周圍水質的狀況，採集水樣，用PH試紙測量水質的酸碱度，然後讓學生根據自己觀察到的情況進行歸納、總結。信息技術課、語文課、外語課、地理課、化學課、生物課、物理課等不同的課型都會組織一些類似的活動。

隨著中國社會的發展，中學生的課外活動也不再局限在學校裏，越來越多的中學生開始走出校門，走向社會，參加一些公益活動或誌願者組織。

2. 中國的志願者活動

中國的志願者活動起源于20世紀60年代的學雷鋒運動。雷鋒是一個普通的解放軍戰士，他樂于助人，經常無私地幫助一些需要幫助的人。1963年毛澤東在《人民日報》上發表了"向雷鋒同志學習"的題詞。隨後，全國展開了學習雷鋒的熱潮。中國的志願者活動就是在學習雷鋒的基礎上產生的。

1990年在深圳成立的"青少年義務工作者聯合會"和北京大學學生自發成立的"愛心社"標誌著中國最早的志願者組織的形成。此後，"白鴿志願者"、"紅十字志願者"、"陽光志願者"、"農民之子"等各類志願組織和活動遍及了中國大地。據中國青少年研究中心1995年在八省的調查結果表明，志願者的職業構成主要爲學生（占總人數的46.1%）、工人（16.7%）、專業技術人員（11.23%），而且有八成左右的大、中學生群體很願意成爲志願者。

最初，志願者們的活動形式主要是參加大型活動以及在緊急、危險的任務中發揮作用，後來，志願者的活動擴大了範圍，深入到社會的方方面面，如保護環境、社區服務、幫助落後地區的教育等等。目前，中國正在招募2008年奧運會志願者，奧運會期間志願者們不只爲賽事提供相應的服務，他們還將在全市各個主要交通樞紐、旅游景點、飯店賓館、商鋪市場等場所提供文明督導、交通協管、治安聯防、指引向導、翻譯接待、導游導購和醫療救助等多方面的志願服務。

中學生是志願者隊伍的重要組成部分。據首都體育學院最近的一份調查顯示，有八成中學生盼望成爲奧運會的志願者。中學生志願者除了爲一些大型活動提供各種服務以外，更主要的是做一些力所能及的事情。比如，在社區裏打掃衛生，到敬老院看望孤寡老人，幫助殘疾智障兒童，做宣傳工作等。

《同步訓練》參考答案及相關提示

Section One

I. Multiple Choice (Listen to the dialogs)
答案:

1. C	2. D	3. D	4. B	5. D	6. B
7. A	8. B				

聽力錄音文本:

1. (Woman) 對不起,我把你的書弄髒了。
   (Man) (A) 這本書是一位數學家寫的。
   (B) 謝謝,我會儘早還給你的。
   (C) 這可是我最喜歡的書。
   (D) 沒事,我可以把我的書借給你。

2. (Woman) 昨天老師佈置的作業你寫了嗎?
   (Man) (A) 昨天老師讓我們做練習一。
   (B) 昨天我去了老師的辦公室。
   (C) 昨天的作業老師已經改了。
   (D) 糟糕,我根本就不記得了。

3. (Woman) 王鵬真厲害,他是個計算機高手。
   (Man) (A) 他有多高?
   (B) 對,他的數學棒極了。
   (C) 他常常算計別人是打籃球。
   (D) 我的機子有了問題就找他。

4. (Woman) 昨天的圍棋比賽我輸了。
   (Man) (A) 是嗎?象棋比賽是挺不容易的。
   (B) 沒關係,下次一定贏回來。
   (C) 怎麼可能?那麼多的對手。
   (D) 是嗎?圍棋比賽是挺容易的。

5. (Woman) 學習漢語的時候,你覺得什麼最難?
   (Man) (A) 我們的教材應該換了。
   (B) 我的漢語老師不是中國人。
   (C) 花的時間太多。
   (D) 語法不怎麼難,聲調不容易。

6. (Woman) 昨天的比賽我只看了第一場就走了,最後誰贏了?
   (Man) 第二場我們輸了,不過第三場的時候我們又贏了。
   (Woman) (A) 你們能以二比零贏他們,太好了!
   (B) 你們贏得可真不容易!
   (C) 我看你們是被他們嚇倒了吧。
   (D) 拉拉隊的表演真精彩。

教
師
手
冊

7. (Woman)　　你聽説了嗎？王鵬在比賽中得了第一名。
　　(Man)　　　你説的是我們班的王鵬嗎？不會吧！
　　(Woman)　　(A) 他確實得了第一名！
　　　　　　　　(B) 他在我們班總是第一名。
　　　　　　　　(C) 是嗎，王鵬是誰啊？
　　　　　　　　(D) 對啊，王鵬告訴我他輸了！

8. (Woman)　　最近怎麼不去打球了？忙什麼呢？
　　(Man)　　　現在每天下課以後我都去學下棋。
　　(Woman)　　(A) 現在去打球的人還多嗎？
　　　　　　　　(B) 難怪見不到你。
　　　　　　　　(C) 最近是挺忙的。
　　　　　　　　(D) 明天下午我去打球。

II.　Multiple Choice (Listen to the selections)
　　答案：

1. A	2. B	3. D	4. A	5. A	6. A
7. B	8. C	9. D	10. D	11. B	12. A
13. D					

　　聽力録音文本：

Selection 1

(Narrator)　　Now you will listen twice to the following selection.

(Man)　　　　請大家注意了！首先我來説一説這次比賽的規則。我説"預備"的時候，大家得拿起繩子準備好；我説"開始"的時候，大家才能用力。如果我沒説開始的時候，有一方就開始用力，那麼會被判犯規。三次犯規的話就不能再繼續比賽了。現在請大家看看中間的那條紅色的小繩，這條小繩過了哪一方的線哪一方就算贏。本場比賽三局兩勝，誰先贏了兩局，誰就得到了最後的勝利。關於比賽規則，還有誰有問題嗎？

(Narrator)　　Now listen again.

(Narrator)　　Now answer the questions for this selection.

Selection 2

(Narrator)　　Now you will listen twice to a conversation between two students.

(Woman)　　　昨天你們跟二班的比賽最後誰贏了？

(Man)　　　　當然是我們一班，我們是全校最棒的球隊！

(Woman)　　　就算你説得對。比分是多少？

(Man)　　　　90比89。

(Woman)　　　那昨天的比賽還挺激烈的。

(Man)　　　　你昨天怎麼不來給我們當拉拉隊？

(Woman)　　　昨天正在上中文課呢。下次一定去捧場！

(Narrator)　　Now listen again.

(Narrator)　　Now answer the questions for this selection.

Selection 3

(Narrator)   Now you will listen twice to a conversation between two students.

(Man)   王晶，聽説你是一個圍棋高手，可以教教我嗎？

(Woman)   哪裏哪裏！只是自己喜歡下棋。

(Man)   別謙虛了，你的朋友告訴我你得過好多獎呢！

(Woman)   那是好長時間以前的事了。你真想學嗎？

(Man)   那當然，你當我的老師好不好？

(Woman)   你以前學過嗎？

(Man)   沒有。你得從最基礎的教我。

(Woman)   好，那我們從圍棋規則開始。

(Man)   行，我一定好好學習，王老師！

(Narrator)   Now listen again.

(Narrator)   Now answer the questions for this selection.

Selection 4

(Narrator)   Now you will listen twice to the following selection.

(Woman)   大家好，我是初一的學生王强，我很高興來教大家怎麼分清楚各種不同的硬幣。現在每個人的桌子上都有三個硬幣。最大的那個硬幣是一塊的，一塊的也是最重的。最小的那個是一角的。這三個裏面只有五角錢的硬幣是黃色的，五角錢的比一角的大一點兒，而且也重一點兒。如果大家仔細看的話，它們上面的圖案也不一樣，有不同的花。剛剛我們説的這些都可以幫助我們把它們區分開。

(Narrator)   Now listen again.

(Narrator)   Now answer the questions for this selection.

Selection 5

(Narrator)   Now you will listen twice to the following selection.

(Woman)   同學們好！這個學期的中文課已經過了一半了，我覺得在前半個學期大家都做得非常好！你們的中文都有很大的進步。為了下半個學期有更大的進步，今天我還想説一説大家在學習中存在的一些問題。最大的問題是有些同學還很羞怯，説中文的時候覺得很不好意思，所以不敢説。其實，每個人都有説錯的時候，沒關係的，只有你説了，老師幫你改過來了，你才知道下次怎麼説，對不對？開口説話對學習外語來説是最重要的。我相信大家都能做到這一點！

(Narrator)   Now listen again.

(Narrator)   Now answer the questions for this selection.

III. Multiple Choice (Reading)

答案：

1. C	2. A	3. D	4. D	5. D	6. C
7. B	8. A	9. C	10. C	11. D	12. D
13. A	14. A	15. A	16. B	17. B	18. D
19. C	20. D	21. A	22. D		

教师手册

Section Two

I.   Free Response (Writing)

1.   Story Narration

The four pictures present a story. Imagine you are writing the story to a friend. Narrate a complete story as suggested by the pictures. Give your story a beginning, a middle, and an end.

寫作提示：

　　這則看圖寫作主要是考查你對人物活動的完整描述，關鍵在於使用合適的動詞。比如：

(1)　今天是……，下午……後，大家紛紛走出教室……

(2)　（傑克）和同學們一起……，準備去打棒球，忽然想起棒球手套……

(3)　（傑克）急忙跑……打開……取出……放進……轉身……（這裏可以使用一連串的動詞，描寫人物活動細節）

(4)　（傑克）終於拿上了自己的棒球手套，快速跑到操場上，準備……

2.   Personal Letter

Imagine you received a letter from a pen pal. He mentions that he spends most of his spare time playing video games. Write a reply in letter format. Write about the video games you have played or you know of, and your opinion of video games. Justify your opinions with specific reasons and examples.

回信建議：

(1)　問候。

(2)　重複主要信息。比如：

　　　非常高興收到你的來信，你在信中提到……

(3)　主要內容。要在回信中就筆友所提到的電子遊戲問題作出具體説明。

　　①　陳述你對電子遊戲的態度和看法。可以直接表述，如：

　　　　　我也很喜歡玩電子遊戲。

　　　　也可以反過來，從電子遊戲給你帶來的主要感受的角度進行表述。如：

　　　　　電子遊戲帶給我很多歡樂。

　　　　　電子遊戲給我的業餘生活增添了很多樂趣。

② 説明你對電子遊戲所持態度或看法的理由。你可以直接説明，如：

我喜歡電子遊戲是因爲我覺得……

也可以舉例説明，如：

以前，我……，通過……，我發現……。從此，我就喜歡上了電子遊戲……

當然，在以上兩段的表述中，你也可以陳述自己不喜歡電子遊戲以及不喜歡它的理由，你可以從很多角度展開敍述。比如：玩電子遊戲浪費學習時間，玩電子遊戲時間太長傷害眼睛，以及過分沉迷於電子遊戲客觀上會阻礙積極的社交活動和户外運動等等。最好是結合自己或者是你瞭解的某個人的經歷來談。

③ 可以補充一些你所知道的電子遊戲的相關信息。在這裏，你可以向筆友推薦一個好的電子遊戲，並告訴他在哪裏能夠找到或買到；也可以説説自己玩電子遊戲的經驗。可以使用這些句型或表達式，如：

我最近……，推薦給你。

我發現了……，你可以試試看。

……你覺得怎麼樣？

……想不想試試？

④ 最後，還應該向筆友表示你很高興能在這個問題上和他交流，並可以約定以後經常溝通。例如：

很高興和你在信中談論這個問題……

很願意以後在這個問題上能夠經常和你交流。

(4) 祝福語。

(5) 署名和寫信日期。

3. E-Mail Response

Read this e-mail from a friend and then type a response.

發件人：張蘭

主　題：做一份有趣的研究報告

最近老師要求我們就中國城市居民的社區生活寫一份研究報告。研究報告和我們平時的作業方式很不一樣。我知道你們的作業常常是要求做研究報告，你能不能告訴我你做研究報告的經驗？怎樣才能做出一份有意思的研究報告？希望你能給我一些指導。

回信建議：

這封電郵的目的是希望從你這兒瞭解一些信息，這裏作簡單提示：

(1) 簡短開頭，直接切入正題。

(2) 具體內容介紹。本次回信可以以你的一次報告爲例，分幾部分説明。

① 關於報告的主題，可以從你選題的過程、選題的理由等方面來説明。比如：

報告的主題是從……來的。

當時選題是考慮到……

因爲……，所以我決定從……方面進行調查、論證和報告。

② 關於研究信息的收集、整理，可以從收集信息的渠道、採集信息的方式等方面進行説明。比如，説明收集信息時，你可以寫：

爲了……，我查找了圖書館的資料。

通過上網，我收集了……

由於我的報告主題……，所以我設計了調查問卷，並在……進行了問卷調查/做了問卷訪談。

說明信息整理時，你可以寫：

有了這些信息後，我做了……

把信息收集起來後，我進行了……

問卷收齊後，我統計了調查結果，整理出來……

③ 關於報告的呈現，可先直接說明你是如何呈現的，同時說明爲何這樣呈現，以及呈現後的效果。例如：

我做了一個圖片展，向大家介紹我的報告結果，……

我做了一個幻燈片展示，……

(3) 結束並給出一些其他建議。

4. Relay a Telephone Message

Imagine you are sharing an apartment with some Chinese friends. You arrive home one day and listen to a message on the answering machine. The message is for one of your Chinese friends. You will listen to the message twice. Then relay the message, including the important details, by typing a note to your friend.

(girl)張蘭，今天我病了，沒有去上課，課後都佈置了哪些作業啊？科學課有沒有作業？中文課肯定會有作業的，中文課的作業這次是一個人完成還是幾個人合作完成？什麼時候交？你回宿舍以後儘快給我一個電話，多謝！

轉述建議：

(1) 轉述開始時要注意稱呼的使用，留言中的"我"在轉述時要轉換成"她"。如：

張蘭，你的同學……，她問你……

(2) 轉述時要突出詢問的主要問題，不能遺漏。如：她爲什麼沒有去上課；她想問張蘭什麼問題；她主要想知道什麼；她希望張蘭儘快給她回電話；等等。

II. Free Response (Speaking)

1. Conversation

Recently, there have been some exchange students in your school. After class, you have a conversation with one of them about your opinion on your school and on education in general.

(1) 問題一：你們學校歷史上有哪些有名的校友？可以介紹一下嗎？

回答建議：

① 首先列舉學校有名的校友。比如：

在我們學校的歷史上，××、××都是非常有名的學生。

要說有名的校友，我比較熟悉的是××、××。

我們學校××、××這些人都是比較有名的校友。

② 接下來，可以用一句話承接上句，如：

在這些人裏，我最想說的是……

其中，我想談談……

③　然後就可以轉入問題的第二個方面，即對著名校友的介紹。一般先説明校友的身份，再圍繞他的故事及影響力展開。可以這樣開始介紹：

　　××，他現在是……

　　他曾經……

　　在我住的城市，幾乎每個人都認識他，因爲……

　　我們學校的學生，都聽説過他的故事。

注意：　"有名"是一個比較寬泛的概念，學生介紹的不必都是學校歷史上值得驕傲的校友，也可以談談那些事蹟有趣的校友。重要的是能讓人大致瞭解該校友有名的原因，同時也要注意控製説話時間。

(2)　問題二：你們學校是公立學校還是私立學校？有人説私立學校是爲富人建的，你是怎麼看的呢？

回答建議：

①　首先回答學校的性質。比如：

　　我們學校是一所公立學校/私立學校。

②　接下來，可以用重複問題内容的方式表達自己對下一個問題的看法。比如：

　　有人説私立學校是爲富人建的，這種看法我不太同意/這種看法我覺得有問題……

　　有人説私立學校是爲富人建的，這種看法還是有道理的……

③　然後，舉一到兩個例子支持自己的觀點。比如：用"私立學校孩子的父母收入普遍較高"支持"私立學校是爲富人建的"這一觀點；用"很多私立學校爲家庭收入不高的孩子提供獎學金"反對"私立學校是爲富人建的"這一觀點。

④　最後，用一句話總結自己的觀點。比如：

　　所以説，這種看法很有道理/沒有道理。

(3)　問題三：你們學校對畢業都有哪些要求？

回答建議：

要説清楚學校對畢業的具體要求，比如需要修多少門課，拿到多少學分才能畢業。

①　首先，可以用一句話進行總括，然後再進行具體説明。比如：

　　我們學校對畢業的要求挺高的……。學生應該……，而且……，才可以畢業。

　　我們學校對畢業的要求很具體，包括……以及……

　　也可以通過與其他學校作比較，來説明自己學校對畢業的要求。比如：

　　和……學校不同，我們學校對畢業的要求是……

　　和……學校差不多，我們學校對畢業的要求也包括……

②　另外，説明學校不同時期對畢業生要求的變化，也是回答這個問題的一個角度。比如：

　　我們學校以前要求學……，現在的要求是……，而且……

(4)　問題四：你們學校的畢業生一般上哪些大學，爲什麼？

回答建議：

這個問題涉及兩方面的信息，一方面是列舉學校畢業生進入的大學，另一個方面是簡要説明形成目前這種情況的原因。

①　對於問題的第一個方面，可以先用一句話概括。比如：

　　我們學校的畢業生一般都上……的大學。

　　我們學校的畢業生有的進入……，有的上……，還有的進入……

② 然後，陳述形成這種情況的具體原因。爲了使陳述條理清楚，可以説：

   我們學校的畢業生一般上這些大學，一方面是因爲……另一方面是因爲……另外……

③ 回答結束時，可以用一些方法使表述顯得更加有理性。例如：

   這只是我個人的看法，也許還有別的原因……

   我想大多數是這樣的情況，少數的應該還有其他原因……

(5) 問題五：如果你上了一個私立大學，你準備怎麼解決學費問題呢？

回答建議：

① 可以先簡要介紹一下打算上什麼樣的學校，可能需要的學費，然後再談怎麼解決學費問題。比如：

   因爲我打算上……的大學，這個學校學費很貴，每年……，所以我必須申請到全額獎學金……

   我希望上一個……大學，這樣的大學學費……，我打算申請貸款。另外，上大學期間，也可以打工挣錢……

   我希望上……，這些學校的學費可能……。如果我的學費有困難，那麼我可能會/那麼我第一件要做的事情是……

② 最後，可以説：

   所以，我上大學的學費不是問題。

   大學的學費的確是個問題，但總是可以解決的。

   注意：對這個問題的回答，一定要避免用一句話或幾個字就把問題回答完了。比如只説"申請獎學金"或"貸款"，這樣不符合題目的時間要求。

(6) 問題六：作爲一個即將畢業的高中生，你對你的高中生活有什麼評價？

回答建議：

   對這個問題，回答的方式可以是列舉式的，也可以只深入評價高中生活中感受最深的某一方面。

   回答的内容可以是自己滿意的方面。比如：

   我很喜歡我的高中生活，因爲我在這裏學到了……，參加了豐富多彩的課外活動，這些活動……

   我很感謝我的高中生活，這個學校給了我很好的學習環境……，綜合能力提高了……

   高中這幾年的學習，我覺得不但是學到了知識，而且養成了健康的生活習慣……

   也可以談一些遺憾。比如：

   高中這幾年，挺遺憾的……，花費在娛樂上的時間太多，而在學習上的時間太少……

2. Cultural Presentation

   Find a school calendar from a senior high school in China on the Internet. In your presentation, describe the school's curriculum and other activities, including mid-term and end-of-term exams. Describe how many terms the school has, where these begin and end, and when the school vacations are. Also, compare this school calendar with yours.

回答建議：

這個表述涉及許多具體信息，但是以下幾個方面的信息必須交待清楚：

(1) 每個學年中學期的具體安排，每個學期開始和結束的時間；

(2) 每個星期的課程及其他學校活動的安排；

(3) 期中、期末考試的安排以及假期安排。

要使表述變得精彩，關鍵是要有好的話題推進方式，比如：

我上網找到了幾份中國高中的校曆，我發現……

通常一個學年有兩個學期，第一個學期一般從……開始到……結束，第二個學期一般從……開始到……結束。

每個星期的具體安排通常是……

大多數情況下每學期有兩次大的考試，一次期中考試，一次期末考試，時間多在……

學年的假期一共有兩個。一個是寒假，一般在……一個是暑假，一般在……

該題還要求對中美高中學習安排的差異進行比較。在簡單地說明差異以後，要用一兩句話總結你的表述。比如：

總體上來看，我覺得中美兩國高中的學習安排差異不大。

總之，中美兩國高中的學習安排差異很大。

3. Event Plan

Your class plans to buy some books. You have the opportunity to plan a fair to raise money to buy these books. In your presentation, explain the purpose of the fair, what you will sell, and why.

回答建議：

(1) 開始：交代事由。比如：

我們班裏最近打算買一些書，這需要不少錢。

(2) 推進話題：

① 說一說籌錢的方式。比如：

我們打算……，這樣可以掙到不少錢，這些錢我們可以用來買……

② 說明這樣籌錢的理由。比如：

賣自己做的巧克力，因為很多同學都愛吃，比較好賣……

如果賣……，可能……，這樣不好辦……

③ 簡要說明籌錢的具體實施計劃。例如：

我要先……然後……

下課以後，我會……

(3) 結束：說明你對這個籌錢活動的估計以及期望。例如：

我想我們會掙到足夠的錢買書。

我估計……

我相信……

希望這次活動能夠……

第六課 My Father, Laoshe
兒子眼中的父親

一、本課教學重點

(一) 能夠理解並運用所學的詞語討論與中國家庭、倫理觀念等相關的內容,同時能夠與自己國家的相應內容作比較。

(二) 能夠運用本課所學的表達式,恰當地提出問題,推進談話。

二、本課的難點

(一) 詞語:注意"期望—希望""從來—向來"以及"方式—方法"這幾組近義詞的辨析。

(二) 語言點:

1. "形容詞+'極了'"與"形容詞+'得不得了'""'特別'+形容詞""'非常'+形容詞""'十分'+形容詞"都可以表示狀態達到了很高的程度,注意它們在結構上的區別。

2. "淨"表示"經常""總是"的意思,多用於口語。

三、有用的教學資源

(一) 有關中國家庭的圖片。

(二) 中國家庭關係圖。

四、教學安排導引

針對不同學習內容,各教學模塊及其教學設計和參考課時索引見下表

教學模塊		交際模式	可選用的教學活動設計		課時建議
新課學習	課文閱讀與理解	理解詮釋 人際互動	教學設計1 教學設計2 教學設計3 教學設計4 教學設計5	教學設計分爲必選和可選兩種,可選的活動以"可選"標明,具體實施順序請教師根據本班學生實際情況自定。	5—7課時
	詞語講解與練習	理解詮釋 表達演示	教學設計6 教學設計7 教學設計8		
	重點句型講解與練習	人際互動 表達演示	教學設計9 教學設計10		
交際活動		人際互動 表達演示	教學設計11 教學設計12		1課時
寫作訓練		表達演示	教學設計13		1課時
綜合考試訓練		綜合	教學設計14		1—2課時

注:寫作訓練活動可根據本班實際情況選做;綜合測試題應根據本班實際情況在課堂上選做或讓學生課外完成。

五、具體教學活動設計的建議

教學模塊 *1* ── 新課學習

(一) 課文閱讀與理解：

🗣 **教學設計1**

內容： 主課文導入。

目的： 通過激活學生已有的記憶或經驗，爲理解主課文、瞭解其中的文化含義做好學習準備。

步驟：

第一步： 在進入本課學習之前，向學生提出幾個思考題，可以請學生分組討論：
　① 你覺得你的父親（母親）是怎樣一個人？
　② 在美國一般的家庭中，父母和子女的關係是怎樣的？

第二步： 每個小組總結一下自己的討論結果，派代表向全班匯報。

第三步： 教師根據學生討論結果的匯報，及時在黑板上寫出學生提及的、與本課重點詞語或文化主題相關的字、詞或其他信息。

第四步： 根據黑板上列出的信息，請學生閱讀課文或仔細聽課文的錄音，找出課文中這些信息所在的位置，開始進入正式的主課文學習。

預期效果： 通過小組討論、小組匯報的方式，調動起全班同學的學習積極性，並根據學生已有的知識進入新課文的學習，以更好地實現本課有關文化理解與比較的教學重點。

🗣 **教學設計2**

內容： 主課文第一部分的聽與讀（從"楊瀾：舒乙先生"到"舒乙：對"）。

目的： 讓學生帶著問題仔細聽或認真讀課文，在瞭解課文大意的基礎上抓住重要細節。

步驟：

第一步： 教師在黑板上列出問題，請學生帶著問題仔細聽或快速閱讀兩遍課文：
　① 老舍爲什麼給兒子起名叫"舒乙"？
　② "甲、乙、丙、丁排隊"是什麼意思？
　③ 老舍在給孩子起名字的時候主要考慮什麼？
　④ 你的父母根據什麼給你起名字？

第二步： 教師逐一提出問題請學生回答，並請其他同學進行補充，要求不僅找出課文中的關鍵句子來回答問題，而且要用自己的語言進行組織和表達。

第三步： 教師根據學生的回答情況進行講解，可以和重點詞語的講解結合。有關詞語的詳細講解和文化背景材料請分別參考後文中"六（一）"和"六（四）"的相關內容。

可能出現的問題：

　天干、地支是學生不熟悉的內容，重要的是讓學生瞭解天干與地支相配是中國古代記錄時間的方法，並儘量熟悉十天干和十二地支的具體內容。

🗣 **教學設計3**：

内容：主課文第二部分的聽與讀。（從"楊瀾：您是家裏唯一的兒子"到"只去發展興趣和愛好"）

目的和步驟：可參考教學設計2。具體思考題如下：

① 老舍爲什麼不主張嚴格管教孩子？

② 爲什麼老舍認爲孩子考試成績不好没關係呢？你同意他的觀點嗎？

🗣 **教學設計4**

内容：主課文第三部分的聽與讀。（從"楊瀾：老舍先生1947年隻身到美國去了"到"父子就是平等的關係了"）

目的和步驟：可參考教學設計2。具體思考題如下：

① 老舍先生和兒子久别重逢，見面的時候是怎麼打招呼的？"我"爲什麼"嚇壞"了？

② 老舍先生跟兒子打招呼的方式説明了他對父子關係的看法是怎樣的？中國傳統的父子關係又是怎樣的？

🗣 **教學設計5**

内容：主課文第四部分的聽與讀（從"楊瀾：一般説來"到"舒乙：是啊"）。

目的和步驟：可參考教學設計2。具體思考題如下：

① 老舍先生對孩子表達愛的方式是怎樣的？

② 老舍先生在兒子眼中是怎樣一個人？

（二）詞語講解與練習

🗣 **教學設計6（可選）**

内容：詞語接龍。

目的：通過頭腦風暴活動的比賽，激活學生對與主題相關詞語的記憶，複習已掌握的相關詞語。

步驟：請參考《學生用書》中的詞語練習（VOCABULARY EXERCISES）。

第一步：老師給學生看準備好的家庭照片

第二步：把學生分成兩組，請學生説出照片中家庭成員的關係，一組説男性，一組説相應的女性。如，一組學生説出"爸爸"，另一組就應該説出"媽媽"，依此類推。比一比看哪個組説出的詞語多，也就是哪一組所"接"出的詞語的"龍"更長，則該組勝出。

第三步：全班一起再複習一下黑板上的所有詞語，可以請勝出小組的學生當老師，帶領同學朗讀或爲同學講解。

預期效果：詞語接龍遊戲作爲課堂上複習詞語的常規活動之一，可以通過競賽的形式激發熱烈的學習氣氛，而且也可以實現學生之間的互動。

教學設計7

內容：打字練習。

目的：通過在電腦上輸入詞語，掌握這些詞語的拼音，以便更好地掌握中文輸入方法。

步驟：請參考《學生用書》中的打字練習（TYPING PRACTICE）進行。

教學設計8

內容：選詞填空。

目的：通過練習，掌握本課重點詞語的實際運用。

步驟：請參考《學生用書》中的詞語練習（VOCABULARY IN CONTEXT）進行。

擴展：可以鼓勵學生仿照練習中的對話自己再編一到兩組對話，鞏固對本課重點詞語的掌握。

(三) 重點句型講解與練習

教學設計9

內容：完成句子、替換句子、選擇詞語填空。

目的：通過對重點句型的理解和實際運用，掌握本課的重點句型。

步驟：請參考《學生用書》中的句型練習（LANGUAGE CONNECTION）進行。句型的詳細講解請參照後文"六（二）"中的相關內容。

擴展：可以鼓勵學生仿照練習中的句子，自己再說出一到兩個具有相似結構的句子。

教學設計10

內容：模擬情景，完成交際任務。

目的：模擬真實情景，在具體的交際活動中練習使用本課的常用表達式。

步驟：請參考《學生用書》中的常用表達式練習（COMMON EXPRESSIONS）進行。句型的詳細講解請參照後文"六（三）"中的相關內容。

活動組織的關鍵點：

想象具體情景，在具體的任務引導下完成交際活動是本活動成功的重要保證，所以，應鼓勵學生把情景想象得儘量具體和真實。

教學模塊 *2* — 交際活動

教學設計11

內容：一問一答。

目的：通過本活動，練習並掌握在真實交際中如何進行提問、回答以及如何推進談話等。

步驟：請參考《學生用書》中的交際練習（COMMUNICATION CORNER）進行。

教師手冊

教學設計12（選做）

內容：角色扮演"父（母）與子（女）"。

目的：通過本活動，練習並掌握在真實交際中如何進行提問以推進話題。

步驟：

第一步：　老師將學生分成2人一組。

第二步：　根據自己在學習或生活中出現的問題，每組自行討論設定一個情景。

第三步：　請各組設計出向父親或母親進行咨詢的情景，如是否需要創造氣氛、應當怎樣開始對話、如何將對話推進、怎樣結束對話或者找到了怎樣的解決方法等等。在討論和演練的過程中請學生們注意使用本課學習的表達式。

組織要點：本活動的關鍵是要選擇恰當的話題，同時想象具體情景。

教學模塊3 → 寫作訓練

教學設計13

內容：採訪報告——天下父母心。

目的：通過對採訪調查的記錄，讓學生練習並掌握在真實交際中如何進行提問、如何選擇重點進行記錄，幫助他們進一步熟悉並運用本課學習的語言知識和文化知識。

步驟：請參考《學生用書》中寫作練習（WRITING TASK）進行。

教學模塊4 → 綜合考試訓練

教學設計14

內容：綜合考試訓練。

目的：

1. 通過綜合考試訓練的課後自我檢測或隨堂選擇性檢測，使學生達到綜合性複習、並強化本課所學內容的目的。

2. 借助綜合考試訓練內容與課文內容的互補性，加深學生對與"學校與家庭"主題相關內容的學習，並促進他們在一定程度上進行知識擴展。

步驟：請參考《同步訓練》相關內容。

訓練要點：

1. 完成聽力題(Rejoinders and Stimulus Types)。幫助學生進一步提高對與校園內外、家庭生活相關的具體情景、具體事件及相關功能項目的理解。內容涉及看比賽、借東西、談論天氣、家長會、出行準備等。

2. 完成閱讀題（Reading），有利於加強對與課文話題相關的內容的學習和理解，內容涉及對於未來的暢想、有關中國人居住方式的變遷、中國古代文獻《論語》故事等。

3. 完成寫作訓練中的個人信件（Personal Letter）、回復電郵（E-Mail Response）以及對話（Conversation）和文化表述題（Cultural Presentation）。有利於學生就美國教育問題發表個人看法，可以結合個人體驗進行表述和說明。

4. 完成寫作訓練之看圖寫故事（Story Narration）及電話留言轉述題（Relay Telephone Message）、活動計劃表述題（Event Plan）。有利於提高學生對於事件進展過程進行完整描述的能力。

六、教學參考資料

(一) 詞語講解

本課的詞語注釋表中一共列出了48個詞語，其中專有名詞3個，要求學生掌握、理解並能正確使用的詞語6個，只要求學生大致理解其文中含義的39個。此外，我們還對本課中的一些詞進行了詞義辨析，供老師參考。

1. 文學家：【名】從事文學創作並很有成就的人；寫文學作品很有名的人。
2. 文學館：【名】收藏、管理、研究文學資料的地方。
3. 館長：【名】開展文化體育等活動的場所的負責人。
4. 主持人：【名】負主要責任全面處理某事的人。
5. 來歷：【名】人或事物的歷史、背景。
6. 繁體：【名】筆畫未經簡化的漢字。
7. <u>正巧</u>：【副】正好；恰好；剛巧。
8. 甲、乙、丙、丁：【名】中國傳統排序的前四位，即十天干的前四位。
9. 唯一：【形】只有一個。
10. 望子成龍：希望孩子成爲成功的、有作爲的人。
11. 期望：【名】對未來的人或事所抱的希望。

> **辨析 期望—希望**
>
> 兩者都可以作名詞和動詞。(1)"期望"一般指上級對下級，長輩對晚輩，"希望"沒有這個限製。如："孩子們是祖國的希望。""我們不能辜負老師們的期望。"(2)"有"和"沒有"後面可加"希望"，不能加"期望"。"有希望"表示可能。如：作業有希望在晚飯前做完。"沒有希望"表示沒有可能。如：他病得很重，恐怕沒有希望治好了。

12. 兒童觀：【名】關於如何對待兒童的基本認識和看法。
13. 管：【動】管教，教導。
14. 規範：【名】規定的標準。
15. 約束：【動】限製在一定範圍內。
16. 天性：【名】人先天具有的性情、性格。
17. 納悶兒：【動】心裏不明白，感到不理解。
18. <u>安慰</u>：【動】使人心情平静舒適。
19. 向來：【副】從過去到現在（一直這樣）；從來。

> **辨析 從來—向來**
>
> "從來"和"向來"都是副詞，都表示從過去到現在，用法基本相同。只是這件事我從來沒聽她説過。(1)"向來"多用於肯定句，"從來"多用於否定句。如："他向來很認真。""這件事我從來沒聽她説過。""我從來不吸煙。"(2)"從來"一般不修飾單個雙音節動詞或形容詞，"向來"可以修飾。如：他從來不努力工作。|他説話向來直爽。

20. 主張：【動】對於怎麼行動提出看法。
21. 天真：【形】想法單純，性格直率。
22. 隻身：【副】單獨一個人。
23. 遷：【動】這裏指搬（家）。

教師手冊

24. 半大小子：指没到成年但己不是兒童的男青年。

25. 久別重逢：分開很長時間後再次見面。

26. 打招呼：【動】用語言或動作示意，表示問候。

27. 拄：【動】爲了支住身體而（用棍等）支住地面。

28. 手杖：【名】走路時手拿的棍子。

29. 站臺：【名】車站上下乘客或搬上搬下貨物的高於路面的平臺。

30. 伸：【動】指肢（身）體或物體的一部分展開。

31. 平輩：【名】相同的輩分。

32. 鄭重其事：形容對待事情非常認真嚴肅。

33. 傳遞：【動】一個接一個地送過去。

34. 專心：【副】形容注意力集中。

35. 撇：【動】丟下不管。

36. 衣食住行：穿衣、吃飯、居住、行路。指生活的基本需要。

37. 溫情：【形】溫柔的感情。

38. 和藹：【形】態度溫和，容易接近。

39. 方式：【名】說話做事的方法和形式。

辨析 方式－方法

　　"方法""方式"都有說話、辦事採用的辦法、步驟的意思。"方式"更強調的是形式，常與"生活、工作"搭配；"方法"主要指手段、途逕等，常與"思想、學習、訓練"搭配。如：我覺得他的思想方法有問題。|他的生活方式很特別。

40. 出差：【動】臨時到外地辦理公事。

41. 皮帶：【名】皮革製成的帶子，特指腰帶。

42. 琢磨：【動】<口語> 仔細思考，考慮。

43. 細致：【形】這裏是微小的意思。

44. 含蓄：【形】（思想、感情）不輕易露出來。

45. 關愛：【名】關心、愛護。

專有名詞

46. 楊瀾：中國著名節目主持人，陽光文化基金會董事局主席。

47. 濟南：城市名，山東省省會，中國歷史文化名城，自古有"泉城"的美稱。南邊是泰山，北邊是黃河。

48. 重慶：城市名。原屬四川省，現在是中國四個直轄市之一。中國歷史文化名城。在長江邊。

(二) 重點句型講解

本課一共有8種需要學生掌握的重點句型，在《學生用書》的 "LANGUAGE CONNECTION" 中有簡單的翻譯。在這裏，我們又做了進一步的講解，供老師參考。

1. 從……説起

"這個得從我姐姐説起。"

"從……説起" 表示上面談到的話題必須從某一個起點開始談。其中，"從" 是介詞，後面引出該話題的起點。"説起" 的 "起" 表示動作 "説" 的開始。"説" 也可以換成其他動詞。這個結構一般在講述一件事情時使用。例如：

要説這個櫃子的來歷，得從我奶奶説起。

這次會議非常重要，我們得從大會的日程談起。

這道題算錯了，你必須從頭算起。

2. ……極了

"繁體的'濟（濟）'字難寫極了。"

"形容詞+'極了'" 這一結構表示一種狀態達到了很高的程度。與這種結構意義相同或相近的結構還有 "形容詞 + '得不得了'" "'特別' + 形容詞" "'非常' + 形容詞" "'十分' + 形容詞" 等。例如：

大家都喜歡張老師，因爲她的課講得好極了。

正好相反，他的兒童觀非常獨特。

那場雨下得特別大。

去年北京的夏天熱得不得了。

3. 正好相反

"正好相反，他的兒童觀非常獨特。"

"正好相反" 表示與前文所描述的情況或觀點呈相反的狀況。在與別人交談中，對方講出的情況或觀點與你所了解的情況或所持的觀點完全不同，就可以使用這個格式加以説明。例如：

{ A：你是不是喜歡吃四川菜？
  B：正好相反，我不能吃辣的。

{ A：聽説他最近身體不太好？
  B：正好相反，他剛剛參加完運動會，還得了個第三名，身體棒著呢。

{ A：北京應該大力發展私家汽車，這樣可以促進經濟的發展。
  B：我的觀點正好相反，我覺得爲了北京的交通環境，應該限制私家汽車的發展。

4. 淨

"我小時候淨不及格。"

"淨" 用來表示一個事物或一種狀況的頻繁出現，即 "經常" "總是" 的意思，常常用在口語中。例如：

他上課淨遲到，老師總批評他。

這些天，我淨吃方便面了，很不舒服。

5. 或者說

"老舍先生有沒有望子成龍的那種期望，或者說從小對您非常嚴格？"

"或者"經常用來連接多項成分，這些成分的意義指向可以是相同的，也可以是相反的。在本課中，"或者"與"說"連在一起用，連接兩個句子，而這兩個句子的意義指向是相同的，"或者說"起到了連接兩個意義相同、說法不同的句子，就是"換一種說法"的意思。類似的例子還有：

你是不是對這個決議有看法？或者說，你有保留意見？

這個城市有些像童話中的場景，或者說，它本身就是一個動畫片的拍攝現場。

我的選票投給誰呢？或者說，我選誰呢？

"或者說"也用來連接兩個意義不同、但是相關的句子，如：

我的話沒有什麼特別的意思，或者說要針對誰。

他不知道是不是所有的女孩子,或者說北京的女孩子都喜歡這種顏色。

6. 何況

"從來沒有人跟我握過手，何況是自己的父親。"

"何況"有反問的語氣，常常用在複句後一小句的句首，表示與前一小句所表達的意思相比，後面所講的情況更進了一層。課文中的句子就是說：作者覺得父親更不會和自己握手。為了加強語氣，"何況"的前面還可以加"更""又"，後面可以加"又"等詞。例如：

學好母語都要花很大的氣力，更何況學習另一種語言。

再大的困難我們都能克服，何況是這麼一件小事。

路本來已經很窄了，何況又堵了好幾輛車。

7. 當……

"當兒子長到一定的年齡，父子就是平等的朋友了。"

"當……"表示某個事件或某種狀態發生、出現的時間。用"當……"組成的句子一般放在整個句子的最前面，其後是對整個事件或某種狀態的敘述。這一句型經常用在書面語中。"當"還經常和"……的時候"或其他表示時間的詞組合用，這樣，表示時間的意思則更加明顯。例如：

當我們的飛機到達北京的時候，天已經黑了。

當我們來到教室，已經一個人都沒有了。

當他八歲的時候，父母帶著他來到了美國。

8. 萬一

"萬一這根斷了呢？"

"萬一"表示可能性極小，一般用於不希望發生的事以及可能性極小的假設。例如：

萬一天氣變冷，衣服帶得不夠就麻煩了。

萬一計算錯誤，就會影響整個工程。

在對話中，也可以用"萬一……呢"提問，課文中就是這種用法。"萬一這根斷了呢"是說"萬一這根斷了，你怎麼辦"。又如：

A：都準備好了，明天他一來，我們就開始討論。

B：萬一他不來呢？

"萬一"有時作名詞用，指可能性極小的不利情況，如：

我們必須加倍小心，以防萬一。

(三) 常用表達式講解

　　結合本課"提問方式"這一功能項目，本課重點提出5組在實現這一功能的過程中常用的表達方式。我們在這裏對這些表達式進行了講解和擴展，供老師們在引導學生進行表達演示的過程中參考。

1. 爲什麼

"您父親爲什麼給您起這個名字呢？"

　　"爲什麼"是直接詢問原因的表達方式，可以用來詢問任何事情。在向別人詢問一件事情發生的原因、或者一種行爲的目的時經常使用。其中，"爲"是介詞；"什麼"表示疑問。"爲什麼"可以放在主語之前，也可以放在主語之後。例如：

　　　　已經是春天了，爲什麼天氣還這樣冷？

　　　　你昨天爲什麼又遲到了？

　　　　你們爲什麼總去那個餐廳吃飯？

　　　　爲什麼大家這麼喜歡這位老師？

　　　　你爲什麼要把這件事告訴他？

2. 有什麼……？

"這個'乙'字有什麼來歷？"

　　"有什麼……"是用來詢問內容的，需要對方作出比較具體的回答。課文中問的是名字的"來歷"，除此之外，還可以詢問很多內容，如"品種""事情""問題"等。"有什麼"的後面可以是一個詞，也可以是一個短語，如"需要討論的""大家都喜歡看的影片"等等。例如：

　　　　你們還有什麼品種？

　　　　這裏有什麼你們想買的東西？

　　在問句的最後，可以加疑問詞"嗎"，如：。

　　　　大家還有什麼要補充的嗎？

3. 怎麼了

"父親感到很納悶，説：'怎麼了？'"

　　在看到別人的動作行爲或表現與平常不一樣、自己感到奇怪時，可以用"怎麼了"進行詢問，意思是説"發生了什麼事"、"有什麼問題嗎"。如看到同學臉色不好，就可以問：

　　　　你怎麼了？不舒服嗎？

　　看到別人特別不高興，也可以問：

　　　　他爲什麼這麼不高興？怎麼了？

　　"怎麼了"也可以用來詢問情況，如：

　　　　前面怎麼了，爲什麼這麼多人？

注意："怎麼了"用在句子的最後，如課文中"考六十分怎麼了"，則可以表示對前面所敘述的情況的不在乎。

4. "怎麼" + V

"那我怎麼考大學？"

這種句型一般用來詢問方式方法或原因。"怎麼"後面除了動詞，還可以是形容詞和一些短語結構。如：

你怎麼去？

他們是怎麼來美國的？

你怎麼不學習遊泳呢？

房間裏怎麼這麼冷？

注意：課文中的句子"那我怎麼考大學？"不僅僅是詢問，還在一定程度上表示出對父親老舍的懷疑。有時，這樣的句子具有比較強烈的反問語氣，表示對上述情況的不滿，如：

不好好準備，你怎麼去考試？

5. 有沒有……

"老舍先生有沒有望子成龍的那種期望？"

"有沒有"是一個正反疑問句，是請對方在"有"和"沒有"中間選擇一種答案。這種詢問方式一般用在一件事或一種現象等的前面，請對方發表肯定或否定的意見。類似的詢問方式還有"是不是"。例如：

你有沒有冬天遊泳的習慣？

你有沒有去歐洲旅遊的計劃？

你是不是大學一年級的新生？

(四) 補充文化知識材料

根據正副課文的内容，我們補充了一些相關的文化背景知識，供老師們參考。由於篇幅的關係，其他更多的材料，我們放到網上，請老師上網搜尋。

1. 老舍

老舍（1899—1966），原名舒慶春，字舍予，筆名老舍，北京人，滿族。著名小說家、劇作家、語言大師。老舍生于北京一個城市貧民家庭，1918年畢業于北京師範學校。先後當過中小學教師、校長、大學教授。"五四"新文化運動時，他開始用白話進行創作。

1926年7月，老舍的第一部長篇小說《老張的哲學》在《小説月報》上開始連載，這標誌著老舍創作道路的開始。1936年他的代表作長篇小說《駱駝祥子》問世，這部作品以一個人力車夫的命運爲線索，向人們展示了軍閥混戰時期北京底層市民的貧苦生活。1937年抗日戰爭爆發，老舍滿腔熱情地參加抗日鬥爭，他在擔任中華全國文藝界抗敵協會總務部主任期間創作了長篇小說《四世同堂》的前兩部《偷生》《惶惑》，話劇《殘霧》《歸去來兮》《面子問題》，京劇《王家鎮》《忠烈圖》等大量作品。

抗戰勝利後，老舍應邀赴美國訪問和講學。他在美國多次公開演講，爲美國人瞭解中國人民和中國文學發揮了積極的作用。在此期間他完成了《四世同堂》的第三部《饑荒》和另一部長篇小説《鼓書藝人》。

1949年10月老舍回到了新中國。他陸續創作了話劇《龍須溝》《茶館》《春華秋實》《西望長安》，京劇《十五貫》等23個劇本，深受人民的喜愛。

　　老舍的作品大多取材于下層市民生活，他爲中國現代文學開拓了新的領域。他善於運用精確流暢的北京口語，語言生動俏皮，行文風趣幽默，呈現出濃鬱的"京味兒"。1951年北京市人民政府授予他"人民藝術家"的光榮稱號。

2.　中國現代文學館及舒乙

　　中國現代文學館于1985年在巴金的倡導下正式建立。它集博物館、圖書館、檔案館于一身，是現今世界上最大的綜合性文學館。老舍的兒子舒乙曾任文學館館長，爲文學館的創建和擴建工作做出了巨大的貢獻。館內現有藏品38萬件，其中包括巴金、冰心、丁玲、周揚等衆多現代著名作家的書籍、手稿、書信、照片、錄音錄像帶、文物等。館內設有四個展區，配有先進的管理、檢索、複製和閱讀設備，實行信息網絡化管理。

　　文學館花園的佈置同樣具有濃重的藝術氣氛。綠地和草叢中，矗立著魯迅、郭沫若、茅盾、巴金、老舍、曹禺、冰心、葉聖陶、朱自清、丁玲、艾青、沈從文、趙樹理等13位文學家的雕像。這些雕像由鑄銅、鋼鐵、漢白玉等不同材質鑄成，形態各異、栩栩如生。

3.　天干地支

　　甲、乙、丙、丁是中國傳統的計數順序，相當于一、二、三、四。

在中國古代，人們曾用一些排成順序的漢字來標記古代曆法，并將這套符號稱爲"天干地支"，簡稱"干支"。甲、乙、丙、丁就是"天干"的前四個。"天干"有十位，即"甲、乙、丙、丁、戊、己、庚、辛、壬、癸"；"地支"有十二位，即"子、丑、寅、卯、辰、巳、午、未、申、酉、戌、亥"。

　　據史書記載，雖然"干支"的説法到漢代才出現，但早在商殷以前上述這些漢字就用來計數了，距今已有三四千年的歷史。最早，人們用它們來記日，後來發展到記月、記年。具體的辦法是用一個"天干"和一個"地支"搭配起來，即用"天干"中的"甲"對"地支"中的"子"，依次排列下去，共配成六十組，稱爲"六十甲子"，也稱爲"一個花甲"。"六十甲子"的排列如下表（上下對應）：

甲子	乙丑	丙寅	丁卯	戊辰	己巳	庚午	辛未	壬申	癸酉
甲戌	乙亥	丙子	丁丑	戊寅	己卯	庚辰	辛巳	壬午	癸未
甲申	乙酉	丙戌	丁亥	戊子	己丑	庚寅	辛卯	壬辰	癸巳
甲午	乙未	丙申	丁酉	戊戌	己亥	庚子	辛丑	壬寅	癸卯
甲辰	乙巳	丙午	丁未	戊申	己酉	庚戌	辛亥	壬子	癸丑
甲寅	乙卯	丙辰	丁巳	戊午	己未	庚申	辛酉	壬戌	癸亥

"天干地支"的使用方法

(1) 記年：每個干支爲一年，六十個干支後，又從頭算起，周而復始，循環不息。

(2) 記月：每個月的地支固定不變，正月是寅，二月是卯，三月是辰，四月是巳，五月是午，六月是未，七月是申，八月是酉，九月是戌，十月是亥，十一月是子，十二月是丑。然後依次與天干組合，第一年正月是丙寅月、二月是丁卯月、三月是戊辰月——如此類推。如上表，從甲子到癸亥，共六十甲子，剛好五年。

(3) 記日：按順序先後排列，兩個月六十日，剛好一個干支的周期。

(4) 記時：人們用地支記時，每天十二個時辰，固定不變。（如下表）

子時 23:00~1:00	丑時 1:00~3:00	寅時 3:00~5:00	卯時 5:00~7:00	辰時 7:00~9:00	巳時 9:00~11:00
午時 11:00~13:00	未時 13:00~15:00	申時 15:00~17:00	酉時 17:00~19:00	戌時 19:00~21:00	亥時 21:00~23:00

注意：這裏説的年、月、日，都是指中國曆法，一年12個月中，除二月外，每個月都是30天。

4. 中國人的姓氏、名字

中國人一般是姓父親的姓。姓氏標誌著自己的血緣關係，所以，中國人非常重視姓氏，以姓氏為自己的根基和歸屬。中國人的姓氏，一般是單個字，也有少數是兩個字的，如"歐陽""司馬""諸葛"等。有一本書叫《百家姓》，上面記載著五百多個中國人的常見姓氏。

中國人也很重視自己的名字，我們現在所説的"名字"其實是古代人的"名"。"字"是由"名"演化而來的，一般是根據"名"的意義來取"字"。所以統稱為名字。在古代，人們非常注重禮儀，一般不能直呼其名。在人際交往上，"名"一般用于謙稱、卑稱，或上對下、長對少，而"字"則是下對上、少對長或對他人的尊稱。現在已經沒有"名"和"字"的區分了。

自古以來，人們就很講究命名，命名的出發點往往與當時的社會、生活密切相關，經常能體現出一個時代的特點。同時，孩子的名字往往也體現著父母對子女的期望。

5. 中國傳統的父子關係

中國的傳統思想、特別是儒家思想，將父子關係定位為"管教"與"順從"的關係，也就是説，父子之間不是平等的　，父親在子女面前，有著絕對的權威，子女是必須服從父親的。中國的封建社會講究"三綱五常"，"三綱"之一就是"父為子綱"（其他兩"綱"是"君為臣綱"和"夫為妻綱"），這就是説，父親主宰著子女的一切。還有一種説法是"君君臣臣父父子子"，"父父子子"的意思是説，父親與子女的行為都必須符合各自的行為規範，而在中國封建社會，"順從"就是子女的"行為規範"。

老舍先生反對封建社會的這一套禮儀倫理製度，説明他在處理父子關係方面，具有強烈的民主平等意識。

《同步訓練》參考答案及相關提示

Section One

I. Multiple Choice (Listen to the dialogs)
    答案：
    1. B   2. C   3. A   4. B   5. B   6. D
    7. D   8. C

    聽力錄音文本：
1. (Woman)   我覺得昨天的比賽挺好看的，你説呢？
    (Man)   (A) 今天有划艇比賽嗎？
              (B) 還不如在家睡覺呢！
              (C) 今天我們去看比賽了！
              (D) 晚上八點開始比賽。
2. (Woman)   我的筆壞了，可以借我一支嗎？
    (Man)   (A) 你借給我幾支筆？
              (B) 一支筆要多少錢？
              (C) 正巧我還有一支筆。
              (D) 爲什麼借筆給我？
3. (Woman)   你收到我的信了嗎？
    (Man)   (A) 你什麼時候寄的信？
              (B) 你給我寫封信吧！
              (C) 信不信都可以。
              (D) 你收到了幾封信？
4. (Woman)   都幾點了？還不起床，每天都得我來叫你。
    (Man)   (A) 我還没起床呢。
              (B) 我馬上起床就是了。
              (C) 爲什麼不叫我起床？
              (D) 我幾點叫你起床？
5. (Man)   最近趙芳給你打電話了嗎？
    (Woman)   她哪裏忙得過來啊。
    (Man)   (A) 趙芳最近幫誰的忙？
              (B) 趙芳最近在忙什麼？
              (C) 她在電話裏説什麼了？
              (D) 你在電話裏説什麼了？
6. (Woman)   你弟弟現在在哪兒工作？
    (Man)   我有兩個妹妹，但是没有弟弟。
    (Woman)   (A) 你弟弟還挺忙的。
              (B) 你妹妹工作真不錯。
              (C) 你以爲你有妹妹呢！
              (D) 我以爲你有弟弟呢！

7. (Woman) 好久不見，最近在忙什麼？

   (Man) 我去了北京一趟。

   (Woman) (A) 你打算什麼時候離開北京？

           (B) 你什麼時候要去北京？

           (C) 每天有幾趟火車？

           (D) 是去旅遊還是出差？

8. (Woman) 你看過這部電影嗎？最近挺火的。

   (Man) 我也挺想去看。票不貴吧？

   (Woman) (A) 電影票非常難買。

           (B) 買票的人不太多。

           (C) 管它貴不貴呢。

           (D) 貴的票不好賣。

II. Multiple Choice (Listen to the selections)

答案：

1. D	2. A	3. A	4. C	5. D	6. D
7. A	8. C	9. B	10. D	11. C	12. B
13. A	14. B	15. D			

聽力錄音文本：

Selection 1

(Narrator) Now you will listen twice to a conversation between two persons.

(Man) 你在北京待了這麼幾年，已經習慣了吧？

(Woman) 北京秋天還好，冬天真不好受，太冷了。

(Man) 是嗎？我很喜歡四季分明的城市。要是一年四季沒什麼區別，多沒意思啊。

(Woman) 要是一年四季都溫暖濕潤，什麼時候想穿裙子就什麼時候穿，那多好呀。

(Narrator) Now listen again.

(Narrator) Now answer the questions for this selection.

Selection 2

(Narrator) Now you will listen twice to the following selection.

(Woman) 各位家長，你們好！很感謝大家能夠趕來參加這次家長會。這次請各位家長來學校，一是想向家長們瞭解一下學生們在家的情況，二是想聽聽各位家長對學校的工作的建議和意見。另外還有一件事需要大家幫忙，我們想請每位家長給孩子寫一封信，說明孩子名字的來歷。這些信寫好以後先交給我們，然後我們統一發給每位學生。希望各位家長們積極配合！

(Narrator) Now listen again.

(Narrator) Now answer the questions for this selection.

Selection 3

(Narrator) Now you will listen twice to a conversation between two students.

(Woman) 你的中文名字是什麼？

(Man)	我的中文名字是李龍。
(Woman)	有什麼特別的意思嗎?
(Man)	沒有什麼特別的意思吧,也許跟我英文名字的聲音差不多。
(Woman)	我聽說中國人的名字都是有來歷的。
(Man)	是嗎?那我得去問問我的中文老師,我的名字代表什麼。
(Woman)	我猜,這個名字是希望你能像一條龍一樣。
(Narrator)	Now listen again.
(Narrator)	Now answer the questions for this selection.

Selection 4

(Narrator)	Now you will listen twice to a conversation between two persons.
(Woman)	東西都收拾好了嗎?
(Man)	我都收拾好了。
(Woman)	你常常忘這忘那的,我再替你檢查一次。牙刷、毛巾帶了嗎?睡衣帶了嗎?
(Man)	都帶了!都裝好了!
(Woman)	襪子帶了幾雙?
(Man)	四雙!我都想睡覺了,你別再管了。
(Woman)	我是怕你在那邊買東西不方便。
(Man)	我只是去同學家玩兩天,你以為是去哪兒呀?
(Narrator)	Now listen again.
(Narrator)	Now answer the questions for this selection.

Selection 5

(Narrator)	Now you will listen once to a conversation between two students.
(Man)	今天晚上有空去看電影嗎?
(Woman)	那要看是什麼電影了。
(Man)	聽說學校電影院要放幾部中國電影,有興趣去看嗎?
(Woman)	中國電影?你不是不喜歡看嗎?
(Man)	這次演的都是李小龍的功夫片,這可是我愛看的。
(Woman)	你不覺得這些電影都太陳舊了嗎?我喜歡看這幾年新拍的電影。
(Narrator)	Now answer the questions for this selection.

Selection 6

(Narrator)	Now you will listen once to a conversation between two students.
(Woman)	小王,我覺得你穿的這件運動衣特別好看,在哪兒買的?我想給我弟弟也買一件。
(Man)	謝謝,我也很喜歡這件衣服。我是從網上買的。
(Woman)	網上?貴不貴啊?
(Man)	比在美國買運動衣便宜多了,這是一個中國網友賣給我的。你看,這後面還印著田亮的照片呢。
(Woman)	田亮?是那個跳水運動員嗎?
(Man)	對,就是他,我很喜歡他,這也是我喜歡這件衣服的原因。
(Narrator)	Now answer the questions for this selection.

III. Multiple Choice (Reading)

答案:

1. B	2. D	3. D	4. A	5. C	6. C
7. D	8. A	9. C	10. D	11. D	12. D
13. A	14. D	15. C	16. C	17. D	18. C
19. B	20. B	21. D	22. D	23. C	24. C
25. D					

Section Two

I. Free Response (Writing)

1. Story Narration

The four pictures present a story. Imagine you are writing the story to a friend. Narrate a complete story as suggested by the pictures. Give your story a beginning, a middle, and an end.

寫作提示:

這則看圖寫作主要是考查你對事件進展過程的完整描述,關鍵在於對時間、地點和事件過程的交待。你可以參照下列順序完成寫作:

(1) ……(時間)上午,麥克和同學在看佈告,……將在……舉行,麥克……

(2) 晚上,麥克回到家裏,給在……的父親寫信,告訴父親……,但他不知道父親到時能不能參加。

(3) ……過去了,這天是……,麥克的父親坐上了從……飛往……的飛機。

(4) ……後,學校裏……正在舉行,麥克正……。這時,他忽然看到父親……,麥克……,父親……

2. Personal Letter

Write a letter to your friend telling him about an argument you have had with your parents. First, write about what happened, how you feel about it, and what you intend to do now. Then ask if he has had a similar experience, and ask for his advice.

書信建議：

這是一封溝通情感、交流看法的信件，在信件中要寫清楚如下的基本內容。

(1) 問候。因爲是寫給好朋友的信，問候的方式可以更親切、自然。如：

> 最近怎麼樣？忙嗎？

(2) 簡單而完整地説明你要談的事情或問題，並點明此信的目的。比如：

> 最近，我和媽媽之間發生了一件事，……，很讓我苦惱，想和你説説，並聽聽你的想法。

(3) 表達你對事情的感受和想法，闡明你的觀點並説明理由。這應該是這封信的主要內容。比如：

> 事情發生後，我很……，覺得……，現在想起來還……
>
> 事情過去後，我認真想了很多，我認爲……，因爲我發現……

(4) 向朋友徵求意見。真誠地請求朋友幫助，是這封信的主要目的。比如：

> 我想你是不是也有過類似的經歷？你當時是怎樣的情況？你是怎麼處理的呢？
>
> 你覺得我的這些想法有道理嗎？
>
> 你覺得我該怎麼辦？
>
> 能給我出個主意嗎？

(5) 祝福、署名和寫信日期。

3. E-Mail Response

Read this e-mail from a friend and then type a response.

發件人：趙明

主　題：關於美國家庭的一些問題

我和同學最近要寫一個關於中美家庭教育問題的調查報告。我們已經通過上網、在圖書館查文章和報刊消息等方式，找到了我們想要的一些資料，但是還不夠。現在，我們想向美國的朋友做一些簡單的問題調查，如果你願意的話，能不能告訴我：1.你覺得對於美國家庭來説，家庭教育最重視的是什麼？2.美國家庭中的父母通常最關注孩子哪方面的發展，而且一般會提供哪些支持？希望你能告訴我你對這些問題的想法，並能舉一些簡單的例子説明一下。盼望儘快收到你的回信。謝謝！

回信建議：

(1) 簡短開頭。回覆問題的電子郵件開頭一般都比較簡短，直接切入正題。比如：

> 你的郵件我已收到，現就你提到的……問題談談我的看法，希望能對你的報告有幫助。

(2) 逐一回答具體問題。這是本郵件的關鍵。一共有兩個問題，可分成兩段回答，而且每個問題應舉出一個具體的例子。比如：

> 對於第一個問題，我覺得……，舉個例子來説……
>
> 對於第二個問題，我的經驗是……，比如説……

(3) 郵件結束部分祝福對方，如"祝你寫出一個精彩的調查報告"；也可以寫一些簡潔的常見祝福語，如"祝生活愉快""祝學習進步"等。

4.　Relay a Telephone Message

Imagine your father is away on business and will be back tomorrow. You arrive home and listen to a message for him on the answering machine. However, you are about to leave for a trip and will only be back two days later. You will listen to the message twice. Then relay the message, including the important details, by typing a note to your father.

(Man)喂，老羅，你不在家嗎？我是你的老同學劉威。最近你忙什麼呢？總是找不著你。我是想告訴你咱們班老同學聚會的事情，聚會的時間是後天晚上七點，地點是蘇州街12號花園飯店，陳老師那天會來，參加聚會的可能有四十多人呢！大家好久沒有見面了，如果你沒有什麼特殊事情的話，一定要來啊！

轉述建議：

(1)　注意正確的人稱轉換。比如：

　　　　爸爸，您的老同學劉威叔叔……他說……你們班……

(2)　轉述時還要注意不要遺漏重要細節。比如：劉威爲什麼給爸爸打電話，他想告訴爸爸什麼事，聚會的時間、地點各是什麼，哪些人會來，他是否希望爸爸能參加，等等。

II.　Free Response (Speaking)

1.　Conversation

You will have a conversation with Huang Xiaoli, a local TV reporter, about your views on the roles of parents.

(1)　問題一：請問，你如何看待父母對於家庭、對於孩子的意義和作用？

回答建議：

　　這個問題要求你表達自己的觀點。比如：

　　　　我認爲(我覺得)，父母對於家庭具有……意義，對於孩子起著……作用。

　　然後，就自身或同學的實際情況進行補充或舉例說明，如：

　　　　比如說，在我們家，我的爸爸媽媽……

　　　　就我所知，在同學們眼中，他們的父母……

(2)　問題二：對於你自己，你認爲父母對於你最重要的幫助是什麼？

回答建議：

　　這也是表達具體觀點的問題。可以採取“問題一”的回答思路和順序。比如：

　　　　對於我來說，父母對於我最重要的幫助是……

　　然後可以舉例來支持你的看法。比如：

　　　　我之所以這麼說，是因爲……

　　　　例如，我的父母……

(3)　問題三：如果請你在我們的節目中對自己的父母說兩句話，你最可能說什麼？

回答建議：

　　這是一個比較典型的電視或廣播採訪節目中的現場問題，需要你在公衆場合下對父母說幾句話。如何說、如何表達，有很大的個人發揮餘地。只要假想爸爸媽媽正在觀看節目，對他們說你想說的話就可以了。但要注意的是轉變說話的對象，現在不是回答記者，而是和爸爸媽媽說話。開頭應該這樣說：

　　　　爸爸媽媽，我想對你們說……

(4) 問題四：能告訴我們，你爲什麼要對父母說上面那些話嗎？

回答建議：

這個問題要求你對所說的話做出解釋和說明。比如：

我對爸爸媽媽說這些話，是因爲我想起了……

(5) 問題五：如果你將來做父母，你覺得自己會做一個怎樣的父親或母親？

回答建議：

這個問題可以這樣回答：

我覺得我會是一個……

我相信我會做一個……

我希望我能當一個……

然後，具體說明你會怎麼做：

當孩子……的時候，我會/我不會……

如果……我會……

(6) 問題六：你對我們的這個節目有什麼意見、建議或想法嗎？

回答建議：

這是訪談節目在結束時常見的問題。你可以對節目進行整體的評價，比如：

我很喜歡你們的這期節目，覺得在……方面，你們的節目做得很不錯，尤其是……

這樣從一般性評價到具體問題的分析，可以讓你的回答真誠而客觀。

另外，也可以禮貌地提出意見。可以比較委婉地説：

要是在……方面，你們的節目再……，我想，那將吸引更多的觀衆。

回答時要注意時間的把握。

2. Cultural Presentation

Choose ONE modern Chinese writer you know about or like. In your presentation, talk about the writer's work, and your opinion of their work. If possible, talk about what you know of this writer's upbringing and background.

回答建議：

首先要選擇一個中國近現代文學史上的著名作家，然後要圍繞該作家的基本情況、主要作品以及你對該作家的看法等問題進行相關的表述。如果能進一步説明作家作品所反映出的中國社會或時代背景的話，表述將更有深度，更有文化内涵。

(1) 在表述作家的基本情況時，可以説：

……是中國……時期的一位……作家，他的主要作品有……，他作品的最大特點是……

爲了進一步闡述該作家的作品特點，還可以進一步具體説明：

以作品……爲例，在這部作品中他表現了……，集中體現了他作品的……特點。

(2) 該表述的第二個層次，可以説明你對該作家的態度和看法。比如：

我喜歡/欣賞這個作家，因爲我覺得……

我讀過他的不少作品，尤其喜歡他的……等幾部代表作。在這些作品中，……

我認爲……是一個……的作家，因爲……

(3) 還可以聯繫中國的歷史和時代背景進一步闡述你對這個作家的認識。比如：

    ……生活在……年代，當時的中國正值……時期，他的作品爲我們生動再現了當時的歷史背景，反映出那時的中國……

    ……是一個時代精神很強的作家，他的作品總是和時代的生活相聯繫……

這樣的句子將大大增强表述的文化含量，這需要平時對中國文化有較多的瞭解。

3. Event Plan

Your family has the opportunity to plan a one-week homestay for a Chinese student. Your father has made some arrangements. In your presentation, give your opinion of your father's arrangements. Then, give your own recommendations and justify them.

回答建議：

    你在向父母説明計劃時，要注意保持友好協商的語氣。既要向父母説清楚你的安排，又要説明白你爲什麼這樣安排。

(1) 開頭，簡要説明你的安排。比如：

    對於這次……來咱們家生活一週的事情，我覺得可以這樣安排……

(2) 第二部分，陳述如此安排的理由。可以通過把自己的計劃與另一種計劃相比較，來陳述你自己的理由。比如：

    我這樣安排，和爸爸昨天説的那些安排相比，一方面……另一方面還……

也可以直接列舉這樣計劃的好處。比如：

    這樣一來，將給中國大學生帶來很多便利……對於我們，也可以有……

(3) 第三部分，繼續陳述需要的準備工作，以及怎樣分工。以此證明計劃的週全和可行性，同時，表達出你對這個安排的信心。比如：

    如果要這樣安排的話，我們需要準備……我覺得我可以負責……爸爸負責……媽媽負責……這樣一來，不用花費太多精力和時間，我們就可以讓中國大學生擁有一次非常愉快的美國生活經歷。

(4) 最後，詢問爸爸媽媽對該計劃的意見。通過他們的建議，使你的安排更週詳。比如：

    爸爸媽媽，你們對我的安排有什麼建議嗎？你們覺得我還有哪些没有考慮到的地方？你們快説説吧！

這樣的結尾會使你的陳述完整、清晰而且友好。

4 Festivals and Customs
節日與風俗

單元教學目標

一、 溝通

1. 掌握與節日風俗這一話題相關的重點詞語及語言點，並學會將這些語言知識成功地運用於日常交際之中。理解一般性詞語。
2. 學會在表明自己的觀點時得體地對某一事物進行肯定或進行稱讚。
3. 學會運用已學的詞語、句型以及表達手法進行場景描寫。

二、 比較

結合自己國家以及自己所瞭解到的情況，理解並詮釋不同國家的節日風俗習慣及彼此間的差異。

三、 文化

瞭解中國幾個重要傳統節日的風俗及其活動，並通過這些風俗與活動深刻體會它們所反映出的中國人的文化理念和世界觀。

四、 貫連

與社會課相貫連，從社會學、文化學的角度理解並能簡單解釋不同民族的風俗習慣所反映出的民族特色和民族心理。

五、 實踐活動

運用所學到的與節日及節日風俗有關的漢語和文化知識進行實際交流和表達。

單元導入活動説明

這個單元主要介紹中國的節日和節日所體現的風俗。每個國家、每個民族、不同的宗教，都有自己的節日，每個節日都體現著不同的風俗習慣。在引導學生進入這個單元的時候，重點應放在節日和風俗習慣的聯繫上。可參考以下活動步驟：

第一步： 請學生講述最近過的或即將過的一個節日，要求學生講出人們一般怎麼過這個節日，或準備怎麼過。

第二步： 分組討論，每個同學根據《學生用書》中所提供的調查表，介紹一種節日和節日的習俗，在小組內同學之間互相補充。然後各組選出一個代表，在全班發言。

第七課 Celebrating Chinese New Year
過年

一、本課教學重點

(一) 能夠理解並運用所學的詞語討論與中國的春節及其傳統活動相關的內容，同時能夠與本國最隆重的傳統節日相比較。

(二) 能夠運用本課所學的表達式表示肯定和稱讚的態度。

二、本課的難點

(一) 詞語：注意"肯定——一定"和"開心——高興"這兩組近義詞的辨析。

(二) 語言點：

1. "學會＋V"這一句型，如果要表示已經學會了，"了"放在動詞前後都可以，但所用的語境有少許差別。

2. "少於"的"於"是古漢語的用法，注意與"比"字在用法上的區別。

3. "肯定……""特別……""……極了""……得＋不得了""太……了"這一組表示程度的表達式與表示褒義的詞連用，都可以用來表示稱讚，但是它們的具體用法以及在句中的位置等都存在著一定的差異，請注意引導學生進行比較。

三、有用的教學資源

(一) 有關中國春節和元宵節的圖片或者實物（如紅包、鞭炮、福字、春聯、元宵、彩燈、生肖圖等）。

(二) 任何一年的中國中央電視臺春節聯歡晚會的實況錄像。

四、教學安排導引

針對不同學習內容，各教學模塊及其教學設計和參考課時索引見下表。

教學模塊		交際模式	可選用的教學活動設計		課時建議
新課學習	課文閱讀與理解	理解詮釋 人際互動	教學設計1 教學設計2 教學設計3	教學設計分爲必選和可選兩種，可選的活動以"可選"標明，具體實施順序請教師根據本班學生實際情況自定。	5—7課時
	詞語講解與練習	理解詮釋 表達演示	教學設計4 教學設計5 教學設計6		
	重點句型講解與練習	人際互動 表達演示	教學設計7 教學設計8		
交際活動		人際互動 表達演示	教學設計9 教學設計10		1課時
寫作訓練		表達演示	教學設計11 教學設計12		1課時
綜合考試訓練		綜合	教學設計13		1—2課時

注：寫作訓練活動可根據本班實際情況選做；綜合測試題應根據本班實際情況在課堂上選做或讓學生課外完成。

五、具體教學活動設計的建議

教學模塊 *1* —— 新課學習

(一) 課文閱讀與理解：

🗣 **教學設計1**

內容： 主課文導入。

目的： 通過激活學生已有記憶或經驗，爲理解主課文、瞭解其中的文化含意做好學習準備。

步驟：

第一步： 在進入本課學習之前，向學生提出幾個思考題，可以請學生分組討論：

① 你知道哪些中國傳統節日？

② 你看到過或過過中國的節日嗎？請給大家講一講。

③ 你覺得這些節日與你所熟悉的節日有哪些地方相同？有哪些地方不同？

第二步： 每個小組總結一下自己的討論結果，派代表向全班匯報。

第三步： 教師根據學生討論結果的匯報，及時在黑板上寫出學生提及的、與本課重點詞語或文化主題相關的字、詞或其他信息。

第四步： 根據黑板上列出的信息，請學生閱讀課文或仔細聽課文的錄音，找出課文中這些信息所在的位置，開始進入正式的主課文學習。

預期效果： 通過小組討論、小組向全班同學匯報的方式，讓全班同學進入積極的學習狀態，並根據學生已有的知識或信息儲備進入主課文學習階段，以更好地完成本課的文化理解與比較。

🗣 **教學設計2**

內容： 主課文第一部分的聽與讀。

目的： 讓學生帶著問題仔細聽或認真地讀課文，在瞭解課文大意的基礎上抓住重要細節。

步驟：

第一步： 教師在黑板上列出問題，請學生帶著問題仔細聽或快速閱讀兩遍課文：

① 過年包餃子的時候，爲什麼要包硬幣？

② 過年的時候都有哪些活動？

③ 過年爲什麼要給孩子壓歲錢？

④ 現在城裏人過年有哪些變化？

第二步： 教師再次提出問題請學生回答，然後請其他同學重複或補充答案，要求不僅要找出課文中的關鍵句子來回答問題，而且要用自己的語言進行有條理地組織和表達。

第三步： 教師根據學生的回答情況逐一講解問題，並結合重點詞語進行講解。相關詞語的詳細講解和文化背景材料請分別參考後文中"六（一）"和"六（四）"的相關內容。

可能出現的問題：

　　餃子裏包硬幣、給壓歲錢等都是學生所不熟悉的活動，他們可能覺得難以理解，這時應重點講解這些活動背後的文化價值觀和中國人的傳統理念，幫助其理解活動背後的文化含意，可以與他們本國的傳統節日活動進行文化比較，因爲不同國家的傳統節日在某種意義上，也存在著一定的文化共性。

🗣 **教學設計3:**

內容: 主課文第二部分的聽與讀。

目的: 讓學生結合他們所喜歡和熟悉的內容,加深對課文的理解和記憶。

步驟:

第一步: 請學生展示並講解自己在課前收集到的有關元宵節和十二生肖的圖片或資料(建議網站:www.cp.com.cn; www.linese.com等等,也可查閱當地的中文報刊)。請他們以小組為單位,在組內大家都說一說:元宵節有什麼特別的活動?十二生肖都是什麼?自己是屬什麼的?

第二步: 全班一起反復聽課文錄音,找找麥克是屬什麼的,班裏的同學有幾個人和他的屬相一樣?

第三步: 以小組為單位,模仿課文中的覺角色讀課文。

預期效果: 十二生肖、屬相是學生們普遍喜愛而又不太熟悉的內容,從此處開始新課文的進一步學習,可使學習活動顯得輕鬆有趣而且有效。相關詞語的詳細講解和文化背景材料請分別參考後文中"六(一)"和"六(四)"的相關內容。

(二) 詞語講解與練習

🗣 **教學設計4(可選)**

內容: 詞語接龍。

目的: 通過接龍比賽的頭腦風暴活動,激活學生對相關詞語的記憶,複習已掌握的相關詞語。

步驟:

第一步: 教師給學生看準備好的與春節相關的圖片或實物(鞭炮、紅包、餃子、年糕、福字、春聯、魚、團圓飯、聯歡晚會、拜年……),請他們回憶與春節相關的詞語。

第二步: 把學生分成兩組,請他們分別將這些圖片或實物所對應的詞語寫在黑板上,也可以寫圖片中沒有而自己知道的相關詞語,比一比哪個組寫出的詞語多,則該組勝出。

第三步: 全班一起,再複習一下黑板上的所有詞語,可以請勝出小組的學生為教師,為同學講解或帶讀。

預期效果: 詞語接龍遊戲作為課堂上複習詞語的常規活動之一,可以通過競賽的形式造成熱烈的學習氛圍,也可以使學生之間互通有無。

🗣 **教學設計5**

內容: 量詞的比較。

目的: 通過對幾個量詞的比較,掌握它們的不同使用方式,並複習常用量詞。

步驟: 請參考學生用書中的本課詞語練習(VOCABULARY IN CONTEXT)之A和B。

可能出現的問題:

　　量詞與名詞的搭配是學生普遍感到容易混淆的內容,可以將已經掌握和熟悉的量詞與名詞的固定搭配與本課中出現的幾個較難量詞的學習結合在一起,鼓勵學生自己發現記憶的規律。

🗣 **教學設計6**

內容: 完成對話。

目的: 通過對話練習,掌握本課重點詞語的實際運用。

步驟: 請參考學生用書中的本課詞語練習(VOCABULARY IN CONTEXT)之練習C。

擴展: 可以鼓勵學生仿照練習中的對話,自己再編一到兩組對話,鞏固對本課重點詞語的掌握。

(三) 重點句型講解與練習

教學設計7

內容：完成句子，並説出更多句子。

目的：通過對重點句型的理解和實際運用，掌握本課的重點句型。

步驟：請參考學生用書中的本課句型練習（LANGUAGE CONNECTION）。句型的詳細講解請參照後文"六（二）"中的相關內容。

擴展：可以鼓勵學生仿照練習中的句子，自己再説出一到兩組具有相似結構的句子。

教學設計8

名稱：模仿情景，完成交際任務。

目的：模擬真實情景，在具體的交際任務下練習使用本課的常用表達式。

步驟：請參考學生用書中的本課常用表達式練習（COMMON EXPRESSIONS）。句型的詳細講解請參照後文"六（三）"中的相關內容。

組織要點：想像具體情景，在具體的任務引導下完成交際活動是本活動成功的重要保證，所以鼓勵學生把情景想像得儘量具體和真實，這是活動組織中的關鍵點。

教學模塊 2 → 交際活動

教學設計9

內容：角色扮演"做客"。

目的：通過"做客"情景中具體交際任務的分解和引導，練習並掌握在真實交際中如何恰當地表示肯定和稱讚。

步驟：請參考學生用書中的本課交際練習（COMMUNICATION CORNER）。

教學設計10（可選）

內容：角色扮演"去中國朋友家過年"。

目的：通過"去朋友家過年"情景中具體交際任務的分解和引導，練習並掌握在真實交際中如何恰當地表示肯定和稱讚。

步驟：兩人一組，請學生模擬到中國朋友家過年的情景，進行角色扮演活動，可以參照課文中的內容，完成一個完整的"過年"活動中的對話。

預期效果："過年"的場景是本課剛剛學習過的，學生記憶比較深刻，而且也會非常感興趣，這樣的角色模擬活動，既可以幫助他們及時複習新學習的內容，也可以串聯起相關的已有記憶，儘可能多地調動知識儲備完成他們感興趣的活動。

教學模塊 3 → 寫作訓練

教學設計11

內容：東西方節日的相互影響。

目的：通過對東西方節日的比較，學習如何就節日及其風俗表達自己的觀點。

步驟：請參考學生用書中的寫作練習（WRITING TASK）。

可能出現的問題：

通過具體的實例寫清楚"相互影響"是本課寫作練習的重點和難點。可以根據學生掌握的資料，幫助學生組織句子，供其寫作時參考。

教師手冊

🐤 教學設計12（可選）

內容：看圖寫話/回復個人信件/表達個人觀點。

步驟：請根據本班學生的實際情況，在課堂上選作《同步訓練》中的相關寫作練習。答案提示請參照後文"七"中的相關內容。

教學模塊 *4* ── 綜合考試訓練

🐤 教學設計13

內容：綜合考試訓練。

目的：

1. 通過綜合考試訓練試題的課後自我檢測或隨堂選擇性檢測，使學生達到綜合性複習和强化本課所學內容的目的。

2. 借助綜合考試訓練題與課文內容的相互補充，訓練及拓展學生對與"節日與風俗"主題相關內容的學習。

步驟：參考《同步訓練》相關內容。

訓練要點：

1. 完成聽力題（Rejoinders and Stimulus Types）。幫助學生進一步提高對與"節日與風俗"相關內容（如具體場景、具體事件）的理解並準確掌握與此相關的交際功能；幫助學生理解並掌握通知的一系列要素（如日期、時間、地點等）。

2. 完成閱讀題（Reading）。有利於學生拓展對課文話題相關內容的學習和理解。幫助學生進一步熟悉校園生活中的各種應用文體，包括便條、海報、通知等。

3. 完成寫作訓練中的個人信件（Personal Letter）、回復信件（E-Mail Response）以及對話題（Conversation）和文化表述題（Cultural Presentation）。有利於加深學生對於中美節日習俗及其文化產物、文化觀念的理解，並進一步訓練他們的表述能力。

4. 完成寫作訓練中的看圖寫故事（Story Narration）以及電話留言轉述題（Relay Telephone Message）、活動計劃表述題（Event Plan）。有利於訓練學生對特定場景中的人物活動進行完整的描述。幫助學生提高轉述的能力，以及對一項決定進行說明並陳述選擇理由的能力。

六、教學參考資料

（一）詞語講解

本課的詞語注釋表中一共列出了39個詞語，其中專有名詞2個，要求學生掌握並能在實際生活中能正確使用的詞語18個，只要求學生理解其基本含義和主要使用場合的詞語19個。此外，我們還對本課中的一些詞語進行了詞義辨析，供老師參考。

1. 除夕：【名】中國農曆年最後一天的夜晚，也指一年的最後一天。

2. 包：【動】用紙、布等把東西裝或裹在其中。

3. 餃子：【名】一種半圓形的有餡兒的麵食。

4. 一口氣：【副】不間斷地（做某件事）。

5. 交好運：碰到或擁有好的運氣。

6. 老家：【名】故鄉；父母的上一輩人出生的地方；也指一個人的出生地。

7. 對聯：【名】寫在紙上、布上或刻在竹子上、木頭上、柱子上的有一定格式要求的成對的語句。

8. 團圓飯：【名】（多指在特定日子）全家人聚到一塊兒吃的飯。

9. 年糕：【名】一種用黏性的米或米粉蒸成的食品。

10. 聯歡：【動】多人或團體爲了慶祝或加強團結而在一起開展娛樂活動。

11. 晚會：【名】晚上舉行的以文藝活動爲主的集會。

12. 鞭炮：【名】大小爆竹的統稱；也特指成串的細長狀的小爆竹。

13. 親戚：【名】跟自己的家庭有婚姻或血緣關係的家庭或其成員。

14. 拜年：【動】向人祝賀新年。

15. 長輩：【名】指輩分大的人。

16. 紅包：【名】包著錢的紅紙包（用於贈送或獎勵等）。

17. 壓歲錢：【名】過農曆年時長輩給小孩的錢。

18. 毛：【量】<口> 一元的十分之一；角（jiǎo）。

19. 開心：【形】心情好，舒服痛快。

辨析 開心—高興

(1) 兩者作爲形容詞，都有心情好的意思。例如：大家又見面了，我很高興/開心。

(2) "開心"作爲動詞，和"開玩笑"的用法相同，"高興"無此用法。例如：你別拿我開心了。

(3) "高興"作爲動詞，有願意做某事的意思，"開心"無此用法。例如：你高興去哪兒我們就去哪兒。

---

20. 長假：【名】連續多日的假期。

21. 外地：【名】本地以外的地方。

22. 回：【量】指事情、動作的次數。

23. 成千上萬：形容數量極多。

24. 闔家團圓：全家人聚集到一起。

25. 變：【動】（性質、狀態或情形等）跟原來不同；變化；改變。

26. 元宵節：【名】中國的傳統節日，在農曆正月十五日，也叫燈節或上元節。

27. 元宵：【名】一種用糯米粉等做成的帶餡兒的球形食品。

28. 花燈：【名】用色彩、圖案等裝飾的樣式各異的燈，特指元宵節供觀賞的燈。

29. 頓：【量】用於吃飯的次數。

30. 生肖：【名】代表十二地支，用來記人的出生年的十二種動物，即鼠、牛、虎、兔、龍、蛇、馬、羊、猴、鷄、狗、豬。也叫屬相。

31. 屬：【動】用十二屬相記出生年。

32. 圖案：【名】有裝飾意味的花紋或圖形。

33. 有趣：【形】能引起人的好奇心或喜愛。

34. 猜：【動】推測或憑想像來尋找正確答案。

35. 燈謎：【名】貼在燈上的謎語（有時也貼在牆上或掛在繩子上）。

36. 中：【動】正對上；正好合上。

37. 獎品：【名】作獎勵用的物品。

專有名詞

38. 廣東：位於中國大陸最南部的一個省，簡稱"粤"。地處亞熱帶，面臨大海，背靠南嶺，有"绿水丹崖"的美稱。是中國歷史上最早的通商口岸和"海上絲綢之路"的起點，現在仍然是中國經濟第一大省。

39. 海南：位於中國最南端的一個省，簡稱"瓊"。該省為一個海島，地處熱帶，不僅有充足的動植物資源，更是旅遊勝地，其豐富的旅遊資源在國際上也十分有名。

(二) 重點句型講解：

本課一共有5種需要學生掌握的重點句型，在《學生用書》的"LANGUAGE CONNECTION"中有簡單的講解。在這裏，我們又做了進一步的講解，供老師參考。

1. **學會 + V**

   "除夕那天我在他們家學會包餃子了。"

   "學會+V"這一結構表示經過學習，學到並能完成某個動作行為。例如：

   我們已經學會用中文打字了。

   經過反復練習，弟弟終於學會唱這首中文歌了。

   我學了一年，才學會玩滑板。

   我相信你會學會打乒乓球的。

   "學會"的後面也可以是名詞，例如：

   只要有決心，我們就能學會這門技術。

   否定的説法是在前面加"没"。例如：

   我還没學會騎自行車。

   某些單音節的動詞也可以和"會"組成"×會"的結構，如"看會"表示經過"看"而達到"會"的程度；"練會"表示經過"練習"而達到"會"的程度。可以這樣用的動詞並不多。

   不用動手，我看也看會了。

   什麼事情都是練會的，而不是看會的。

2. **(少)於……**

   "現在'紅包'裏少於一百塊，有些人都覺得不好意思給呢。"

   這個結構裏的"於"是古代漢語的用法，作用是引出相比較的對象。"於"的前面一般是單音節形容詞，"於"的後面可以是名詞或名詞短語、動詞短語以及數量短語。"少於"就是"比……少"的意思，類似的用法還有"多於"（比……多）、"晚於"（比……晚）、"低於"（比……低）、"慢於"（比……慢）等等。例如：

   霜葉紅於二月花。（杜牧《山行》）

   蜀道難，難於上青天。（李白《蜀道難》）

   今年入學的學生人數多於以往的任何一年。

   如果價錢高於300元，我就不買。

   他每門課的成績都不低於90分。

   否定的説法一般是在前面加"不"。例如：

   這些商店開門的時間都不早於八點。

   當"於"的後面是數量短語時，多用來説明範圍；"於"的後面是名詞短語或動詞短語時，多表示比較。當用來表示比較時，更具有書面語的色彩。

3. 就

> "有人覺得在家裏準備飯菜太累，就到餐館裏去吃團圓飯。"

這個句子裏的 "就" 是表示順承關係的副詞，起到承接上文的作用。"就" 的前面是已經發生的情況，這些情況往往是產生後一種動作行爲的原因或條件；"就" 後面的動作行爲正是在前面所說的情況的基礎上發生或進行的。例如：

> 他等了我半天，我沒到，他就走了。
> 等你有了孩子，你就明白做父母的苦心了。
> 小熊貓很膽小，看見有人來，就跑到竹林裏去了。
> 昨天下午下雨了，我們就沒去爬山，改去看電影了。
> 這隻小狗很喜歡游泳，一看見水，它就高興地游起來了。
> 上個月學校放假，我和哥哥就去中國旅行了。

這個詞可以用作對一個動作行爲的原因和條件的説明。

4. 不管(怎樣)，……還是……

> "不管怎樣，春節對於中國人來説，最重要的還是闔家團圓。"

這個結構表示在任何條件下結果或結論都不會受到影響，都不會改變。課文中的句子就是説，不管過春節的習俗發生什麼樣的變化，在 "合家團圓是最重要的内容" 這一點上是不會改變的。"不管" 的後面要使用疑問代詞或者並列結構的短語，後面一般有 "都" "也" "還是" 等與它相呼應。例如：

> 不管怎麼忙，他也要抽時間去探望父母。
> 今天不管到幾點，都要把這篇稿子寫完。
> 不管累不累，我們還是得先把東西送回去。
> 不管是你去還是我去，總要有一個人去。
> 不管我們怎麼勸他，他都堅持一個人去。

"不管怎樣" 與 "無論如何" 意思相同，不同的是，"不管怎樣" 更口語一些。

(三) 常用表達式講解

結合本課 "肯定與稱讚" 這一功能項目，本課重點提出3組在實現這一功能的過程中常用的表達方式。我們在這裏對這些表達式進行了講解和擴展，供老師們在引導學生進行表達演示時參考。

1. 肯定

> "你今年肯定要交好運了。"

"肯定" 就是 "確定" 的意思。當你認爲某件事情必定會發生、絕對沒有疑問時，就可以用 "肯定" 來明確地表達自己的意見。例如：

> 你看，天這麼陰，肯定要下雨。
> 他們計劃得這麼週密，這次活動肯定搞得很好。
> 這麼晚了，他肯定不來了。

"肯定" 可以作動詞用，表示承認某種事實。如：

> 隨時肯定他人的成績是十分必要的。

"肯定" 也可以作形容詞用，表示確定的、正面的、同意的意思。如：

> 我問他明天來不來參加會，他的回答是肯定的。
> 大家對他的意見基本是肯定的。

2. 那當然了

> "那當然了！大年三十，家家戶戶貼對聯、貼'福'字、吃團圓飯。"

這是一個習慣用語，在對對方的意見表示肯定的時候經常用，有"肯定是這樣""那還用說"的意思。如：

{
A：咱們班這回一定會贏的。
B：那當然了！咱們準備得多充分呀。
}

{
A：你媽媽同意你去中國學漢語了吧？
B：那當然了！她一直鼓勵我學好漢語。
}

{
A：在少林寺學習武功一定會學到很多真功夫。
B：那當然了！少林寺的武僧都有一身過人的本領。
}

3. 特別……／……極了／……得＋不得了／太……了

> "你回廣東老家，在農村過年也特別有意思吧？"
> "十二點一到，鞭炮聲響成一片，熱鬧極了。"
> "我小時候能得到幾毛錢的壓歲錢，就開心得不得了。"
> "這變化太大了。"

這是一組形容某種狀態或性質達到很高程度的表達方式。它們雖然都表示很高的程度，但又有一些區別，如"特別"是強調與眾不同、不一般的意思，一般用在形容詞的前面。如：

　　她這個人特別聰明，什麼難題都能算出來。

　　去年夏天特別熱，持續高溫的天數超過了歷史最高紀錄。

"極了"用在形容詞的後面，表示幾乎達到了最高的程度。如：

　　最近我忙極了，有時連飯都顧不得吃。

　　他的滑板玩得好極了，會做許多高難度動作。

"太……了"有時用於讚嘆，表示程度很高；有時也用於不如意的事情，表示程度過頭，有抱怨的語氣。如：

　　這件衣服實在太漂亮了。（讚嘆）

　　上山的路太難走了，我們走了四個小時還沒走到一半。（抱怨）

　　這篇文章太長了，完全可以縮減一些。（抱怨）

按：這幾個表達方式所表達的意思相差不多，甚至可以交換使用，但不同的表達方式所組成的句子是不一樣的。以"熱鬧極了"爲例，"極了"要放在後面；而"特別"要放在前面，"特別熱鬧"；"……得＋不得了"也要放到後面，"熱鬧得不得了"；"太……了"結構中，要把"熱鬧"放在中間"太熱鬧了"。

(四) 補充文化知識材料

根據正副課文的內容，我們補充了一些相關的文化背景知識，供老師參考。由於篇幅的關係，其他更多的材料，我們放到網上，請老師上網搜尋。

1. 春聯和 "福字"

春聯

過去和現代的中國人過春節，一般都要在門或門框上貼春聯。所謂春聯，實際上就是在兩條紅紙上各寫上（現代多數是印上）一句話，兩句話字數相等，意思關聯，構成對聯，寫好以後把字條一右一左貼在門或門框上。紅色不僅顯得熱鬧、喜慶，古代人還認爲有避邪的作用。

春聯來源於古代的桃符。桃符是周朝時人們懸掛在大門兩旁的長方形桃木板，上面寫上 "神荼（shénshū）" "鬱壘（yùlù）" 兩個神的名字，據說可以避邪。五代後蜀主孟昶寫的 "新年納餘慶，嘉節號長春" 是中國第一副春聯。但直到宋代，春聯仍然叫 "桃符"。宋代，桃符由桃木板改爲紙張，叫 "春貼紙"。據說明太祖朱元璋大力提倡春聯，還親手爲普通百姓家寫春聯。此後，過年貼春聯開始流行。

有些春聯寫得文句工整、意思新穎，深受人們喜愛。如：

> 新年納餘慶，嘉節號長春。
> 萬頃禾苗綠，千山花草香。
> 政通千家福，人和萬戶春。
> 天增歲月人增壽，春滿乾坤福滿門。
> 向陽門第春常在，積善人家慶有餘。
> 勤儉持家六畜興旺，科學種田五穀豐登。
> 春回大地百花爭艷，日暖神州萬物生輝。
> 送舊歲窗花映白雪，迎新春喜鵲鬧紅梅。

"福" 字

貼 "福" 字據稱來源於古代的春帖，也有傳說認爲貼 "福" 開始於明太祖朱元璋時代。有些地區貼的 "福" 字是正的，許多地區則習慣把 "福" 字倒過來貼。"福" 字倒貼據說開始於清代的恭親王府，一位不識字的家丁誤把 "福" 字貼倒了，沒想到這倒添了一層新義："福倒了" 就是 "福到了"。人們覺得這太吉利了，於是倒貼 "福" 字流行起來。

在中國南北各地，類似的以諧音祈求吉利的説法有很多，比如：年糕（"年年高"）、"年年有魚"（"年年有餘"）、餃子（"更歲交子"）、"送柑"（廣東話諧音 "送金"）、腐竹（"富足"）等。

民間還在 "福" 字周圍描繪出各種吉祥的圖案，有壽星、壽桃、鯉魚跳龍門、五穀豐登、龍鳳呈祥等等。

2. 春節聯歡晚會

現在每年除夕晚上，電視裏都有一臺大型的綜合文藝晚會，節目主要包括歌舞、戲曲、相聲、小品、雜技等，叫做春節聯歡晚會，簡稱 "春晚"。

中央電視臺（CCTV，簡稱 "央視"）主辦的 "春晚" 從一九八三年開播以來，已經有二十多年了。現在，"春晚" 已經演變成了一個新民俗，人們已經無法想像沒有 "春晚" 的除夕夜了。

剛有 "春晚" 那幾年，人們普遍的感覺不錯。大年三十，一邊包餃子、吃團圓飯，一邊看 "春晚"，既多了個聊天的話題，豐富了過年的內容，增強了過年的氣氛，還增加了節日的文化含量。晚會所營造的熱熱鬧鬧的過年氣氛的確給每年的除夕增色不少。

但是，最近這些年來，隨著人們生活水平的不斷提高，休閒娛樂的方式越來越多，過節的方式也越來越多了，而人們的欣賞水平也不斷提高，口味發生了不少變化，於是對 "春晚" 的要求也越來越高。相形之下，現在的 "春晚" 卻難以推陳出新，似乎不是很能適應人們的要求了。由於 "春晚" 已經被納入當今中國人過年的新傳統，人們對 "春晚" 的普遍關注也順理成章地遠遠超過了這種娛樂形式的本身。最近幾年，除了部分節目得到廣泛好評外，人們對 "春晚" 的總體評價越來越差了。

其實，換一個角度想一想， "春晚" 只是一種文化快餐式的娛樂形式，人們實在不應該寄予太高的期望。同時，中國大陸有十三億人口，以一台晚會滿足十三億人的口味，這幾乎是一個不可能完成的任務。

3. 春節的飲食

餃子是中國北方春節最重要的飲食之一。中國人吃餃子，有很悠久的歷史，據説在南北朝的時候，就已經有了類似餃子的食品了，但 "餃子" 這個詞，據説是明清以來才有的名稱。 "餃子" 跟 "交子" 諧音。 "子" 是子時，是指晚上11點到凌晨1點這段時間，新年與舊年相交於子時，這時候吃餃子，意味著慶祝新的一年的開始。有的人爲了討吉利，常常把硬幣、花生之類的東西包進餃子裏，誰吃到了，就預示著要交好運。另外，餃子的形狀像舊時的元寶，所以以前又有 "銀元寶" 之稱。

跟北方的習俗不同，南方人一般在春節的早晨吃用糯米粉做成的小丸子，名叫 "湯圓"，取全家團圓之意。

年糕和魚也是中國人春節的重要飲食。年糕一般是用糯米做的，各地的製作方法不儘相同，但有一點是共同的，那就是吃年糕寓含著 "生活年年高" 的意思，因爲 "糕" 和 "高" 諧音。春節吃魚是因爲 "魚" 和 "餘" 諧音， "年年有魚" 寓含著 "年年有餘" 的意思，表達了人們對美好生活的願望。

4. 關於元宵節

陰曆正月十五日，是中國的傳統節日元宵節。正月爲元月，古人稱夜爲 "宵"，而十五日又是一年中第一個月圓之夜，所以稱正月十五爲元宵節，又稱爲 "上元節"。按照中國民間的傳統，在一元復始、大地回春的節日夜晚，天上明月高懸，地上彩燈萬盞，人們觀燈、猜燈謎、吃元宵，闔家團聚，其樂融融。

吃元宵

"元宵" 作爲食品，在中國也由來已久。在宋代，民間即流行一種元宵節吃的新奇食品。這種食品最早叫 "浮元子"，後稱 "元宵"，生意人還美其名曰 "元寶"，以白糖、玫瑰、芝麻、豆沙、黃桂、核桃仁、果仁、棗泥等爲餡兒，用糯米粉包成圓形，有團圓美滿之意。

觀燈

元宵節放燈的習俗據説始於東漢年間。漢明帝爲了弘揚佛法，下令正月十五夜在宮中和寺院 "燃燈表佛"。此後，元宵放燈的習俗就由原來只在宮廷中舉行而流傳到民間，即每到正月十五，無論貴族還是庶民都要掛燈，城鄉通宵燈火輝煌。

元宵放燈的習俗，在唐代發展成爲盛況空前的燈市。中唐以後，又發展成爲全民性的狂歡節。唐玄宗（公元685--762）時的開元盛世，長安的燈市規模很大，燃燈五萬盞，花燈花樣繁多，皇帝命人做巨型的燈樓，廣達20間，高150尺，金光璀璨，極爲壯觀。

到宋代，元宵燈會無論在規模和燈飾的奇幻精美上都勝過唐代，而且活動更爲民間化，民族特色更強。以後歷代的元宵燈會不斷發展，燈節的時間也越來越長。唐代的燈會是 "上元前後各一日"，宋代又在十六之後加了兩日，明代則延長到由初八到十八整整十天。

到了清代，滿族入主中原，宮廷不再辦燈會，民間的燈會卻仍然壯觀。日期縮短爲五天。放燈的習俗一直延續到今天。

"猜燈謎"又叫"打燈謎"，是元宵節的一項活動，出現在宋朝。開始時是好事者把謎語寫在紙條上，貼在五光十色的花燈上供人猜。因爲謎語能啓迪智慧，又饒有興趣，所以流傳過程中深受社會各階層的歡迎。

元宵節也是一個浪漫的節日，在封建的傳統社會中，給未婚男女提供了一個相識的機會。傳統社會的年輕女孩是不允許出外自由活動的，但是過節卻可以結伴出來遊玩，元宵節賞花燈正好是一個交友的機會，未婚男女借著賞花燈順便可以爲自己物色對象。元宵燈節期間，也是男女青年與情人相會的時機。歐陽修的詞《生查子》説："去年元夜時，花市燈如樹；月上柳梢頭，人約黃昏後。"辛棄疾的《青玉案》寫道："衆裏尋它千百度，暮然回首，那人卻在燈火闌珊處。"這都是描述元宵夜男女相會的情景。所以，從某種意義上説，元宵節也是中國的另一個"情人節"。

除了上述這些各地區都有的傳統習俗外，在有些地方還有一些特別的習俗。

苗族的偷菜節

流行於貴州省黃平一帶苗族的偷菜節也是在每年農曆正月十五日舉行。節日這天，姑娘們便成群結隊去偷別人家的菜，嚴禁偷本家族的，也不能偷同性朋友家的，因爲偷菜與她們的婚姻大事有關。所偷的菜僅限白菜，數量夠大家吃一頓即可。偷菜不怕被發現，被偷的人家並不責怪。大家把偷來的菜集中在一起，做白菜宴。據説誰吃得最多，誰就能早得意中人，養的蠶也最壯，蠶吐出的絲也最好最多。

隨著時間的推移，元宵節的活動越來越多，不少地方節慶時增加了耍龍燈、耍獅子、踩高蹺、划旱船、扭秧歌、打太平鼓等傳統民俗表演。這個傳承已有兩千多年的傳統節日，不僅盛行於海峽兩岸，就是在海外華人的聚居區也年年慶祝。

5. 中國漢民族傳統節日表

節日名稱	別稱	日期（農曆）	主要風俗習慣與產物	含義
春節	元日、元旦、元正、元辰、元朔、正旦、正朔	正月初一日	穿新衣，放鞭炮，拜年，壓歲錢	迎新；消災祈福
元宵節	上元節，燈節	正月十五日	逛廟會，舞龍燈，猜燈謎，觀花燈，吃元宵，走百病	家庭團圓，娛樂，啓智，祛病
清明節		春分以後半個月（一般在公曆四月五日）	掃墓，踏青	紀念祖先
端午節	端五、端陽、重午、蒲節、天中節	五月初五日	吃粽子，賽龍舟；掛鐘馗像，懸掛艾葉菖蒲，喝雄黃酒	紀念屈原；除災祛病
七夕節	乞巧節	七月初七日	年輕女子穿新衣，看雙星；穿針	看星星占卜終身大事；祈求心靈手巧
中秋節	月夕、八月節、團圓節	八月十五日	祭月，賞月，吃月餅、葡萄	團圓的節日
重陽節	重九、重陽、登高節	九月初九日	登高，佩戴茱萸，插菊花，喝菊花酒	求長壽
臘八節	臘日	臘月初八日	喝臘八粥	祭祖祭神，求豐收吉祥
除夕	年三十	臘月最後一天	貼春聯，吃團圓飯，祭祀祖先、神靈，吃餃子、年糕	求神鬼賜福，新年吉祥

《同步訓練》參考答案及相關提示

Section One

I.   Multiple Choice (Listen to the dialogs)
      答案：

1. D	2. B	3. A	4. D	5. C	6. D

7. B	8. C

      聽力錄音文本：

1. (Woman)   這是你送給我的生日禮物嗎？
   (Man)   (A) 我想吃生日蛋糕。
              (B) 你買的我都喜歡。
              (C) 我今天滿20歲了。
              (D) 喜歡這些東西嗎？

2. (Woman)   你要喝茶還是可樂？
   (Man)   (A) 你可以等我一會兒嗎？
              (B) 可以幫我倒杯咖啡嗎？
              (C) 你喜歡喝紅茶嗎？
              (D) 她常常喝可樂。

3. (Woman)   我有兩張新年音樂會的票，想去嗎？
   (Man)   (A) 我對古典音樂不感興趣。
              (B) 我只會彈鋼琴。
              (C) 我總是邊聽音樂邊看書。
              (D) 你什麼時候買了電影票？

4. (Man)   故宮裏的人怎麼那麼多？
   (Woman)   (A) 我喜歡去那兒買東西。
              (B) 我忘了帶北京地圖了。
              (C) 坐這趟車可以到故宮嗎？
              (D) 這兒每天都很熱鬧。

5. (Woman)   您好，很高興爲您服務。
   (Man)   您好，我想訂一個房間。
   (Woman)   (A) 這裏不能使用信用卡。
              (B) 您需要我幫您買嗎？
              (C) 單人間還是雙人間？
              (D) 您住在哪個房間？

6. (Woman)   你今天又遲到了。
   (Man)   對不起，路上堵車。
   (Woman)   (A) 你的車早該去修了。
              (B) 你是坐地鐵來的嗎？
              (C) 你總是來得比我早。
              (D) 你就不能早點出發嗎？

7. (Woman) 他爲什麼不讓你上飛機?

   (Man) 他説我的護照有問題。

   (Woman) (A) 對不起，飛機已經起飛了。

   　　　　(B) 什麼? 還不趕快和大使館聯繫!

   　　　　(C) 哎呀，你什麼時候進來的?

   　　　　(D) 呵，這是中國最大的機場嗎?

8. (Man) 什麼時候一起去公園划船吧!

   (Woman) 現在是冬天，水都凍成冰了!

   (Man) (A) 你不喜歡划船嗎?

   　　　　(B) 我週末的時候有空。

   　　　　(C) 我把這事兒給忘了。

   　　　　(D) 看咱們誰划船划得好。

II. Multiple Choice (Listen to the selections)

答案:

1. D	2. B	3. C	4. C	5. C	6. B
7. C	8. B	9. C	10. C	11. B	12. C
13. A	14. C				

聽力録音文本:

Selection 1

(Narrator) Now you will listen twice to a voice message.

(Woman) 喂，爸爸，我是小麗。今天是中國的大年初一，我一早就到一位中國朋友家去了。他們家很熱鬧，來了很多親戚，大家互相拜年，説一些祝福的話。他們對我很好，不僅教我包餃子，他的爸爸還給了我一個紅包，説祝我健康快樂。我覺得在中國過年真有意思。

(Narrator) Now listen again.

(Narrator) Now answer the questions for this selection.

Selection 2

(Narrator) Now you will listen once to a conversation between two persons.

(Woman) 小王，今天好奇怪啊! 我剛從商店門口經過，看見有很多人在那兒排隊，隊伍從裏邊一直排到街上了。

(Man) Lily，明天是元宵節，我猜他們是在排隊買元宵呢。

(Woman) 啊，對，老師上課的時候給我們講過。那我可得趕緊走。

(Man) 走? 去哪兒啊?

(Woman) 排隊買元宵啊，我還從沒吃過呢!

(Narrator) Now answer the questions for this selection.

Selection 3

(Narrator)   Now you will listen twice to a voice message.

(Woman)   各位同學請注意，中秋節就快到了，一年一度的中秋節晚會會在下週五19:30準時舉行。我們希望每一位同學到時都能參加晚會，如果有同學想在晚會上表演節目，現在可以到學生活動中心找王老師報名。晚會地點現在暫時定在學校大禮堂，如有變化，我們會再通知大家。

(Narrator)   Now listen again.

(Narrator)   Now answer the questions for this selection.

Selection 4

(Narrator)   Now you will listen twice to a conversation between two students.

(Man   這是你上次去民族公園照的照片嗎？很有意思，爲什麼照片上你的衣服都是濕的？

(Woman)   因爲我參加的是傣族的潑水節。

(Man)   傣族？

(Woman)   對，是中國西南部的一個少數民族。

(Man)   那這個節日和水有關嗎？

(Woman)   對，在這個節日裏，人們互相潑水就代表著對對方的祝福。

(Narrator)   Now listen again.

(Narrator)   Now answer the questions for this selection.

Selection 5

(Narrator)   Now you will listen twice to a voice message.

(Man)   各位同學請注意，由於春節長假的原因，學生體育中心的營業時間將做出如下調整：大年三十，本中心正常營業。大年初一至初三，中心休息。初四至初七，營業時間變爲早上10:00至下午15:00。從初八開始，中心將恢復正常營業，營業時間爲早8:30至晚21:00。

(Narrator)   Now listen again.

(Narrator)   Now answer the questions for this selection.

III. Multiple Choice (Reading)
    答案：

1. D	2. C	3. C	4. B	5. C	6. A
7. C	8. C	9. D	10. C	11. C	12. A
13. A	14. C	15. D	16. A	17. B	18. B
19. C	20. D	21. A			

Section Two

I. Free Response (Writing)

1. Story Narration

The four pictures present a story. Imagine you are writing the story to a friend. Narrate a complete story as suggested by the pictures. Give your story a beginning, a middle, and an end.

教師手冊

寫作提示：

　　這則看圖寫作考查的是對特殊場景中人物活動的完整敘述，一是要交代場景的轉換，二是要交代特定時間中人物的不同活動狀態。下面是一些有用的表達方式。

(1) 交代事件的開始。

　　　　新年前夜，朋友們相約一起……，準備……

(2) 敘述場景的轉換以及人物的活動狀態。

　　　　大家來到……，一起等待新年鐘聲。時鐘指向……，大家一起抬頭……

(3) 交待事件的進展。

　　　　這時，時鐘敲響十二下，新年終於在人們的歡呼聲中來臨，人群……

(4) 交代事件中人物的活動細節。

　　　　大明在歡呼的人群中想起了……他趕緊拿出電話……

2. Personal Letter

Imagine you received a latter from a pen pal. The letter talks about how people celebrate Chinese New Year these days compared to in the past. He says he misses celebrating Chinese New Year at his grandparents' village as a child. He also asks how you celebrate new year in the United States, how new year customs have changed over the years, and your opinions on those changes. Write a reply in letter format to discuss these issues.

回信建議：

(1) 問候語。

(2) 重複主要信息。比如：

　　　　說到過新年以及新年習俗的變化……

(3) 主要内容。

①　首先簡要介紹美國人一般如何過新年。可以先總括地説再分層次説。如：

> 美國是一個多元文化的國家，不同地區過新年的風俗各有不同。一般來説，……多……，而……則……
>
> 在我的印象中，美國不同地方過新年的習俗很不一樣。比如……而……

②　再重點説明近年來新年習俗的變化，並簡要交待變化的原因。這樣使内容顯得充實。比如：

> 隨著……美國這些年來過新年的風俗也在悄悄發生變化，過去……現在……
>
> 由於……原因，以前人們……現在越來越多的人卻……

③　第三，談談對美國過新年以及新年風俗變化的個人感想。可以先説説整體感受，然後重點談談感觸最深的方面；也可以先談談這些變化所反映出的積極的内容，再談談這些變化反映出的消極方面。比如：

> 總的説來，我感覺美國這些年新年的習俗變化……讓我感受最深的就是……
>
> 我認爲，新年習俗的變化一方面説明了……另一方面也反映了……我喜歡的是……我不太喜歡……因爲……

(4) 還可以補充一些内容。比如，除了個人的印象外，還可以説説美國報紙、公衆對新年習俗變化的評議，或給朋友介紹一些相關的資料。這樣一來，回信所包含的信息量就更大了。比如：

> 記得有一篇……文章，説到美國新年……的現象，而且提出……觀點，當時在美國社會引起很大……你可以看一看，非常有意思。

(5) 祝福語、署名和寫信日期。

3. E-Mail Response

Read this e-mail from a friend and then type a response.

主　題：一年中最重要的節日是什麽

　　原來我一直以爲聖誕節是美國人最重要的節日，就像春節對於中國人的意義一樣。今天在英語課上，我們學了一篇關於聖誕節的短文，才知道，在美國很多人是不過聖誕節的！那麼，對於大多數美國人來説，一年中最重要的節日是哪個呢？能簡單告訴我有關這個節日的信息嗎？非常感謝。

回信建議：

(1) 首先，重複信中的主要問題。如：

> 你在郵件中詢問，對於大多數美國人來説，一年中最重要的節日是哪一個？或者説，究竟哪個節日對於美國人，就像春節對於中國人一樣重要？

(2) 簡明扼要直接回答。如：

> 在我看來，對於大多數美國人而言，無論他信仰什麼宗教，屬於什麼種族身份，……節應該是一年中最重要的節日。
>
> 對於你的這個問題，其實在美國似乎很難有一個統一的答案，……

(3) 簡要説明原因。比如：

之所以這樣説，是因爲……

這麽説的原因是……

(4) 結束部分。結束郵件的方式非常靈活，可以根據郵件的具體内容以及你和收件人的關係來決定。也可以用反問的方式結束，如：

你的問題也激起了我同樣的疑問。我也想知道，在中國，是不是對於所有的人來説，最重要的節日就只有春節這一個呢？你也給我講講吧。

4. Relay a Telephone Message

Imagine you are working part time in a Chinese restaurant. You arrive one day and listen to a message for your manager on the answering machine. The message is from one of his friends who wants to reserve a table. You will listen to the message twice. Then relay the message, including the important details, by typing a note to your manager.

(Man) 喂，王老板，我是李强，給你打了好幾次電話都找不著你，看來你這老板生意不錯啊，忙得都没空接電話了！你看，我這老朋友又給你送生意上門了。下週四是元宵節，北京那邊正好有一幫朋友那天到舊金山，我想那天晚上在你那兒給朋友們接風，所以先要訂餐，你要是方便的話，是不是也陪陪我們？我們一共三十個人，其中兩個人吃清真餐，一人吃純素食。標準嘛，就按你們店的老規矩，人均三十元，記得多給老朋友上幾個你們的特色菜啊，酒水到時候我們單點。我們六點半準時到。拜託了！回頭見啊！

轉述建議：

(1) 首先，仍然是要注意人稱的轉換。

(2) 其次，需要轉述清楚與訂餐密切相關的信息，如時間、人數、特殊要求、消費標準等等，其他次要信息可以省略。

(3) 另外，由於留言中提到希望經理本人也能一起用餐，因此，有必要簡單轉述這批顧客的背景，並轉告李强的願望。如：

李强先生説這群顧客都是從北京來的，希望您也能陪著朋友們一起用餐。

II. Free Response (Speaking)

1. Conversation

A student of a partner school in China is studying the same topic as you. You will have a conversation with her about festivals in the United States.

(1) 問題一：在美國，你最喜歡過哪個節日？爲什麽？

回答建議：

① 對於"喜歡哪個"這類問題，如果只是回答"哪一個"，顯得過於簡單。如果採取對比的方式，回答就會顯得豐富。如：

過去我最喜歡……而現在我最喜歡……

好像一下子很難説哪個最喜歡，因爲每個節日都有它吸引我的地方。不過，如果從……方面來説，那麽我最喜歡的就是……了。

② 用以上的回答方式轉入對"爲什麽"的解釋，這樣顯得自然、真實，而且更有針對性。

(2) 問題二：在這個節日裏，最有意思的是什麼？

回答建議：

通常用以下表達式開始。

> 我覺得……
>
> 在我看來……
>
> 我的印象中……

注意：不能簡單回答"……最有意思"，因爲這個提問隱含著另一個問題，即"你爲什麼覺得有意思"或者"説説怎樣有意思"。因此，要對"有意思"的具體内容或過程進行簡要的描述。比如：

> 那個時候，人們會……，還會……
>
> 爲了……，人們要……，而且……，整個過程有意思極了。

(3) 問題三：對於一般的美國人而言，這個節日有什麼特殊含意嗎？

回答建議：

這是一個文化表述的問題，要求説出節日背後的文化意義。其回答不能僅從個人理解的角度進行，而應該從廣泛的社會意義出發。可以這樣説：

> 對於大多數美國人來説，這個節日是一個闔家團圓的日子……
>
> 對於美國人而言，這個節日是一個紀念……的特殊日子……
>
> 在我們看來，這是一個可以儘情狂歡的日子。在這個節日裡，人們將……

(4) 問題四：在這個節日裏，一般要準備什麼樣的禮物呢？

回答建議：

這個問題與問題三並列，是另一個關於節日文化含意的問題。回答仍然要緊扣節日的文化意義。比如：

> 由於這個節日是一個……的節日，所以，通常在這個節日裏我們會給……準備……禮物。

可能你所説的這個節日沒有什麼特別的禮物。這時，你可以從節日禮物的一般習俗來回答。如：

> 和其他節日一樣，我們在這個節日裏會給老人準備……禮物，給小孩準備……禮物，……

(5) 問題五：你還知道哪些其他有意思的外國節日嗎？

回答建議：

這是文化比較方面的問題。可以舉例子來具體説明。在例子裏應該説明節日的名稱、含意、習俗等。比如：

> 我知道在……國，有一個很有意思的節日，叫……節。據説，在這個節日裏，人們會……還會……，而且，對於那個國家的人來説，這個節日意味著……所以……真是很有意思！

(6) 問題六：如果你有機會到國外去，你最希望過什麼節？爲什麼？

回答建議：

這個問題提問的實質仍然是考查你對其他國家有關節日知識的瞭解。對於並不熟悉的節日感興趣的原因，應更多從文化對比的角度來回答。比如：

> 我最希望到……國去過他們的……節，因爲那樣的節日在我們國家是完全沒有的。我最希望……，因爲那個節日的習俗和我們國家的節日習俗是完全不同的，我特別希望瞭解、感受一下。

2. Cultural Presentation

In your presentation, talk about how Chinese people celebrate Chinese New Year.

回答建議：

可以參照本課主課文的內容，從春節的含意、春節的一般時間、春節的習俗、春節的主要活動安排等角度進行闡述。此外，如果能從中國城市與農村過年習俗的比較、中國當代春節習俗的變化等角度進一步闡述的話，表述將更加有深度。

3. Event Plan

Chinese New Year is around the corner. You and your best friends are planning to have a Chinese New Year party. In your presentation, describe your plan to your classmates and compare it with other plans. Talk about why you think this would be a good way to celebrate Chinese New Year.

回答建議：

(1) 首先，簡要說明你的計劃。比如：

我計劃……（時間）在……（地點）安排大家的新年聚餐，這次聚餐採取……的形式（聚餐活動的方式）。

(2) 接下來，逐一解釋這樣安排的主要原因。比如：

之所以安排在……（時間），是因為……在……（地點），是為了方便大家……而採取……的形式，有三個好處，第一是容易準備，第二是……第三是……

(3) 第三，進行比較。為了說明該計劃的合理性和優越性，可以把它與其他安排方式進行比較。比如：

如果不這樣安排的話……我們可以……但是那樣的話，……也許會給大家帶來不便；當然，可能還有另一種安排，比如我們可以……不過那樣也有問題，因為……所以，我計劃的時間和地點是最合適的，而且這種形式也可以避免剛才提到的種種麻煩。

(4) 說說聚餐計劃需要的準備工作。這樣實際是從另一個角度進一步說明該計劃的可行性和合理性。比如：

這個計劃也很容易執行，我們只要在……之前，找……同學，大家分頭準備……就行了，很簡單。

(5) 結束。在結束表述之前，一定還要徵求其他人的意見，因為這畢竟是大家共同商量的過程。徵詢意見既要有禮貌又要有誠意。如：

我大概就是這樣想的，你們覺得怎麼樣？我們一起仔細商量商量吧。

教師手冊

第八課 Moon Festival 中秋節

一、本課教學重點

(一) 能夠理解中秋節的文化含義，並運用所學的詞語和句型討論與"家人團圓"主題相關的話題。能夠將中秋節及其傳統活動與本民族類似的傳統節日及其活動做一定比較。

(二) 能夠運用本課所學的常用表達式對事情的緣由進行較完整的說明和解釋。

二、本課的難點

(一) 詞語：注意"表達－表示"和"到處－處處"這兩組近義詞的辨析。

(二) 語言點：

1. "……所以稱作……"和"因此……又叫……"兩種表達式的不同之處在於：用"因此……又叫……"時一定是說明某事物的另一個名稱，且多用於口語；而用"所以稱作"時，不一定是另一個名稱，多用於書面語。

2. "據說……"和"相傳……"這兩個表達式在意義上有一些差異，請老師提醒學生注意。

三、有用的教學資源

(一) 有關中國中秋節及其傳統活動的圖片或者實物（如當地華人報紙關於中秋節活動或商品的廣告、月餅及各種月餅圖案、中國各地的中秋節活動新聞和相關照片等）。

(二) 中國中央電視臺新聞聯播節目中關於各地慶中秋活動的新聞剪輯錄像。

四、教學安排導引

針對不同學習內容，各教學模塊及其教學設計和參考課時見下表。

教學模塊		交際模式	可選用的教學活動設計		課時建議
新課學習	課文閱讀與理解	理解詮釋 人際互動	教學設計1 教學設計2 教學設計3	教學設計分爲必選和可選兩種，可選的活動以"可選"標明，具體實施順序請老師根據本班學生實際情況自定。	5－7課時
	詞語講解與練習	理解詮釋 表達演示	教學設計4 教學設計5		
	重點句型講解與練習	人際互動 表達演示	教學設計6 教學設計7 教學設計8 教學設計9		
交際活動		人際互動 表達演示	教學設計10		1課時
寫作訓練		表達演示	教學設計11		1課時
綜合考試訓練		綜合	教學設計12		1－2課時

注：寫作訓練活動可根據本班實際情況選做；綜合測試題應根據本班實際情況在課堂上選做或讓學生課外完成。

五、具體教學活動設計的建議

教學模塊 *1* —→ 新課學習

(一) 課文閱讀與理解

🗣 教學設計1

內容： 主課文導入。

目的： "中秋節"及其傳統活動可能是學生比較陌生的內容，在理解一般性知識與文化內涵上也許存在一定困難，因此，本課的導入最好從學生熟悉或感興趣的問題入手，通過已有的知識，爲學習新知識搭建橋梁。

步驟：

第一步： 老師以趣味性較强的問題，導入本課的學習：

① 你知道載人登月飛船嗎？知道月球的情況嗎？

② 你知道哪些關於月亮的傳說？

通過以上兩個問題的引導，使學生對本課的主要內容有一個基本假設，有助於理解後面的課文內容。類似的問題還有：

③ 你知道對於中國家庭來說，除了春節以外，還有哪些重要節日？

④ 除了我們上一課中學過的"餃子"，你還知道哪些中國的傳統食品？它們都在什麼節日裏吃？這些食品都是什麼樣子的呢？

⑤ 看過李連杰主演的功夫片《黃飛鴻之獅王爭霸》嗎？（此處也可以播放該電影的片斷）見過與舞獅很相像、但是參與人數更多的舞龍活動嗎？知道中國人一般在什麼節日裏舉行這樣的活動嗎？

老師也可以根據本班學生的實際情況，提出與上列問題性質相似的問題進行課文導入，但最終選擇的問題以兩個爲宜，以利於集中話題。

第二步： 請學生回答上述問題，然後再請其他同學補充。與此同時，老師根據學生的講述，及時在黑板上提示出與本課重點詞語或文化主題相關的字、詞、圖片或其他信息。

第三步： 約15分鐘後，請學生快速默讀課文兩遍。

第四步： 快速閱讀後，根據全班分享信息的結果以及黑板上的提示，對課文中提及而討論中沒有說到的內容，作進一步的討論。

預期效果： 在帶著問題的導入以及分享相關信息的基礎上快速閱讀，可以幫助學生很快地領會課文的主旨，同時，這也是訓練學生良好閱讀技能的常用方法之一，可以使學生在熟悉活動規則的同時，集中注意力，積極思考。

🗣 教學設計2

內容： 精讀主課文。

目的： 讓學生細讀課文，在瞭解大意的基礎上通過回答問題加深對文意的理解。

步驟：

第一步： 老師帶領學生將整篇課文分爲五個部分，第一自然段爲第1部分，以後每個標題下內容分別爲第2、3、4、5部分。

第二步： 分段落閱讀，先分小組大聲朗讀，組內同學互相糾錯；老師也可以先在全班示範朗讀，然後再分小組，各小組分別朗讀課文，在此過程中，老師進行組間巡視，瞭解情況並幫助學生完成朗讀。

第三步： 每一段落讀完後，老師提出下列問題，請學生回答，再請其他學生複述，或進行補充：

第一部分（第一自然段）

① 中秋節爲什麼又叫團圓節？

第二部分（賞月）

② 天上的月亮有時圓，有時彎，爲什麼會這樣？

③ 你知道課文中提到的關於月亮的傳說嗎？用自己的話給大家講一講吧。

第三部分（吃月餅）

④ 月餅是什麼樣子的？有哪些品種？你吃過嗎？

第四部分（舞火龍）

⑤ 舞火龍是什麼地方的習俗？

⑥ 人們爲什麼要在中秋節舞火龍？

第五部分（跳托球舞）

⑦ 跳托球舞是什麼地方的習俗？

⑧ 這對年輕夫婦爲什麼會爲尋找太陽和月亮獻出了生命？

第四步： 老師根據學生的回答情況逐一講解問題。並可和重點詞語、重點句型、常用表達式以及文化背景知識的講解相結合。各部分相關參考資料請分別參考後文"六"中的相關內容。

組織要點： 在此我們將所有讀中思考的問題集中呈現，但並不意味著對這些問題的討論一定要集中進行，尤其對於本課這種文字內容和文化知識都有一定難度的課文，老師應根據學生的具體程度，調整讀中思考與課文朗讀訓練、詞語講練、句型講練的順序和組合方式。既可以部分爲單位，逐一進行朗讀訓練、讀中思考與討論、重點詞語講解等；也可以在統一進行完朗讀和讀中思考討論後分別開展詞語講練和句型講練。

🗣 **教學設計3**

內容： 與主課文內容相關的聽力材料學習。

目的： 通過與課文內容相關的聽力理解活動，訓練學生的中文聽力。

材料準備： 老師可以選擇與本課相關的文化知識補充材料，進行一定的改編，並錄製成一段聽力材料（建議選擇"嫦娥奔月的傳說"或"月餅的故事"），同時根據自行改編的材料準備4—5個聽力理解題。

步驟：

第一步： 將聽力理解題呈現給學生，請學生快速瀏覽一遍問題，以瞭解聽力材料的基本內容。

第二步： 提醒學生重點關注與問題相關的內容，播放一遍聽力材料。

第三步： 請學生根據自己聽到的內容，選擇問題的正確答案或回答問題。

第三步： 請學生注意沒有聽清的部分或內容，再播放一至兩遍聽力材料。

第四步： 請學生檢查或核定自己選擇的答案，然後全班一起核對答案。

補充說明： 本課主課文的文字內容和文化知識有一定的難度，因此不適合做聽力練習。但是，在學生學習主課文的過程中或初步學習之後，補充該教學設計，既可以幫助學生加深對課文的理解，同時也有利於在同一課的學習中調動學生的多種感官，使他們更加主動地學習。

(二) 詞語講解與練習

☙ 教學設計4（可選））

內容：用詞講故事大比拼。

目的：通過在限定的主題和範圍中的詞語運用，强化學生對重點詞語的理解和記憶。

步驟：

第一步：老師和學生共同商定一個大家比較感興趣的話題，將話題和本課的重點詞語（即課文中標注陰影的掌握性詞語），同時列在黑板上。

第二步：學生以小組爲單位，進行"編故事"活動，故事主題要圍繞給定的話題。要求在故事的敍述過程中儘可能多地使用本課的重點詞語。强調小組成員的合作，一起編故事、共同思考如何恰當、連貫地運用給定的詞語。

第三步：小組間比賽，小組代表講述本組創編的故事，以使用了限定詞數量最多、故事生動有趣的小組爲獲勝方。

預期效果：該活動實際爲傳統的"聯詞成段"活動的延伸，同時增加了學生感興趣的故事主題，並輔之以"大比拼"的競賽方式，可以大大增强學生主動表達的積極性，較好地調動學生已有的知識儲備。老師可以在活動過程中增設一些記分、計時等要求，增强競賽的氣氛。

☙ 教學設計5

內容：聽一聽、寫一寫。

目的：用本課重點詞語組成句子，並進行相應的聽寫練習，以增强學生對詞語的理解和記憶。然後，用"潔白、想念、表達、到處"四個較常用的詞語進行聯詞成段活動。

步驟：請參考本課《學生用書》中的詞語練習（VOCABULARY IN CONTEXT）的A與B。可以兩人一組，一人讀一人寫，然後交換角色。然後再進行聯詞成段的練習。

學生可能出現的問題：

《學生用書》中提供的小段落（3）和（4）稍長，尤其段落（4）是學生非常不熟悉的內容，請老師注意提醒學生在聽寫的過程中做適當的斷句，注意聽清語段內容。

(三) 重點句型講解與練習

☙ 教學設計6

內容：看圖説話。

目的：通過對重點句型的理解和實際運用，掌握本課的重點句型。

步驟：請參考本課《學生用書》中的句型練習（LANGUAGE CONNECTION）。句型的詳細講解請參照後文"六（二）"中的相關內容。

擴展：由於本課句型相對比較簡單，所以可以適當增加本練習的難度，如，請學生根據書中畫面的提示，想象更多類似的畫面，運用本課的重點句型進行簡單的段落表達。

☙ 教學設計7

內容：模仿情景，完成交際任務。

目的：模擬真實情景，在完成具體的交際任務中練習使用本課的重點句型。

步驟：請學生想象和某位朋友一起去參加一個大型活動的情景，想象兩人邊走邊看邊説，創編一段情景對話。老師也可以提示對話的內容，如：這個大型活動的內容與性質、自己對這次活動的期望、出發前的準備、家人對這件事情的討論⋯⋯

組織要點：本課的重點句型從形式上看比較簡單，但運用頻率高，使用範圍廣泛，學生應該熟練掌握，鼓勵學生把情景想象得儘量具體真實，這是活動組織中的關鍵點。

教
師
手
冊

● 教學設計8

內容：選詞填空。

目的：通過對表達式的理解和實際運用，掌握其用法，比較不同的使用方式。

步驟：請參考本課《學生用書》中的表達式練習（COMMON EXPRESSIONS）。句型的詳細講解請參照後文"六（三）"中的相關內容。

可能的難點："……所以稱作"和"……因此……又叫……"，以及"據說……"和"相傳……"有時可以互換，如，本練習中第一個空初看起來填"據說……"或"相傳……"都可以，但仔細比較後，第二個空還是填"據說……"更爲合適，而第一個空填"相傳……"則更好，老師應引導學生注意比較句式之間的細微差別。

● 教學設計9（可選）

內容：複述民間傳說或民間故事。

目的：通過對表達式的理解和實際運用，掌握其用法。

步驟：老師可以選擇一段民間故事或傳說，請學生仔細閱讀後用自己的話把故事完整地複述出來，但要儘量用上本課的這四個常用表達式。

組織要點：敘述故事時應要求學生仔細閱讀後再複述故事，並用上限定的表達式。提醒學生注意，進行完整複述的重要前提是仔細閱讀並理解、記憶故事中的重要內容和有關細節。

教學模塊 *2* —— 交際活動

● 教學設計10

內容：一個新的節日。

目的：通過真實情景中的具體交際任務，練習並掌握在交際過程中如何恰當地解釋理由和說明原因。

步驟：請參考本課《學生用書》中的本課交際廳練習（COMMUNICATION CORNER）。

預期效果：根據自己的興趣和願望設計一個節日，向其他同學講述設計的想法及其理由，並注意聽取他人的意見，最後進行演講。這是一次比較完整的、適於伴隨課堂學習而開展的實際交際活動，由於任務的真實性、交際性較強，如果老師能夠計劃好時間，讓學生充分地進行交流和展示，學生對該活動的積極性應該比較高，實際活動中的綜合學習效果會比較好。所以，老師一定要明確提出每一步練習活動的具體要求，並將學生的活動內容控制在教學目標的範圍之內。

教學模塊 *3* —— 寫作訓練

● 教學設計11

內容：歡樂時光。

目的：通過對複雜圖片的觀察和描寫，學習如何進行場景的描述。

步驟：請參考本課《學生用書》中寫作板練習（WRITING TASK）。

組織要點：引導學生按照一定的順序來進行場景的描述是本練習的關鍵。這個順序可以是空間順序、也可以是活動的順序，還可以是人物或事物間關係的順序，老師給出簡單示例，鼓勵學生按照自己的喜好來進行寫作。

教學模塊 *4* → 綜合考試訓練

🗣 **教學設計12**

內容： 綜合考試訓練。

目的：

1. 通過綜合考試訓練的課後自我檢測或隨堂選擇性檢測綜合複習、強化和評價本課所學的內容。

2. 借助綜合考試訓練內容與課文內容的互補性，拓展以及訓練學生對與"節日與風俗"主題相關內容的了解和學習。

步驟： 請參考同步訓練相關內容。

訓練要點：

1. 完成聽力題（Rejoinders and Stimulus Types），強化學生對與節日、風俗相關的具體場景、具體事件以及功能項目的理解。

2. 完成閱讀題（Reading）。幫助學生對與課文話題相關內容的學習和理解，並讓學生進一步瞭解、熟悉校園內外有關娛樂信息、不同民族過節方式、中秋節回憶、"春運現象"、戀愛交友方式等內容，以及其中的文化內涵。

3. 完成寫作訓練的個人信件（Personal Letter）、回複電郵（E-Mail Response）以及對話（Conversation）和文化表述題（Cultural Presentation）。有利於加深學生對於中美節日習俗及其文化產物、文化觀念的理解和比較。

4. 完成寫作訓練的看圖寫故事（Story Narration）以及電話留言轉述題（Relay Telephone Message）、活動計劃表述題（Event Plan），有利於訓練並評價學生對於事件進展的觀察能力和描述能力、對於假日活動的安排說明能力和如何進行選擇的陳述能力。

六、教學參考資料

（一）詞語講解

本課的詞語注釋表中一共列出了48個詞語，其中專有名詞9個，要求學生理解掌握能正確使用的詞語10個，只要求學生大致理解其文中的含義的詞語29個。此外，我們還對本課中的一些詞語進行了詞義辨析，供老師參考。

1. 象徵[1]：【名】表示某種特殊意義的具體事物。
2. 賞月：【動】觀看欣賞月亮。
3. 潔白：【形】沒有其他顏色的或很乾淨的白色。
4. 院子：【名】房子前後用牆等圍起來的空地。
5. 遺憾[2]：【名】悔恨、不稱心的事。
6. 想念：【動】（對尊敬的人、離別的人或環境）不能忘記，想再見到。
7. 舉：【動】往上托；往上伸。
8. 故鄉：【名】出生或長期居住過的地方。
9. 嬋娟：【名】指月亮。

辨析 表達一表示
　　兩者都是動詞，指顯出某種思想、感情、態度。"表達"一般是指用語言的形式，即口頭說出或用筆寫出思想、感情、態度等。"表示"可以用語言形式，也可以用非語言的形式，如手勢、眼神等，或者是事物本身顯示出某種意義，或者憑借某種事物顯示出某種意義。例如：我們大家都表示歡迎。｜點頭表示同意，搖頭表示不同意。另外，"表示"還可以用作名詞，"表達"則沒有這種用法。

10. 絕唱：【名】詩文最高水平的作品。

11. 特製：【動】特地製造。

12. 餡兒：【名】麵食、點心裏包的糖、豆沙或細碎的肉、菜等。

13. 嫦娥奔月：古代神話。嫦娥偷吃了長生不老的藥，一個人從人間飛到月亮上。

14. 吉慶：【形】吉祥喜慶。

15. 花好月圓：比喻美好幸福（多用做新婚的祝詞）。

16. 品種：【名】物品的種類。

17. 果仁：【名】果核內包裹著的種子。

18. 豆沙：【名】食品。紅小豆、紅豇豆或雲豆煮爛搗成泥或乾磨成粉，加糖製成，用做點心的餡兒。

19. 火腿：【名】經過醃製等方式加工過的豬腿。

20. 蛋黃：【名】家禽及鳥卵中球形黃色膠狀的物體。

21. 祝願：【名】對別人的良好願望。

22. 特色：【名】事物表現的獨特色彩、風格等。

23. 點燃：【動】使燃燒；點著。

24. 鼓樂：【名】敲鼓聲和奏樂聲。

25. 歡騰：【動】歡快地跳躍。

26. 起舞：【動】開始跳舞。

27. 風災：【名】暴風、臺風或颶風經過而造成的災害。

28. 蟒蛇：【名】一種無毒的大蛇。

29. 傳染病：【名】由病原體傳播引起的疾病。

30. 菩薩：【名】泛指佛或某些神。

31. 病魔：【名】疾病（多指長期重病）。

32. 托：【動】用手掌或其他東西向上承受（物體）。

33. 捕魚：【動】（用網等器具）抓魚。

34. 度日：【動】過日子。

35. 禾苗：【名】谷類作物的幼苗。

36. 肚子：【名】腹部；人和某些動物軀幹的一部分，在胸的下面或後面。

37. 守護：【動】看守保護。

38. 彩球：【名】彩色的球。

39. 風調雨順：風雨適合農業生產。

40. 五穀豐登：各種糧食豐收。

專有名詞

41. 嫦娥：傳說中住在月亮裏的一個美女。

42. 玉兔：傳說中住在月亮裏的一隻搗藥的小白兔。

43. 吳剛：傳說中一個在月亮裏不停地砍樹的人。

44. 李白：唐代著名詩人。

45. 蘇軾：宋代著名文學家。

46. 銅鑼灣：香港地名。

47. 大坑：香港地名。

48. 高山族：中國少數民族之一，主要分佈在臺灣。

49. 日月潭：臺灣一個有名的風景區。

(二) 重點句型講解

　　本課一共有4種需要學生掌握的重點句型，在《學生用書》的 "LANGUAGE CONNECTION" 中有簡單的講解。在這裏，我們又做了進一步的講解，供老師參考。

1.　把A看作B

　"古人把圓月看作團圓的象徵。"

　　"把A看作B" 的意思是主觀上認爲A相當於B。課文中這句話的意思是：在古人看來，圓月就是團圓的象徵。"A" 可以是一個詞，也可以是一個短語。"看作" 的後面可以加 "是"，意思不變。例如：

　　　人們把動物看作（是）跟人類平等的生命。

　　　有些父母把孩子看作（是）自己的希望。

　　　中國人把紅色看作（是）喜慶的標誌。

　　　他把打乒乓球看作最好的娛樂方式。。

2.　一邊……一邊……

　"一家人圍坐在院子裏，一邊看月亮，一邊聊天兒。"

　　這個結構表示兩個動作同時進行。"一邊" 的後面是動詞或動詞結構（如 "看" "聊天" 等）。例如：

　　　他一邊吃飯，一邊看電視。

　　　孩子們一邊唱，一邊跳，高興得不得了。

　　　學生們一邊聽老師講課，一邊記筆記。

　　這個結構中的 "一" 可以省略。省略 "一" 後，如果 "邊" 後面只有一個單音節動詞，那麼中間不能停頓。例如：

　　　我們邊走邊聊，一會兒就到了學校。

　　　"一面……一面……" 與 "一邊……，一邊……" 的意思和用法基本相同，但 "一面……一面……" 中的 "一" 不能省略。如：

　　　大家一面看，一面走。

3. 什麼……啦……啦……啦……

> "什麼嫦娥啦，玉兔啦，吳剛啦……"

這個結構用於列舉不同的事物。"什麼"的後面是並列的具體事物，如上面這個句子中的嫦娥、玉兔、吳剛。這個結構中的"啦"可以省去，意思不變。例如：

> 他養了很多小動物，什麼烏龜啦，魚啦，兔子啦，等等。
>
> 他的興趣很廣泛，什麼音樂啦，美術啦，體育啦，都是他感興趣的。
>
> 他去過的國家很多，什麼美國、日本、德國、印度等等，他都去過。

4. 每到……

> "每到中秋之夜，臺灣高山族人都要穿起美麗的民族服裝，……"

"每到……"的後面常有"都"或"就"與之相呼應，表示一個動作或一種情況在相同的條件下有規律地出現。"每"的後面也可以是"當""逢"等動詞。例如：

> 每到夏天，水鳥都會從很遠的地方飛到這裏。
>
> 每到週末，他就和家人一起到郊外野餐。
>
> 每當日落的時候，那個男孩就到村子外邊等他的爸爸。

(三) 常用表達式講解

結合本課"闡明時間的由來與特點"這一功能項目，本課重點提出4組在實現這一功能的過程中常用的表達方式。我們在這裏對這些表達式進行了講解和擴展，供老師們在引導學生進行表達演示時參考。

1. ……所以稱作……

> "八月十五正好在秋季的中間，所以稱作中秋節。"

"所以稱作……"可以用來解釋、說明一個名稱的來歷。使用時，在它的前面要有解釋、說明的內容。如課文中的這個句子：八月十五之所以叫中秋節，是因爲正好在秋季的中間。"稱作"多用於書面語，口語中也可以說"叫作"或"叫"。前面解釋、說明的部分也可以用"因爲"來連接。例如：

> 農曆的新年一般在立春前後，所以稱作春節。
>
> 這種動物的脖子很長，所以叫作長頸鹿。
>
> 因爲這個地方以前是製作琉璃瓦的地方，所以叫琉璃廠。

2. ……因此……又叫……

> "古人把圓月看作團圓的象徵，因此，中秋節又叫'團圓節'。"

當解釋、說明一個事物另外一個名稱的來歷時，可以使用這個表達式。它的前面要有解釋、說明的內容。例如：

> 人們在端午節的時候一般要吃粽子，因此端午節在有些地方又叫粽子節。
>
> 舊金山的英文名字是San Francisco，因此它的中文名字又叫三藩市。

3. 據説……

> "據説人們在菩薩的幫助下，中秋佳節時舞動火龍，便把病魔趕跑了。"

"據説"的意思是據別人説。在説明一件事的過程中，如果要説明的事實不能確定時，就可以用"據説……"。"據説"要放在句子的開頭。例如：

> 據説那個球隊已經解散了。
> 據説地球的壽命只有幾十億年。
> 據説學校明年要開AP中文課。

4. 相傳……

> "相傳古代有一對青年夫婦，……"

"相傳"是長期以來互相傳説的意思，一般在講述一個傳説的故事時使用。在解釋和説明的過程中，如果要講這個故事，或者需要用這個故事作爲説明材料，就可以在前面加上"相傳"兩字，表示這些材料並非確有實據，只是長期以來輾轉傳説而已。例如：

> 相傳嫦娥本來是后羿的妻子，後來偷吃了長生不老藥，就飛到月亮上去了。
> 相傳大禹治水，十二年沒有回家。
> 相傳牛郎織女是被王母娘娘用銀河隔開的。

(四) 補充文化知識材料

根據正副課文的內容，我們補充了一些相關的文化背景知識，供老師們參考。由於篇幅的關係，其他更多的材料，我們放到網上，請老師上網搜尋。

1. 月餅及月餅的種類

農曆八月十五是中國傳統的中秋節，也是僅次於春節的第二大傳統節日。中秋節的時候，家人會圍坐在一起，一邊賞月一邊品嚐月餅。後來人們逐漸把中秋賞月與品嚐月餅作爲家人團圓的象徵。

月餅在中國有著悠久的歷史。據史料記載，早在殷周時期，現在的江蘇和浙江一帶就已經有了一種名爲"太師餅"的食品。據説"太師餅"是爲了紀念商代的太師聞仲而做的，是我國月餅的"始祖"。到了漢代，由於張騫出使西域，從西域引進了芝麻、胡桃，爲月餅的製作增添了輔料，這時便出現了以胡桃仁爲餡的圓形餅，名曰"胡餅"。到唐代，民間已經有了以做"胡餅"爲業的專業餅師，京城長安也開始出現了糕餅舖。

説起"月餅"這一名稱的來歷，還有一個傳説：有一年中秋，唐玄宗和楊貴妃一起賞月、吃胡餅。唐玄宗覺得"胡餅"這個名字很不好聽。楊貴妃仰望明月，隨口説出了"月餅"，使唐玄宗非常高興。從此，"月餅"的名稱便在民間逐漸流傳開了。

中國的月餅品種繁多，按產地可分爲蘇式、廣式、京式、寧式、潮式、滇式等品種；就口味而言，有甜味、咸味、咸甜味、麻辣味；從餡兒來講，有五仁、豆沙、冰糖、芝麻、火腿等；按餅皮分，則有漿皮、混糖皮、酥皮三大類；就造型而論，又有光面月餅、花邊月餅和孫悟空、老壽星月餅等。這些月餅的花色近似，但風味差別很大：京式月餅的油和餡都是素的；廣式月餅油比較少而糖比較多，外皮和西點類似，以內餡講究著名；蘇式月餅口味濃鬱，油和糖都很多，月餅的外皮潔白，層次多且薄，吃起來比較鬆酥；潮式月餅餅身比較扁，餅皮潔白，以酥糖爲餡，入口香酥。

直到現在，中秋節的月餅和春節的餃子一樣，仍然是中國人不可缺少的食品。人們在中秋的時候不但要自己吃月餅，還要向親戚朋友贈送月餅，把團圓和祝福通過這圓圓的月餅傳遞給他們。

2. **嫦娥、吳剛、玉兔**

嫦娥奔月的傳説

相傳，遠古時候，有一年天上出現了十個太陽，烤得大地乾旱，江河枯竭，百姓幾乎無法再生活下去了。一個叫后羿的神箭手射下了九個太陽，拯救了百姓。后羿因此受到很多人的尊敬和愛戴，不少人慕名前來拜師學藝。一個心術不正、名叫逢蒙的人也混了進來。

後來，后羿從西王母那裏得到了一包不死藥。據説吃了這個藥就能升天成仙。然而，后羿捨不得撇下妻子嫦娥獨自升天，就把不死藥交給嫦娥保管。嫦娥藏藥的時候不小心被逢蒙看到了。

過了一段時間，后羿帶著學藝的人出去練箭，逢蒙假裝生病，留了下來。后羿走後不久，逢蒙就威逼嫦娥交出不死藥。嫦娥知道自己不是他的對手，危急之時拿出不死藥一口吞了下去。嫦娥吞下藥，身子立時飄離地面，衝出窗口，向天上飛去。由於嫦娥牽挂著丈夫，便飛落到離人間最近的月亮上成了仙。

后羿回來時，逢蒙早已經逃走了。悲痛欲絕的后羿，仰望著夜空呼喚妻子的名字。這時他驚奇地發現，這天的月亮格外皎潔明亮，而且有個晃動的身影酷似嫦娥。后羿急忙擺上香案，放上她平時最愛吃的東西，遙祭在月宮裏眷戀著自己的嫦娥。百姓們聞知嫦娥奔月成仙的消息後，也紛紛在月下擺設香案，向善良的嫦娥祈求吉祥平安。從此，中秋節拜月的風俗在民間流傳開了。

嫦娥奔月的故事古書中很早就有記載。《淮南子‧覽冥訓》説："羿請不死之藥於西王母，姮娥竊以奔月，悵然有喪，無以續之。"高誘解釋説："姮娥，羿妻。羿請不死藥於西王母，未及服食之，姮娥盜食之，得仙，奔入月中爲月精也。"這裏的"姮娥"就是嫦娥。這個記載説，嫦娥偷食了后羿的不死之藥而成仙，飛上了月亮。這與現代流傳甚廣的"嫦娥奔月"的故事很不一樣。

吳剛

吳剛是傳説中的月宮裏的人。月亮上的廣寒宮前，桂樹生長繁茂，有五百多丈高，下邊有一個人在砍伐它，但是每次砍下去之後，被砍的地方又立即合攏了。幾千年來，就這樣隨砍隨合，這棵桂樹永遠也不能被砍倒。據説這個砍樹的人就是吳剛，他本是漢朝西河人，曾跟隨仙人修道，到天界後犯了錯誤，仙人就把他貶到月宮，讓他每天做這種徒勞無功的苦差使，以示懲處。

玉兔

相傳月亮之中有一隻兔子，渾身潔白如玉，所以稱作"玉兔"。這隻白兔拿著玉杵，跪地搗藥，誰服用了這藥丸就可以長生成仙。這個掌故來源於道教，久而久之，玉兔便成爲月亮的代名詞，古代文人寫詩作詞，也常常以玉兔象徵月亮。

關于玉兔登上月宮，有這樣的傳説：相傳有三位神仙變成三個可憐的老人，向狐狸、猴子、兔子求食。狐狸與猴子都有食物來幫助老人，唯有兔子束手無策。後來兔子説："你們吃我的肉吧！"于是就躍入火中，將自己燒熟。神仙很受感動，就把兔子送到月宮，成了玉兔。

3. **清明節**

清明節在冬至後的106天，一般是在公曆的四月五號，是中國傳統的紀念祖先的節日。紀念祖先的主要形式是祭祖掃墓。掃墓俗稱上墳，是紀念死者的一種活動。漢族和一些少數民族多是在清明節掃墓。按照舊的習俗，掃墓的時候，人們要攜帶食物、紙錢等物品到墓地，將食物供祭在親人墓前，再將紙錢焚化，并爲墳墓培上新土，折幾枝嫩綠的新枝插在墳上，然後叩頭行禮祭拜。這種習俗延續到今天，已隨著社會的變化而逐漸簡化。掃墓當天，子孫們先對先人墳墓及周圍的雜草進行修整和清理，然後供上食品、鮮花等。

4. 屈原的故事與划龍舟的起源

　　屈原名平，字原，戰國時期楚國人，是中國歷史上著名的愛國詩人。當時楚國和秦國是兩個强大的諸侯國，他們都在試圖爭奪霸權。屈原是楚國的貴族，很受國君楚懷王的信任。爲了使自己的國家能更爲强大，屈原主張修明法度、選用有才能的人并且限製貴族的特權，從而深受人民的擁護和愛戴。但他的主張遭到守舊派的反對，他們不斷在楚懷王面前詆毀屈原，而楚懷王也聽信了這些對屈原不利的話，逐漸疏遠他。屈原在頃襄王時被放逐。屈原被放逐後，因感嘆正直的人不被接受而小人又蒙蔽國君，便充滿憂思地寫下了不朽詩篇——《離騷》。公元前229年，秦國攻占了楚國八座城池，接著又派使臣請楚懷王去秦國議和。楚懷王一到秦國就被囚禁起來，三年後客死于秦國。楚國新國君頃襄王即位不久，秦王又派兵攻打楚國，頃襄王逃離國都郢都，秦兵攻占了郢城。屈原在流放途中，聽到楚懷王客死和郢城被攻破的噩耗後，萬念俱灰，投入汨羅江自殺身亡。

　　傳説江上的漁夫和岸上的百姓聽説屈原投江自盡，都紛紛來到江上，奮力打撈屈原的尸體。人們拿來了粽子、鷄蛋投入江中，有些人還把雄黃酒倒入江中，以便喂飽、藥昏蛟龍水獸，使屈原的尸體免遭傷害。據説屈原投江是在農曆五月五號，所以從那以後，每到農曆的五月初五，人們都到江上划龍舟、投粽子，以此來紀念屈原，端午節的風俗就這樣形成并流傳下來。現在，划龍舟已經由群衆性的紀念活動發展成爲群衆性的體育活動，龍舟競渡幾乎遍及全中國。近年來，划龍舟又發展成了一項體育比賽，定期在全國舉行。

5. 李白、蘇軾和他們的詩詞

李白

　　李白是中國唐代著名詩人，字太白。課文中節錄的是他的著名詩歌《静夜思》中的兩句。全詩如下：

　　　　床前明月光，疑是地上霜。

　　　　舉頭望明月，低頭思故鄉。

　　"舉頭"是抬頭的意思。全詩通過對月景的描寫，表達了作者思念故鄉的感情。

蘇軾

　　蘇軾是中國宋代著名的文學家，字子瞻，號東坡居士。課文中節錄的是他的著名詞作《水調歌頭·明月幾時有》中的兩句。全詞如下：

　　　　明月幾時有？把酒問青天。不知天上宮闕，今夕是何年。我欲乘風歸去，又恐瓊樓玉宇，高處不勝寒。起舞弄清影，何似在人間。

　　　　轉朱閣，低綺户，照無眠。不應有恨，何事長向別時圓？人有悲歡離合，月有陰晴圓缺，此事古難全。但願人長久，千里共嬋娟。

《同步訓練》參考答案及相關提示

Section One

I.　Multiple Choice (Listen to the dialogs)
　　答案：

1.　B	2.　C	3.　D	4.　C	5.　C	6.　D
7.　D	8.　B				

聽力錄音文本：

1. (Woman)　管理員，我想借這本書，可以嗎？
　　(Man)　　(A) 圖書館裏有多少本書？
　　　　　　(B) 這本書只能在這兒看。
　　　　　　(C) 這本書的定價是10塊錢。
　　　　　　(D) 圖書館的管理比較嚴。

2. (Woman)　能把電視機聲音關小一點兒嗎？
　　(Man)　　(A) 關於電視機，我知道得很少。
　　　　　　(B) 你想看什麼電視節目？
　　　　　　(C) 關小了我聽不見。
　　　　　　(D) 這臺電視機確實不大。

3. (Woman)　你的錶好像快了十分鐘，你要不要對一下時間？
　　(Man)　　(A) 不知道這個時間對不對。
　　　　　　(B) 等幾分鐘也不算什麼。
　　　　　　(C) 電影十分鐘以後結束。
　　　　　　(D) 我昨天剛調過錶啊。

4. (Woman)　你什麼時候進來的？嚇了我一跳！
　　(Man)　　(A) 我倒是跳得挺高的。
　　　　　　(B) 我的膽子的確很小。
　　　　　　(C) 我真的不是故意的。
　　　　　　(D) 你到底躲在什麼地方？

5. (Man)　　你是怎麼知道這個消息的？
　　(Woman)　(A) 誰知道這個消息？
　　　　　　(B) 這條消息特別重要。
　　　　　　(C) 我每天都看報紙。
　　　　　　(D) 還沒有人告訴我呢。

6. (Woman)　這裏能用信用卡結帳嗎？
　　(Man)　　(A) 您來點兒什麼？
　　　　　　(B) 您還沒有付錢呢。
　　　　　　(C) 這裏不賣信用卡。
　　　　　　(D) 這裏只能使用現金。

7. (Woman) 明天大風降溫，你最好多穿點兒衣服。

　　(Man) 沒事兒，我身體好著呢。

　　(Woman) (A) 好是好，衣服還是要買的。

　　　　　　(B) 好是好，就是氣溫太低。

　　　　　　(C) 你還有什麼事兒嗎?

　　　　　　(D) 你還是要小心感冒啊。

8. (Woman) 你的頭髮看上去挺亂的。

　　(Man) 這是今年最流行的髮型。

　　(Woman) (A) 什麼髮型最時髦?

　　　　　　(B) 一點兒都不好看!

　　　　　　(C) 我來幫你理髮吧。

　　　　　　(D) 理髮店就在這附近。

II. Multiple Choice (Listen to the selections)

答案:

1. C	2. A	3. C	4. B	5. D	6. C
7. D	8. D	9. B	10. B	11. D	12. B

聽力錄音文本:

Selection 1

(Narrator) Now you will listen twice to a voice message.

(Man) 媽媽，我是傑克。今天我去北京的同學家裏做客了。他們家住在一個四合院裏，這還是我第一次見到四合院呢。我的同學家是一個大家庭，我見到了他的爸爸媽媽、爺爺奶奶和他自己外，還有他爺爺的爸爸，都九十多歲了，身體特別棒。我的同學說像他這樣的家庭在中國叫"四世同堂"。

(Narrator) Now listen again.

(Narrator) Now answer the questions for this selection.

Selection 2

(Narrator) Now you will listen twice to a conversation between two students.

(Woman) 你快來看，電視裏正在播划船比賽呢。

(Man) 那不是一般的划船比賽，那是賽龍舟。

(Woman) 賽龍舟?

(Man) 對啊，這樣的比賽一般在端午節的時候舉行。比賽用的船也經過了特殊的裝飾，看起來就好像一條龍一樣。

(Woman) 對了，我想起來了。聽說這個節日是爲了紀念中國古代的一個詩人。

(Man) 對，而且這一天還要吃一種特殊的食物，那就是"粽子"。

(Narrator) Now listen again.

(Narrator) Now answer the questions for this selection.

Selection 3

(Narrator) Now you will listen twice to a conversation between two students.

(Woman) 你這張照片照得不錯，衣服也很特別。

(Man)　　　　　這件衣服是我去年過年的時候買的，是傳統的中式服裝。

(Woman)　　　　中國人過年的時候都要穿傳統服裝嗎？

(Man)　　　　　那倒不一定，不過最近比較流行。我穿的叫"唐裝"。

(Woman)　　　　有女式的唐裝嗎？春節快到了，我也想穿這個式樣的。

(Man)　　　　　當然有了，走，我帶你去買。

(Narrator)　　　Now listen again.

(Narrator)　　　Now answer the questions for this selection.

Selection 4

(Narrator)　　　Now you will listen twice to a voice message.

(Man)　　　　　讓我們來瞭解一下從今晚到明天的天氣情況。今天晚上和夜間將會有小雨，受它的影響，氣溫下降得很快，最低氣溫將達到攝氏零下1度。由於這場小雨要持續到明天上午才會結束，所以明天白天的最低溫度僅爲攝氏5度。午後天氣會慢慢變晴，最高溫度爲攝氏10度。

(Narrator)　　　Now listen again.

(Narrator)　　　Now answer the questions for this selection.

III.　Multiple Choice (Reading)

答案：

1. D	2. A	3. B	4. D	5. A	6. D
7. B	8. C	9. D	10. B	11. A	12. D
13. B	14. C	15. D	16. B	17. D	18. C
19. A	20. B	21. C	22. C	23. D	24. A

Section Two

I.　Free Response (Writing)

1. Story Narration

The four pictures present a story. Imagine you are writing the story to a friend. Narrate a complete story as suggested by the pictures. Give your story a beginning, a middle, and an end.

寫作提示：

　　這則看圖寫作主要是考查你對事件進展的觀察和恰當描述，關鍵在於交代出事件經過的合理變化。你需要運用你所瞭解的有關中國節日習俗的知識，發揮你的想像。下面的表達可供參考：

(1) 交代事件的開始。

　　　　這一天是中秋節，媽媽給清華打電話，說……。可是，清華這天……，他告訴媽媽……

(2) 敘述事件的變化。

　　　　清華放下電話，覺得……，於是……，他急急忙忙……，買了……，就趕緊……

(3) 交待事件的進展。

　　　　清華終於在……時候趕回了家，他……媽媽沒想到……，……極了。

(4) 交代事件的結局並描述人物的動作、情態。

　　　　一家人吃完了晚飯，圍坐在一起，……地吃月餅，……賞月，非常……

2. Personal Letter

Imagine you received a letter from a pen pal. In the letter, he mentions that young people in China like to celebrate western festivals, among which Valentine's Day is the most popular. However, he knows nothing about this festival and would like to find out more from you. Write a reply in letter format. Tell your pen pal about the origins of Valentine's Day and how it is celebrated in the United States. Provide as much detail as you can.

回信建議：

　　這是一封瞭解有關節日的信件，你可以參考下面的步驟和表達方式回信：

(1) 問候。

(2) 重複主要信息。比如：

　　　　你在信中問到關於美國情人節的問題，我很樂意向你說說我所知道的，希望……

(3) 主要內容。

　　① 首先簡要介紹一下情人節在美國的普遍情況。可以直接介紹，如：

　　　　一般來說，情人節是一個……的節日，通常……

　　　也可以通過它和其他節日的比較來說，如：

　　　　對於西方的節日，可能你們知道最多的就是感恩節和聖誕節，和這兩個節日相比，情人節在美國……

　　② 再重點說明一下情人節的來歷及美國人如何過情人節。你可以先概括地說一說，然後再舉例說明，比如：

　　　　據我所知，情人節的來歷是這樣的：據說，……

　　　　在情人節這一天，人們會……尤其是……

　　　你還可以談談情人節的節日風俗在不同地方有什麼差異，或者近些年來有什麼變化。比如：

　　　　在美國不同地區，情人節……。在我的印象中，情人節的風俗……。現在，大多數人……

　　③ 除此之外，你還可以談談你的個人感想，以及你對中國人過這個節的疑問。

(4) 祝福語、署名和寫信日期。

教師手冊

3. E-Mail Response

Read this e-mail from a friend and then type a response.

發件人：劉葉

主　題：求助！幫我出個主意

　　剛剛結識了我們學校的一個美國留學生，感覺人很不錯，正好萬聖節就要到了，想給他送個禮物，表示一下祝賀，但畢竟彼此之間還不夠熟悉，不知道在這個節日裏送什麼比較合適？請根據美國人的習俗給我出個主意吧！在此我深表謝意。

回信建議：

(1) 重複信中的主要問題。如：

　　　　你在郵件中問到，對一個新結識的美國男生，萬聖節送什麼禮物。

(2) 給出簡明扼要的建議，並説明理由。注意要用建議的口吻。如：

　　　　我覺得，在這種情況下，你可以……或者還可以……

　　　　因爲萬聖節對於美國人來説，是一個……的節日，在這個節日裏，……，所以，……也會很好。

(3) 結束部分。這封郵件可以通過對朋友祝福的方式來結束。如：

　　　　希望我的建議能對你有幫助，祝你和你的新朋友有一個快樂的萬聖節。

4. Relay a Telephone Message

Imagine your grandfather is visiting your family from China. You arrive home one day and listen to a message from your grandfather on the answering machine. The message is for your father. You will listen twice to the message. Then relay the message, including the important details, by typing a note to your father.

(Man) 大明，給你打了幾次電話都没人接，你媽叫我乾脆給你留個言，也不知道你什麼時候能聽到這個留言，我和你媽媽都等著你馬上回電話啊。我們的飛機是下週一的，你姐姐送我們上飛機，航班號是CA78V，你姐姐説中間不用轉機，是中國國際航空公司的，空姐們都説中國話，這樣對於我們就會比較方便。起飛時間是北京時間的10月11日13點10分，你姐姐説到達你們那兒的時間是你那兒的10月11日13點55分。我和你媽媽帶的行李不少，到時候你們怎麼接我們？上次説的那些東西夠不夠，還要不要帶其他東西，快點告訴我們。

轉述建議：

(1) 首先，注意人稱的轉換。如："我"要換成"我爺爺"，"你"換成"您"。

(2) 其次，要交代清楚爺爺電話中説的主要內容、主要問題。如：

　　　　爺爺打電話告訴您他和奶奶的航班號是……，是……航空公司的，起飛時間……，到達時間……

　　　　爺爺想問您……，還問您……

　　　　爺爺希望您儘快給他回個電話。

II. Free Response (Speaking)

1. Conversation

You are chatting with yur friend, a senior high school student in China, about preparing gifts.

(1) 問題一：在你的記憶中，你得到過的最心愛的禮物是什麼，爲什麼？

回答建議：

這個問題的重點在於後一問的"為什麼"，所以，在直接給出"最心愛禮物"的回答後，應該著重說明原因。比如：

那是因為……

那是……送給我的，當時……，所以我至今一直……

(2) 問題二：你給別人送的禮物受歡迎嗎？你印象最深的是送給誰的禮物、什麼禮物，為什麼？

回答建議：

這是三個連續提問，也是同一個類型問題的層層追問。與第一個問題相比，一個是問"得到的禮物"，一個是問"送出去的禮物"，所以這兩個問題構成同類型問題的兩個側面，但都與個人經歷直接相關，因此，回答的策略與第一個問題是相同的，即直接給出答案，然後說明原因。

(3) 問題三：在美國，一般什麼場合一定會給別人準備禮物？

回答建議：

① 從這個問題開始，提問者的意圖開始轉向關於"送禮"話題的文化層面，因此你回答的並不是個人觀點，而是提供你所知道的信息。對於這類問題，可以採取先總說、再分說或舉例說明的回答策略。比如：

在美國，一般來說，在……場合中，我們一定會給別人準備禮物。比如……再比如……

② 如果還有剩餘的時間，你也可以說明原因：

因為在這樣的場合中，送禮可以表達人們的祝福。

(4) 問題四：在美國，給別人送禮，有什麼特別需要注意的，或者說有什麼禁忌嗎？

回答建議：

與問題一、二相同，問題三、四構成一類問題的兩個不同層面。這個問題問的是關於"送禮"話題的文化禁忌問題，考查的也是你對相關文化問題的瞭解。回答策略可以和上一題類似。比如：

據我所知，在美國給別人送禮，主要要注意……，比如……再比如……特別是……一定是忌諱的。如果這個時候不注意……那麼……，所以……應該注意。

(5) 問題五：現在有個美國男生，他要在我們學校學習兩年，我們關係還不錯，他馬上要過生日了，我想給他送個生日禮物，你有什麼樣的建議？

回答建議：

這個問題和下面一個問題，都是要求你以美國本土文化者的身份對如何給一個美國人送禮提出建議，所以可以根據你對問題情景的不同假設，作出具體回答。比如：

我覺得這要看……個方面。首先，要看你們倆的熟悉程度，……；其次，要看……；當然還要看……。如果你們……，那我建議你可以考慮給他送個……；如果……，你就……

這樣，多種假設和判斷前提下的具體建議，將會使你的回答充實而完善。但是要注意時間的把握。

(6) 問題六：今年寒假，我要去美國，住芝加哥的小姨和姨父家，你覺得我給他們帶去什麼禮物比較好？

回答建議：

這個問題和第五題基本相同，可以參照其回答策略和表達式進行回答。

2. Cultural Presentation

In your presentation, describe how Chinese people celebrate the Dragon Boat Festival. You should mention details such as the special food (*Zongzi*) and the activities (the dragon boat race itself).

回答建議：

　　這是一道關於中國傳統節日的文化表述題，並要求你重點說說和節日相關的食品和活動。你可以從節日來歷、節日的文化含義說起，然後，談談相關的節日習俗，並可以把節日食品和節日活動放到這個大背景中來具體表述，也就是說，不要把這道題理解成三個問題而分別作答，而要在一個統一的整體框架下進行闡述，這樣你的表述將顯得連貫而完整。

(1) 節日來歷和文化含義。

　　端午節是中國的一個傳統節日，它的時間在……，它大約起源於……，據說和……有關。現在，人們過這個節日的意義在於……，……是這個節日的特殊習俗，它體現了……，意味著……，表達了人們的……

(2) 節日食品和節日活動。

　　其中，粽子是和端午節相關的特殊節日食品，它是由……做成的，一般呈……形狀，味道有……也有……。據說，最早人們在端午節做粽子是為了……，現在……。而在中國的某些南方地區，除了吃粽子，賽龍舟也是端午節的重要活動……

(3) 最後，你可以特別說明一下你對這些節日習俗、食品和活動的看法，以使你的表述有個性、有深度，如：

　　我覺得端午節反映了中國人的……觀念，體現了中國人的……文化特徵，尤其是和這個節日相關的……給我的印象非常深刻，如果有機會，我想深入了解……

3. Event Plan

You have the opportunity to plan a three-day holiday for your family. In your presentation, explain to your parents what you suggest doing. You may compare your ideas with other options and explain why you think your ideas are better.

回答建議：

(1) 首先，簡要說明你的計劃。比如：

　　我計劃這三天這樣安排，第一天我們在……(地點)……(活動)；第二天……第三天……

(2) 其次，解釋這樣安排的理由。可以從地點、活動具體安排等方面逐一說明。比如：

　　選擇……是因為，三天的時間不長，我們不可能，而只能……，還有我……爸爸需要……媽媽也想……所以……

(3) 再次，進行比較。為了強調說明你的計劃的合理性和優越性，你可以把它和其他可能的安排進行比較。比如：

　　如果不這樣安排的話，也可以……但那樣可能就會……那會很可惜……

　　如果不這樣，我們的……又不允許，而且和……相比，這樣的安排更能……

(4) 簡要說明計劃需要的準備工作，表述的時候，也要從計劃的便利性、可行性的角度進行說明，以進一步體現你的計劃的優越性，增強說明力。比如：

　　這樣的安排很方便，我們只需要……就……爸爸負責……媽媽管好……我……

(5) 最後，還應該用商量的口吻，聽取爸爸媽媽的意見，如：

　　這只是我的想法，爸爸媽媽覺得怎麼樣，我們可以一起再商量商量吧。

UNIT 5 Travel and Transportation
旅遊與交通

單元教學目標

一、 溝通

1. 學會敘述與説明的表達方式，比如如何用恰當的語言圍繞主題進行陳述，使別人對你的陳述產生興趣等。

2. 學會幾種常用的建議和提醒方式，嘗試和同伴就某種情形進行協商，並儘量讓別人接受你的主張。

二、 比較

比較中國與美國或其它相同緯度國家的地理環境、旅遊資源以及氣候特徵。

三、 文化

通過本課的學習，瞭解中國著名的名勝古蹟。

四、 貫連

與地理知識相貫連，收集資料，獨立研究，瞭解中國、美國或其他國家的地理環境、旅遊資源以及氣候特徵。

五、 實踐活動

通過製定旅遊計劃，實際運用所學到的漢語知識和文化知識。同時，對別人的旅遊計劃提出建議，並對其中可能出現的問題予以提醒。

單元導入活動説明

本單元介紹中國的旅遊與交通，重點放在對中國地域的整體認識和對中國名勝古蹟的瞭解上。建議引導步驟如下：

第一步： 展示中國地圖，説明中國的位置、面積、接壤國家。

第二步： 展示長城、秦始皇兵馬俑、故宮、杭州西湖、蘇州園林的照片，讓學生説出自己知道的情況，如果學生完全不了解，可以就照片展示的情景讓學生談談看到了什麼，有什麼疑問。

教師手冊

第九課 Planning a Trip to China
我要去中國旅遊

一、本課教學重點

(一) 熟悉中國最著名的幾處名勝古蹟。

(二) 運用所學詞語以及表達式就相關話題説明切實可行的活動計劃。

(三) 熟悉給別人提出建議的幾種方式；運用相應的表達方式與別人就某種情形進行協商。

二、本課的難點

(一) 詞語：注意"乘"和"坐"不同的語體色彩以及搭配對象。

(二) 語言點：

1. 疑問語氣詞以及疑問句。本課對疑問語氣詞"……嗎？""……呀？""……吧？"以及相關疑問句進行了綜合講解，要用對比的方法讓學生充分理解這些語氣詞以及相關疑問句在使用上的區別以及聯繫，並且結合學生以往所學，幫助學生掌握疑問的表達方式。

2. "怎麼能……""要不……，……也行""最好+V""……怎麼樣"、"……好不好"五個表達式用來表示"建議"和"提醒"時的區別和聯繫。

三、有用的教學資源

(一) 有關中國各地風土人情的圖片。（如北京故宮以及長安街上的車水馬龍、西藏布達拉宮以及念經的和尚等等）。

(二) 《世界漢語》雜誌。該雜誌圖文並茂，是一本專門針對漢語為第二語言學習者的新雜誌，每期都有關於中國各地風土人情、自然風光以及探索與發現等有趣內容。

四、教學安排導引

針對不同學習內容，各教學模塊及其教學設計和參考課時索引見下表。

教學模塊		交際模式	可選用的教學活動設計		課時建議
新課學習	課文閱讀與理解	理解詮釋 人際互動	教學設計1 教學設計2 教學設計3	教學設計分為必選和可選兩種，可選的活動以"可選"標明，具體實施順序請教師根據本班學生實際情況自定。	5—7課時
	詞語講解與練習	理解詮釋 表達演示	教學設計4 教學設計5		
	重點句型講解與練習	人際互動 表達演示	教學設計6 教學設計7		
交際活動		人際互動 表達演示	教學設計8		1課時
寫作訓練		表達演示	教學設計9		1課時
綜合考試訓練		綜合	教學設計10		1—2課時

注：寫作訓練活動可根據本班實際情況選做；綜合測試題應根據本班實際情況在課堂上選做或讓學生課外完成。

五、具體教學活動設計的建議

教學模塊 *1* —▶ 新課學習

(一) 課文閱讀與理解

🗣 **教學設計1**

內容：主課文導入。

目的：通過對學生已有記憶或經驗的激活，爲理解主課文、瞭解其中的文化含義做好學習準備。

步驟：

第一步：　學習本課主課文之前，請學生們談談他們是否去過中國，去過哪些地方。指導他們進行"讀前思考"，可提出下列思考題：

　① 你現在最想去什麼地方旅遊，爲什麼？

　② 如果你去中國，最想去什麼地方？ 爲什麼？

第二步：　積極展開交際互動，方式靈活多樣，比如可以讓個別學生回答問題、其它同學補充，也可以讓學生充分展開小組討論，在討論過程中老師巡視全班，給出及時指導。

第三步：　最後老師和同學們一起展開全班性討論，老師結合自身經歷或感受談談對這兩個問題的看法。

預期效果：通過有效的師生互動以及生生互動，激活學生對"旅遊和交通"尤其是"中國旅遊"話題的知識儲備和興趣點，以便順利進入本課的學習。另一方面，通過問題的提出，引發學生思考，以便下一步展開對本課文化比較內容的教學。

🗣 **教學設計2**

內容：主課文第一部分聽讀以及講解。

目的：讓學生帶著問題仔細聽或認真讀課文，在了解課文大意的基礎上抓住重要細節。

步驟：

第一步：　根據實際情況，靈活採用各種方式讓學生理解課文中對話的背景，比如相關時間、地點以及人物關係。

第二步：　老師根據下列問題所針對的課文內容，讓學生仔細讀或者聽課文。可以先提出問題，讓學生帶著問題讀或聽；或者讓學生先讀完、聽完之後，再提出問題。

　① 堂兄弟是什麼關係？

　② 曉明的寒假有什麼計劃？

　③ "讀萬卷書，行萬里路"是什麼意思？

　④ 曉强同意曉明的想法嗎？ 他是用什麼方式提醒曉明的？

第三步：　老師根據學生的回答情況串講課文，並可和重點詞語的講解結合。相關詞語的詳細講解和文化背景材料請分別參考後文"六（一）"和"六（四）"中的相關內容。

🗣 **教學設計3:**

內容: 主課文第二部分聽讀以及講解。

目的: 讓學生理解課文大意,能夠區別課文中提到的不同景點的特徵以及相應的旅遊交通方式。

教學重點: 對於課文第二部分的教學,方式上可以和第一部分類似,或者視具體情況作靈活調整。這部分學習主要是讓學生理解課文內容、接觸中國幾處最富盛名的景點或名勝,並初步瞭解這些名勝的特點以及所蘊含的人文歷史等文化內涵。另外要瞭解相關景點遊覽的交通方式,讓學生聯繫自己的旅行經歷,體會旅遊文化的要素。老師可以提出下列問題引導學生的學習:

① 曉明的想法有了怎樣的改變?

② 曉強是怎樣幫助曉明計劃的?

③ 在他們的計劃中,都要乘坐哪些交通工具?

④ 他們計劃在西安安排哪些活動?

⑤ 你知道敦煌的壁畫嗎?說說你瞭解到的情況。

⑥ 如果你去中國旅遊,你會怎樣設計旅遊計劃?

第二步: 老師將黑板上的問題逐一提出,請學生回答,然後請其他同學重複或補充答案,要求學生找出課文中相關的句子來回答問題。

第三步: 老師根據學生的回答情況逐一講解問題,並可和重點詞語的講解結合。相關詞語的詳細講解和文化背景材料請分別參考後文中的"六(一)"和"六(四)"。

組織要點: 對課文中出現的大量地名以及物名,學生不一定都感興趣,可能產生一定的記憶負荷,老師最好能夠利用圖片以及錄像等輔助材料加深學生對這些名勝古蹟的印象,不需要讓學生一下子記住那麼多名詞,重點是讓學生大致了解名勝古蹟所蘊含的文化內涵。

(二) 詞語講解與練習

🗣 **教學設計4(可選)**

內容: 你來我往編故事。

目的: 通過這個活動,讓學生在語言運用過程中牢記課文中的掌握詞以及理解詞。

步驟:

第一步: 把學生分組,每組至少兩人以上,讓他們先熟悉課文中的生詞及其用法。

第二步: 學生運用課文中出現的生詞你一言我一句,一起編一個有連續性的故事,比如第一個同學用生詞"寒假"隨意造一個句子,"寒假到了。"第二個同學則要選用課文中其他生詞接一個句子,如"我想和爸爸商量商量旅遊的事"。如此繼續,直到無法用課文中的生詞把故事編下去。

預期效果: 本活動的趣味性以及競爭性可以激發學生的參與熱情從而有效幫助學生理解、記憶和運用所學詞語。

組織要點: 進行此活動時要注意把程度較高的學生和程度較低的學生交叉分組,避免活動陷入僵局。

🗣 教學設計5

內容：選詞填空。

目的：通過這個活動，讓學生在語言運用過程中牢記課文中的掌握詞。

步驟：請參考《學生用書》中的本課詞語練習（VOCABULARY IN CONTEXT）。

預期效果：這個練習可以讓學生加深對本課重點掌握詞語用環境的理解，在語言運用過程中複習和記憶相關生詞。另外由於練習的內容與課文話題的相似性，可以讓學生複習並拓展對課文內容的理解。

組織要點：如果學生不能獨立完成所有的填空，則鼓勵學生和同伴交換意見，讓他們在協商過程中，強化對本課重點詞語的掌握。

(三) 重點句型講解與練習

🗣 教學設計6

內容：判斷句子正誤、看圖說句子。

目的：通過對重點句型的理解和實際運用，掌握本課的重點句型。

步驟：請參考《學生用書》中的句型練習（LANGUAGE　CONNECTION）。句型的詳細講解請參照後文中的相關內容。

擴展：可以鼓勵學生仿照練習中的情景，自己再想出一到兩個情景，用重點句型說出句子或者對話。

🗣 教學設計7

內容：模仿情景，完成交際任務。

目的：模擬真實情景，在具體的交際任務下練習使用本課的常用表達式。

步驟：請參考《學生用書》中的常用表達式練習（COMMON　EXPRESSIONS）。詳細講解請參考後文相關內容。

組織要點：想象具體情景，在具體的任務導向下完成交際活動是本活動成功的重要保證，所以，應鼓勵學生把情景想象得足夠具體和真實。

教學模塊 *2* —— 交際活動

🗣 教學設計8

內容：告訴你一個精彩的地方。

目的：能夠向同伴介紹、說明一個具體的旅遊景點；在具體的交際活動中進一步鞏固與"建議和提醒"功能項目相關的有用表達式。

步驟：請參考《學生用書》中的交際練習（COMMUNICATION CORNER）。

組織要點：

1. 這個活動首先要讓學生課前自己查找資料，作好充分準備。老師也可以提供一些相關影像資料或者是旅遊手記，便於調動學生的興趣。

2. 在活動過程中，要鼓勵學生儘量多說，把自己的發現以及旅行主張充分表達出來，以便於勸說別人接受自己的推薦。

3. 要創造競賽的氛圍，可以搞分組競賽或者是小組選拔代表參加全班比賽，從而激發學生進行交際互動以及表達演示的積極性。

4. 注意提醒學生表達觀點或勸說別人的時候要儘量使用或參考本課的有用表達式以及其他有用例句。

教學模塊 *3* ── 寫作訓練

🗣 教學設計9

內容： 我的旅行日記。

目的： 訓練學生對旅行中的活動或某個旅遊計劃的描述能力。

步驟： 請參考《學生用書》中寫作練習（WRITING　TASK）。

訓練要點：

1. 這個寫作訓練首先要喚起學生對旅行體驗的回憶，激發學生的寫作欲望。
2. 可以在寫作任務開始之前，進行一次頭腦風暴活動，讓學生分組對旅行生活中的一些具體事件、具體活動、具體計劃進行廣泛的討論、交流。
3. 老師可視學生需要補充與本課所學的內容相應的有用例句以及有用表達式。

教學模塊 *4* ── 綜合考試訓練

🗣 教學設計10

內容： 綜合考試訓練。

目的：

1. 通過綜合考試訓練的自我檢測或隨堂選擇性檢測，使學生達到綜合性復習並強化本課所學內容的目的。
2. 借助綜合考試訓練內容與課文內容的互補性，拓展學生對與 "旅遊與交通" 主題相關內容的瞭解和學習。

步驟： 請參考《同步訓練》相關內容。

訓練要點：

1. 完成聽力題（Rejoinders and Stimulus Types）。幫助學生進一步提高對與出行相關的功能項目的理解。
2. 完成閱讀題（Reading）。內容涉及各地風土人情、旅遊體驗以及相關遊覽地點的通告、公告等。
3. 完成 "文化表述" 題（Cultural　Presentation），訓練學生對中國絲綢之路和敦煌文明的表述和說明。
4. 完成對話題（Conversation）、"活動計劃表述" 題（Event Plan）以及寫作訓練的各個子題型（看圖寫故事、個人信件、回復電郵、轉述電話信息等），訓練以及評價學生對旅行活動計劃，個人旅遊經驗相關的事件或情況的敘述表達能力。

六、教學參考資料

（一）詞語講解

　　本課的詞語注釋表中一共列出了51個詞語，其中專有名詞20個，要求學生理解掌握並能正確使用的詞語12個，只要求學生大致理解其文中含義的19個。此外，我們還對本課中的一些詞語進行了詞義辨析，供老師參考。

1. 堂兄弟：同祖而不同父母的兄弟。
2. 記錄：【名】把說的話或發生的事情寫下來形成的資料。

3. 嗨：【嘆】打招呼或引起注意。

4. 嬸嬸：【名】<方言>叔叔的妻子。

5. 讀萬卷書，行萬里路：<諺語>廣泛閱讀各種書籍，瀏覽山川景色，以豐富知識，增長見識。

6. 租：【動】使用別人的東西時付給一定的錢，用完後歸還。

7. 自駕遊：自己開車去旅行。

8. 具體：【形】細節方面明確的。

9. 考慮：【動】思考（以便做出決定）。

10. 景點：【名】供遊覽的風景點。

11. 機場：【名】供飛機起飛、降落、停放的地方。

12. 安排：【動】有計劃地分配、處理（人或事物）。

13. 駕駛執照：交通機關發給的允許開車的憑證。

14. 交通規則：有關道路交通的法律和各種規定的總稱。

15. 出事：【動】發生（不好的）事情。

16. 倒霉：【形】做事不順利，遭遇不好。

17. 專線：【名】專用的線路。

18. 大巴：【名】大型公共汽車。

19. 乘：【動】搭坐交通工具。

辨析 乘—坐

　　兩者都是動詞，都可以做謂語。"乘"的對象一般限於交通工具（汽車、飛機、船等），但是"坐"沒有限製。當都表示"使用交通工具"的意思時，"乘"帶有書面語色彩，"坐"帶有口語色彩。例如：乘飛機前往上海。| 他是坐汽車來的。| 老師站著講課，我們坐著聽課。

---

20. 輕軌：【名】指用輕型軌道鋪設的供電動客運列車運行的城市交通設施。

21. 地鐵：【名】這裏指地下鐵路列車。

22. 胡同：【名】小街道。

23. 人力三輪車：一種有三個輪子、可以載人的自行車。

24. 兵馬俑：【名】用土燒製成的兵和馬的陶俑。

25. 羊肉泡饃：陝西的特色食品，以羊肉和麵餅爲主要原料。

26. 麻辣粉：一種以粉絲爲主要原料的小吃。

27. 餃子宴：以餃子爲主要食物的宴席。

28. 佛教：【名】世界主要宗教之一，發源於古印度。

29. 名勝：【名】著名的風景優美的地方。

30. 壁畫：【名】畫在牆壁或天花板上的畫。

31. 訂票：預訂（車船飛機、電影戲劇等的）票。

專有名詞

32. 敦煌：地名。在甘肅省。以佛教壁畫聞名於世。

33. 新疆：自治區名。在中國西北部。

34. 蘇州：城市名。在江蘇省。是著名的歷史文化名城，也是江南水鄉的代表。

35. 杭州：城市名。在浙江省。著名的西湖在城中心。

36. 十三陵：景點名。在北京郊區，是明朝皇家陵園。

37. 天安門：景點名。在北京市中心。

38. 故宮：景點名。在北京市中心，是世界最大、保存最完好的古宮殿建築群。

39. 北海：景點名。在北京城內，是清朝皇家花園。

40. 天壇：景點名。在北京城南，是中國古代帝王祭祀天的地方。

41. 圓明園：景點名。在北京西北郊，是清代皇家園林。後被八國聯軍焚毀。

42. 頤和園：景點名。在北京西北郊，是清代皇家園林。

43. 黃河：河流名。流經中國北部黃土高原，因水色發黃，故名黃河。它是中國第二大河流，也是中華文明的主要發源地。

44. 秦始皇：中國封建時代第一個皇帝。他在公元前221年統一中國，建立了秦王朝。

45. 華清池：景點名。在陝西臨潼。以溫泉著名。

46. 大雁塔：景點名。在西安市內。它的第一位住持是著名的玄奘法師，現在是西安的標誌名性建築。

47. 小雁塔：景點名。在西安市內。與大雁塔東西相嚮，規模小於大雁塔。

48. 蘭州：城市名。是甘肅省的省會。

49. 莫高窟：景點名。在甘肅省敦煌，以存有中國古代壁畫與雕塑著名稱。

50. 鳴沙山：景點名。在甘肅省敦煌，據說流動的砂子會發出響聲。

51. 月牙泉：景點名。在甘肅省敦煌，因為其形象一彎新月而得名。

(二) 重點句型講解

本課一共有5種需要學生掌握的重點句型，在《學生用書》的 "LANGUAGE CONNECTION" 有簡單的講解。在這裏，我們又作了進一步的講解，供老師們參考。

1. 疑問句及疑問語氣詞

"……嗎？" "……呀？" "……吧？"

本課的疑問句和疑問語氣詞比較多，因此在這裏做一個綜合講解。

疑問句就是具有疑問語調、表示提問的句子。表示疑問可以有多種方法，在字面上的最明顯的區別就是有的使用疑問語氣詞，而有的不使用語氣詞，只靠句子的含意和語調表示疑問。本課中有不少這樣的例句。

(1) 不用疑問語氣詞的：

咱們聊聊？

會不會影響你的學習？

(2) 使用疑問語氣詞的：

你現在有時間嗎？

你的假期有多長時間呀？

疑問語氣詞包括 "嗎、呢、吧、呀" 等，它們雖然都可以表示疑問語氣，但是所表達的具體語義還是有區別的。

"嗎"表示單純的疑問。使用"嗎"的疑問句可以用肯定的形式發問，也可以用否定的形式發問，但是，不能再使用其他的疑問代詞。"嗎"也不能用在是非問句之中。例如：

> 從西安可以直接到敦煌嗎？
>
> 你去過北京嗎？
>
> 他不喜歡吃辣椒嗎？

"呢"與"嗎"相比，在表示單純的疑問上區別不大，但用"呢"的句子可以同時使用其他的疑問詞，如"誰、怎麼、什麼、哪兒"等。"呢"可以在是非問句和選擇問句中使用。例如：

> 老師昨天究竟講了些什麼呢？
>
> 我怎麼一點都不知道呢？
>
> 你們都回來了，小李呢？
>
> 你認爲他的意見對不對呢？（是非問句）
>
> 明天是你去呢，還是我去呢？（選擇問句）

"呀"（有時也寫作"啊"）一般用在有其他疑問詞的句子中，或者用在選擇問句之中。課文中的例句"你的假期有多長呀？"就屬於前一種，句子也可以只用"多長"表示疑問。其它的還有：

> 你是從什麼地方來的呀？
>
> 這本書他還看不看呀？

"吧"與前三個疑問語氣詞相比，其特點是往往不單純表示疑問，而具有一種揣測的語氣，如：

> 你不是想坐著飛機到處飛吧？（我覺得你不是想坐著飛機到處飛。）
>
> 明天咱們有考試吧？（我記得咱們明天有考試吧？）
>
> 你們都想參加AP中文的考試吧？

按：這裏講的疑問語氣詞有的也有其它的用法，如"吧"，可以表示命令、請求、催促、建議等意思。例如：

> 請你幫幫我吧。
>
> 咱們走快一點吧。

"呢"有時也不表示疑問的語氣，而是指明事實，而且還略帶誇張，如：

> 去年的冬天可冷呢。
>
> 他非常喜歡文學，還會作詩呢。

2. ……怎麼辦

> "你又不懂中國的交通規則，出事怎麼辦？"

這是一個反問句，"怎麼辦"不是在向對方詢問辦法，而是一種不同意對方的決定或向對方提出警告的表達方式——提出可能出現的不利情況，以此來反對或警告對方。有時也用來指責對方。"怎麼辦"之前還加上"你說"，以增強反問的語氣。如：

> 去那麼遠的地方，咱們都不認識路，迷路了怎麼辦？
>
> 你總是這麼馬虎，萬一把護照弄丟了，怎麼辦？（警告）
>
> 雨傘、雨衣都不帶，萬一下雨了，你怎麼辦？
>
> 你總是這麼馬虎，這回真把護照弄丟了，你說怎麼辦？（指責）

教
師
手
冊

3. 先……再……然後……

> "你最好先從網上找一張中國地圖，再根據你的時間決定去幾個地方，然後咱們再來商量具體的計劃。"

這個結構用來敘述一組連貫的動作行爲，這些動作行爲之間有必然的聯繫和前後的順序。例如：

> 咱們今天先吃飯，再收拾一下房間，然後出去看電影，怎麼樣？
> 你先看看天氣怎麼樣，再決定是不是能去爬山，然後再準備行裝也不遲。
> 你應該先決定去什麼地方，再去瞭解一下旅遊團的費用和大致活動，然後才能去報名。

4. 經過……

> "我們乘火車去，可以經過河北、山西、河南、陝西四個省，沿路看看風景。"

這裏的"經過"是動詞，是"從某處通過"的意思，後面跟表示處所的名詞。如：

> 從北京坐火車到上海要經過天津。

"經過"的後面也可以是表示時間、動作的詞。例如：

> 經過漫長的歲月，人類才進化到今天。
> 經過大家的努力，這件工作才順利完成。

按："經過"也可以作名詞用，表示一種過程和經歷。如：

> 他把這件事的經過告訴了自己的好朋友。
> 一定要向大家講清楚作出這個決定的全部經過。

5. ……才能……

> "我們得先到蘭州，然後再換一趟火車，坐十幾個小時才能到敦煌。"

"才能"表示只有在一定條件下，才會產生後面的結果。"才能"用於後一小句，前一小句經常有"只有""必須""要""得（děi）"等詞。如：

> 只有多聽多説，才能學好中文。
> 我們必須計劃好旅遊的線路，才能不走冤枉路。
> 大家得早點起床，才能不遲到。

(三) 常用表達式講解

結合本課"與他人協商"這一功能項目，本課重點提出5組在實現這一功能的過程中常用的表達方式。我們在這裏對這些表達式進行了講解和句型擴展，供老師們在引導學生進行表達演示的過程中參考。

1. 怎麼能……

> "二十多天怎麼能去那麼多地方？"

"怎麼能"是用反問的語氣表示不滿意或者反對的意見的表達方式，被否定的內容放在"怎麼能"之後。例如：

> 你怎麼能穿這樣的衣服參加畢業典禮？

我們怎麼能不參加這次活動呢？

發生這樣的事情，大家怎麼能高興呢？

他怎麼能這樣？（不滿意）

2. 要不……，……也行。

"要不咱們租一輛汽車，自駕遊也行。"

這個結構用於提出建議。"要不"是"要不然""不然的話"的意思，一般在否定或者提出一種決定或動作行爲之後、提出一種新的建議時使用；最後的"也行"針對新的建議，是"也可以"的意思，表示肯定。課文中的例句就是在否定"坐飛機"、提出"坐火車、汽車"之後，又提出了"租車自駕遊"的建議。又如：

要不咱們今天不在家吃飯了，出去隨便找個地方吃頓飯也行。

你要不就別回家了，在學校裏和同學們一起過感恩節也行。

要不我還是參加吧，晚回去一會兒也行。

3. "最好"＋動詞

"你最好先從網上找一張中國地圖。"

"最"是比較級的最高級。"最好"是向對方提建議時使用的一種表達方式，表示你所提的建議非常好，勝過其他的。所提的建議放在"最好"的後面。例如：

爲了趕時間，咱們最好別吃飯了。

今天的晚會非常有意思，你最好參加。

要解決這個難題，最好是找一個專家來主持這項工作。

這是他們兩人的私事，大家最好不要干涉。

4. ……怎麼樣？

"咱們這次就在北方旅遊吧。你看北京、西安、敦煌、新疆怎麼樣？"

這是在徵求別人意見時經常使用的表達方式。這句話的意思不是詢問"北京、西安……"等地"怎麼樣"，而是在問"去北京、西安地方旅遊"這個選擇"怎麼樣"？由於上一小句已經說得很清楚了，所以這一小句就省略了動詞。"怎麼樣"也可以單說。例如：

咱們就在這家飯館吃怎麼樣？

我們明天去看場電影，怎麼樣？

大家先去把自己的事情處理一下，再到這裏集合怎麼樣？

5. ……好不好？

"我們租一輛汽車好不好？"

"好不好"是用正反疑問句的形式提出建議、徵求對方意見的表達方法，要求對方給出肯定或否定的回答。"好不好"的前面是具體的建議，用"好不好"來詢問對方是否同意。"好不好"也可以單用。例如：

我們明天去打網球好不好？

你去報名參加北京的漢語短訓班吧，好不好？

咱們一起去圖書館看書好不好？

我想暑假的時候到歐洲去旅遊，好不好？

按：類似的表達方式還有"行不行""能不能""可不可以"等。如：

　　　你今天晚上能不能不看電視了？

　　　咱們現在就去吧，行不行？

當詢問一個事物的狀況、品質等情況的時候，也可以用"好不好"。這個"好"是優點多、令人滿意的意思。例如：

　　　這件衣服好不好？

　　　這個人的中文好不好？

(四) 補充文化知識材料

根據正副課文的內容，我們補充了一些相關的文化背景知識，供老師們參考。由於篇幅的關係，其他更多的材料，我們放到網上，請老師們上網搜尋。

1. 中國地理概況

中國位於亞洲東部、太平洋西岸，陸地總面積爲960萬平方公裏，居世界第三位。它的版圖像一隻頭朝東尾朝西的雄鷄。

中國的地勢西高東低，落差很大。山脉多爲東西走向，河流也大多由西向東。高原和丘陵差不多占三分之二，盆地和平原占三分之一。中國的四大高原——青藏高原、内蒙古高原、黃土高原和雲貴高原主要集中在西部，其中青藏高原平均海拔在4500米以上，被稱爲"世界屋脊"，黃河、長江、瀾滄江都發源于此。盆地多分佈在青藏高原以東的山地，其中以塔里木盆地、準噶爾盆地、柴達木盆地和四川盆地爲最大。丘陵和平原主要分佈在東部，平原以東北平原、華北平原、長江中下游平原和珠江三角洲平原爲最大。

中國大部分地區處於北溫帶，季風氣候明顯，冬天、夏天的風向有比較明顯的變化，大陸性氣候較强。

2. 三山五岳

中國的名山首推五岳。五岳是遠古山神崇拜、五行觀念和帝王封禪相結合的產物，以中原爲中心，按東、西、南、北、中方位命名。東岳泰山被尊爲五岳之首，號稱"天下第一山"，是崇高和神聖的象徵。險峻的西岳華山，奇異的北岳恒山，俊美的中岳嵩山，秀麗的南岳衡山，與五岳之尊的泰山一起，成爲中華民族高大形象的象徵。

傳說"三山"是神仙居住的地方，因此格外受到古人的神往。《史記》中記載："齊人徐福等上書，言海中有三神山，名曰蓬萊、方丈、瀛洲。"三山之説雖然廣爲流傳，但是人們找不到具體的地點，後來人們爲了延續"三山五岳"的美麗神話，就在五岳之外的名山中間又選擇了三座山：安徽黃山、江西廬山、浙江雁蕩山，組成了現在廣爲流傳的"三山五岳"。

三山五岳在中國雖不是最高的山，但都聳立在平原或盆地之上，於是顯得格外高大、險峻。東、西、中三岳都位於黃河岸邊，黃河是中華民族的搖籃，是華夏祖先最早定居的地方。三山處於南方，與中原相距稍遠，繼五岳之後成名，這反映了華夏民族南向的擴展和中原文化的傳播。

3. 北京

北京簡稱京，是中華人民共和國的首都，全國政治、經濟、文化、交通、旅遊以及對外交往的中心。北京位於華北平原北邊，市區面積16807平方千米，人口1083萬（1996）。北京的氣候四季分明，春秋兩季較短。

北京歷史悠久，已有3000多年的歷史。金、元、明、清四朝在此建都，留下了豐富的文化遺產和衆多的名勝古蹟。現已開放的文物古蹟、風景遊覽點有200餘處，主要有故宮、北海、天壇、頤和園、圓明園、八達嶺、十三陵等。

十三陵

明十三陵位於北京市昌平區天壽山脚下，是世界上保存較爲完整和埋葬皇帝最多的墓葬群。陵區面積約120平方公里，明朝十三位皇帝的陵墓坐落其間，各陵均依山面水而建，佈局莊重和諧。此外，陵區內還建有明代妃子墓七座、太監墓一座，并曾建有行宮、苑囿等附屬建築。

明末清初，陵區的部分建築受到戰爭破壞，清乾隆年間對十三陵的主要建築進行過一次規模較大的修葺。中華人民共和國成立後，人民政府先後對長陵、獻陵、景陵、永陵、昭陵、定陵、思陵和神道建築進行了修葺，按計劃成功地發掘了定陵地下宮殿。

1961年十三陵被公佈爲全國重點文物保護單位，現長陵、定陵、昭陵和神道四處景點向遊人開放。

故宮

故宮，舊稱紫禁城，是明、清兩朝的皇宮，曾有24個皇帝在此居住過。故宮始建於明永樂四年，到現在已經有500多年的歷史了。故宮占地面積72萬平方米，四周有長方形圍牆，四角各有一座九梁十八柱的角樓，城外有護城河。故宮內有宮室9999間半，是世界上現存規模最大、保存最完整的古代宮殿建築群。

天壇

以祈年殿、回音壁和圜丘聞名于世的天壇位於北京城中軸線南端東側，是明、清兩代皇帝祭天的聖地，是國內現存最大的一組壇廟建築。

天壇總面積爲273萬平方米，分內、外兩壇，以高大的圍牆相隔。它南部呈方形，象徵地象，北部爲圓形，象徵天象，這一構思體現了古代"天圓地方"的觀念。

天壇最有代表性的建築是祈年殿。它坐落在三層圓形的漢白玉石壇上，是一座三重檐的圓形大殿，高38米，直徑30米。這座大殿在建築和造型上都具有極高的藝術價值。潔白的臺基象徵白雲，深藍色的殿頂象徵蒼穹，柱子、彩畫、鎏金寶頂象徵著彩霞，綜合而成爲藍天玉宇的優美造型。

圓明園

圓明園位於北京西北郊。由圓明園、長春園、萬春園組成，占地面積約5200畝，周長近10公里，建築面積達16萬平方米。

圓明園本是明代的一個故園，經過清朝六代帝王150多年的修建，使它成爲一座舉世無雙的大型皇家宮苑。圓明園裏有極具江南特色的園林美景，也有歐式風格的"大水法""遠瀛觀"等建築，中西合璧，堪稱一絕。圓明園不僅是中國封建時代建築藝術的結晶，而且也是世界罕見的博物館和藝術館。園內珍藏著許多孤本、名人字畫、珍珠玉石、瓷器古玩，被西方國家譽之爲"萬園之園"。

不幸的是，這座名園于1860年10月被英法聯軍劫掠焚毀，在中國歷史上留下慘痛的一頁。

新中國成立後，中國政府經過多年的修整，使園內大部分山形水係得以恢復，再現了山水相依、烟水迷離的江南景致。園內有數十萬株樹木，復建的少量園林建築重現昔日光彩，一些重要遺址得到保護整修，形成了以西洋樓爲代表的宏大遺址群落。

頤和園

頤和園位於北京西郊海淀區，原是清代的皇家花園和行宮，是中國現存規模最大、保存最完整的園林。頤和園規模宏大，面積約2.9平方公里，主要由萬壽山和昆明湖兩部分組成。頤和園以其秀麗的湖光山色、典雅的園林藝術、精美的歷史文物，成爲聞名世界的皇家園林。

胡同

胡同是北京的一大特色，它形成於元朝，已有800多年的歷史。北京的胡同絕不僅僅是供交通的街道，它更是北京普通老百姓生活的場所，是京城歷史文化發展變化的重要舞臺。它記錄了歷史的變遷，時代的風貌，并蘊涵著濃鬱的文化氣息。

所謂胡同，就是由一排一排比鄰的四合院串聯組成的小街道。曲折幽深細細窄窄的胡同大都是正南、正北的，看起來遠不如現代寬闊的馬路，然而這裏卻蘊涵著衆多傳奇經歷和趣聞掌故。胡同像記載民俗風情的長廊，烙下了人們各種社會生活的印記，在數百年的歷史發展中，形成了獨特的胡同文化。胡同是北京的標誌，北京的象徵，也是北京的驕傲。

隨著現代化建設的發展，陳舊的平房被高樓大廈所取代，北京胡同的數量也在急劇下降。爲了保護傳統文化、保護老北京的風韵，中國政府專門保留了一些極具特色的胡同供遊人參觀游覽。

4. 西安

西安古稱長安，是著名的古絲綢之路的起點，其建城史已有3100多年。歷史上西漢、新莽、西晉、前趙、前秦、後秦、西魏、北周、隋、唐等朝代均在此建都，歷時1100多年。在漢唐時期，西安是中國政治、經濟、文化和對外交流的中心，是人口最早超過百萬的國際大都市。"西有羅馬，東有長安"是西安在世界歷史地位的寫照。至今，西安與世界名城雅典、開羅、羅馬齊名，同被譽爲世界四大文明古都。

西安享有"天然歷史博物館"的美稱。秦始皇兵馬俑、秦始皇陵、大雁塔、小雁塔、清真大寺、鐘樓、鼓樓等景點馳名中外。城市附近的西岳華山、終南山、太白山、王順山、驪山等自然、文化景觀獨具特色，人文山水、古城新姿交相輝映，構成古老西安特有的神韵風姿。

秦始皇陵與兵馬俑

兵馬俑指用土燒製成的兵和馬的陶俑。作爲陪葬品，秦朝的兵馬俑于1974年在西安秦始皇陵附近的三個陪葬坑中被發現，其宏大的規模，威武的場面以及氣勢上的空前絕後，震驚了全世界。

秦俑以寫實的手法，形象地展示出秦始皇統率千軍萬馬、吞并六國，威震四海的雄武神威。將軍俑昂首挺胸，站在隊伍的前面，像在指揮。他們顯得沉著冷靜，足智多謀。武士俑目光炯炯，神態嚴峻，威武剛烈。騎兵俑堅守崗位，堅毅地駕駛著戰車，保護著馭手。弓弩手張弓搭箭，隨時準備將箭發出去。這些陶俑表情不一，神態獨特，喜怒哀樂、遐想沉思都各有展現。陶俑製作細膩，手藝精湛，每個陶俑的發式、神態、衣服，甚至戰袍的扣子、鎧甲的編綴都有細微的差異。這在國際雕塑史上都是絕無僅有的。

秦兵馬俑具有很高的藝術價值。三個坑共發掘7000多件陶俑、100多乘戰車、4000餘匹陶馬、10萬多件兵器。坑內出土的劍、矛、戟、彎刀等青銅兵器，雖然埋在土裏已有兩千多年，依然刃鋒銳利，閃閃發光，可謂是世界冶金史上的奇蹟。

華清池

華清池南依驪山，北臨渭水，西距古都西安30公里。優越的地理位置，秀麗的山水風光備受歷代帝王的喜愛。唐玄宗和楊貴妃每年冬季在此居住。

如今，華清池已成爲聞名中外的遊覽休閑的勝地。華清池故園內，亭臺樓閣林立，古樸雅致。在唐代梨園舊址小憩，可欣賞優美的仿唐樂舞和唐宮廷茶道表演。驪山溫泉，千古涌流，不盈不虛，水溫恒定43°C，水中含有多種礦物質，宜于沐浴療疾。

大清真寺

大清真寺位於西安鼓樓西北的化覺巷内，又稱化覺巷清真大寺，它與西安大學習巷清真大寺并稱爲中國西安最古老的兩座清真大寺。

大清真寺是一座歷史悠久、規模宏大的中國殿式古建築群，是伊斯蘭文化和中華文化相融合的結晶。該寺院始建於唐天寶元年（公元742年），歷經宋、元、明、清各代的維修保護，成爲目前的格局。

清真寺內雖然有牌坊、琉璃瓦頂、異角飛檐等中國傳統風格的建築，但是寺院內的一切佈置又嚴格遵照伊斯蘭教製度，殿內的雕刻、花紋裝飾都由阿拉伯文雕刻而成，中國傳統建築和伊斯蘭建築藝術風格巧奪天工地結合在一起，令人嘆爲觀止，因而它被聯合國教科文組織列爲世界伊斯蘭文物之一。

大雁塔

大雁塔全稱"慈恩寺大雁塔"，位於距西安市區4公里的慈恩寺內，始建于公元652年，是慈恩寺的第一任住持方丈玄奘法師（唐三藏）自天竺國歸來後，爲了供奉和儲藏梵文經典和佛像舍利等物親自設計并督造建成的。唐高宗和唐太宗曾御筆親書《大唐三藏聖教序碑》和《述三藏聖教序記碑》。

大雁塔是一座樓閣式磚塔，塔高64米，塔基邊長25米，現存七層，塔身呈方形錐體。全塔采用磨磚對縫，磚牆上顯示出棱柱，可以明顯分出牆壁開間，具有中國傳統建築藝術的風格。附近還有曲江池、杏園等景點，風景秀麗。大雁塔是西安市的標誌性建築，是必遊之地。

小雁塔

小雁塔在西安市友誼路南側的薦福寺內，與大雁塔東西相向，成爲唐代古都長安保留至今的兩處重要標誌。因規模小於大雁塔，修建時間較晚，故稱小雁塔。

小雁塔是密檐式方形磚構建築，初爲15層，高約46米。塔基邊長11米，南北面各有一門。後因地震，現存13層。塔身從下至上逐層遞減內收，秀麗玲瓏，別具一格。門框爲青石砌成，塔身內部爲空筒式結構，有木質結構的樓層，有木梯盤旋而上。薦福寺內還保存著一口重萬餘公斤的金代鑄造的巨大鐵鐘，鐘聲宏亮，"雁塔晨鐘"成爲關中八景之一。

5. 敦煌

敦煌位於河西走廊最西端、青藏高原北部邊緣地帶，地處甘肅、青海、新疆三省區的交界處。敦煌是國家級歷史文化名城，距今已有2000多年的歷史，它是絲綢之路的邊關要塞。

敦煌有莫高窟、榆林窟、西千佛洞等主要景觀，其中莫高窟是中國現存規模最大的石窟。除人文景觀外，敦煌的自然風光同樣毫不遜色：沙漠奇觀鳴沙山和月牙泉，澄黃的沙山和清澈的泉水相互依存，延續千年不變，景色奇異迷人；陽關及玉門關雖只剩下殘垣斷壁，但置身其間，仍能隱隱感受到邊關的鐵馬金戈之氣。

莫高窟

莫高窟又名敦煌石窟，素有"東方藝術明珠"之稱，是中國現存規模最大的石窟，保留了十個朝代、歷經千年的洞窟492個，壁畫45000多平方米，彩塑3000多座。莫高窟的藝術特點主要表現在建築、塑像和壁畫三者的有機結合上。壁畫題材多取自佛教故事，也有反映當時的民俗、耕織、狩獵、婚喪、節日歡樂等內容的。這些壁畫、彩塑技藝精湛無雙，被公認爲是"人類文明的曙光"、世界佛教藝術的寶庫。莫高窟還是一座名副其實的文物寶庫。在藏經洞中就曾出土了經卷、文書、織繡、畫像等文物5萬多件，藝術價值極高。1987年被聯合國教科文組織列爲世界文化遺産。

鳴沙山、月牙泉

月牙泉、鳴沙山和莫高窟是敦煌的"三大奇蹟"，是人們向往的旅遊勝地。鳴沙山位於城南6公里處，爲流沙積成。沙子分紅、黃、綠、白、黑五色，流動時會發出響聲，因而名其山爲"鳴沙山"。

月牙泉處於鳴沙山環抱之中，因其形酷似一彎新月而得名。面積13.2畝，平均水深4.2米，水質甘冽，澄清如鏡。流沙與泉水之間僅數十米，雖然常常會有大風刮來，但泉水始終不被流沙所掩沒。地處戈壁而泉水永不乾涸，這種沙泉共生、泉沙共存的獨特地貌，確爲"天下奇觀"。

6. 中國被列入《世界遺產名錄》的名勝古迹

明清皇宮（北京故宮、沈陽故宮），Imperial Palaces of the Ming and Qing Dynasties in Beijing and Shenyang (1987, 2004)

秦始皇陵及兵馬俑坑，Mausoleum of the First Qin Emperor (1987)

莫高窟，Mogao Grottoes (1987)

泰山，Mount Taishan (1987)

周口店北京人遺址，Peking Man Site at Zhoukoudian (1987)

長城，The Great Wall (1987)

黄山，Mount Huangshan (1990)

黄龍風景和歷史名勝區，Huanglong Scenic and Historic Interest Area (1992)

九寨溝風景和歷史名勝區，Jiuzhaigou Valley Scenic and Historic Interest Area (1992)

武陵源風景和歷史名勝區，Wulingyuan Scenic and Historic Interest Area (1992)

武當山古建築群，Ancient Building Complex in the Wudang Mountains (1994)

拉薩布達拉宮歷史建築群，Historic Ensemble of the Potala Palace, Lhasa (1994, 2000, 2001)

承德避暑山莊及周圍廟宇，Mountain Resort and Its Outlying Temples, Chengde (1994)

曲阜孔廟孔林孔府，Temple and Cemetery of Confucius and the Kong Family Mansion in Qufu (1994)

廬山國家公園，Lushan National Park (1996)

峨眉山風景區（包括樂山大佛風景區），Mount Emei Scenic Area, including Leshan Giant Buddha Scenic Area (1996)

平遥古城，Ancient City of Pingyao (1997)

蘇州古典園林，Classical Gardens of Suzhou (1997, 2000)

麗江古城，Old Town of Lijiang (1997)

頤和園（北京皇家園林），Summer Palace, an Imperial Garden in Beijing (1998)

天壇（北京皇家祭壇），Temple of Heaven: an Imperial Sacrificial Altar in Beijing (1998)

大足石刻，Dazu Rock Carvings (1999)

武夷山，Mount Wuyi (1999)

皖南古城：西遞和宏村，Ancient Villages in Southern Anhui – Xidi and Hongcun (2000)

明清皇家陵寢，Imperial Tombs of the Ming and Qing Dynasties (2000, 2003, 2004)

龍門石窟，Longmen Grottoes (2000)

青城山—都江堰，Mount Qingcheng and the Dujiangyan Irrigation System (2000)

雲岡石窟，Yungang Grottoes (2001)

雲南保護區的“三江并流”，Three Parallel Rivers of Yunnan Protected Areas (2003)

古代高句麗王國的王城及王陵，Capital Cities and Tombs of the Ancient Koguryo Kingdom (2004)

澳門歷史城區，Historic Centre of Macao (2005)

安陽殷墟，Yin Ruins at Anyang (2006)

四川大熊猫栖息地，Sichuan Giant Panda Sanctuaries (2006)

開平碉樓與村落，Kaiping Diaolou and Villages (2007)

中國南方喀斯特，South China Karst (2007)

（注：括號内的年份爲被列入《世界遺産名錄》的時間。）

《同步訓練》參考答案及相關提示

Section One

I. Multiple Choice (Listen to the dialogs)

答案：

1. C   2. C   3. B   4. B   5. C   6. B

7. B   8. D

聽力錄音文本：

1. (Woman) 你覺得我穿紅色的衣服好看，還是藍色的好看？
    (Man)   (A) 你的衣服質地不錯。
                 (B) 紅色的衣服挺多的。
                 (C) 白色最適合你。
                 (D) 灰色屬於比較冷的色調。

2. (Man) 我來幫你拿杯子吧。
    (Woman) (A) 謝謝你幫我拿被子。
                 (B) 小心，著涼！
                 (C) 小心，很燙！
                 (D) 我把這床被子送給你吧。

3. (Man) 你發現没有？她的漢語説得可真好！
    (Woman) (A) 你難道不知道她就是英國人嗎？
                 (B) 她是什麼時候開始學的？
                 (C) 她從小就喜歡天文學。
                 (D) 我的英語説得比你好。

4. (Man) 是你啊！你怎麼到辦公室來了？
    (Woman) (A) 什麼事兒也没這事兒重要。
                 (B) 我也是來辦點事兒。
                 (C) 你這兒還有什麼可看的？
                 (D) 我也挺喜歡這場比賽。

5. (Man) 我們坐到前面吧！這樣看得更加清楚。
    (Woman) (A) 前面已經無路可走。
                 (B) 這種事情不容易搞清楚。
                 (C) 前面是不是太近了？
                 (D) 後面還有不少座位呢。

6. (Man) 喲！没想到在這兒看到你。你什麼時候到的？
    (Woman) 我已經來了一會兒了。
    (Man)   (A) 怎麼你一直没有離開？
                 (B) 怎麼一直没看到你？
                 (C) 你後來是怎麼知道的？
                 (D) 你剛到這個地方來嗎？

7. (Man) 這是你的皮包吧？你剛才落在座位上了。

   (Woman) 是我的，太謝謝你了！我是怎麼搞的？

   (Man) (A) 你別那麼不好意思。

   (B) 以後小心點兒吧。

   (C) 我真要感謝你了。

   (D) 你還挺能說的。

8. (Woman) 老王，明天去爬山，咱們六點半學校門口見。

   (Man) 好的，不見不散！

   (Woman) (A) 那你還去學校幹嘛？

   (B) 那你明天六點半得準時起床。

   (C) 咱們就不去了。

   (D) 咱們就說好了。

II. Multiple Choice (Listen to the selections)

答案：

| 1. A | 2. D | 3. C | 4. D | 5. A | 6. C |
| 7. A | 8. D | 9. C | 10. B | 11. D | 12. B |

聽力錄音文本：

Selection 1

(Narrator) Now you will listen twice to a voice message.

(Woman) 乘坐CA981次航班從北京飛往紐約的旅客請注意，我們非常抱歉地通知您，由於天氣的原因，您乘坐的航班不能按時起飛，在此我們深表歉意。具體起飛時間待定，請您在候機廳休息，等候通知。如果您有什麼要求，請與服務臺工作人員聯繫。謝謝！

(Narrator) Now listen again.

(Narrator) Now answer the questions for this selection.

Selection 2

(Narrator) Now you will listen once to a conversation.

(Man) 請問，去語言學校是在這兒坐車嗎？

(Woman) 這裏沒有直接去語言學校的車，你必須換一次車。

(Man) 那我應該在哪兒換呢？

(Woman) 你可以先坐4路公共汽車，坐兩站，下車後再坐10路公共汽車。

(Man) 謝謝！那4路車是在這兒坐嗎？

(Woman) 不，方向不對，你應該到路對面去坐。

(Narrator) Now answer the questions for this selection.

Selection 3

(Narrator) Now you will listen twice to a voice message.

(Woman)	喂，李老師，我是小何。我在白玉飯店幫您訂好了房間，房間號是1106，您26號晚上下飛機後直接去就可以了。另外，旅行社我也已經幫您聯繫好了，他們27號早上八點會在飯店門口等您，我把您的聯繫方式給他們了，他們到時候會給您打電話的。祝您在桂林玩得愉快。
(Narrator)	Now listen again.
(Narrator)	Now answer the questions for this selection.

Selection 4

(Narrator)	Now you will listen once to a conversation.
(Woman)	啊呀！我的錢包不見了。
(Man)	怎麼搞的？快點兒好好兒找找。
(Woman)	我已經找過了，沒有。
(Man)	可能丟哪兒了呢？
(Woman)	不知道，剛才進地鐵的時候還在呢。
(Man)	要不然我們回地鐵裏去，看能不能找到。可能是你坐地鐵的時候錢包從褲兜裏滑出去了。
(Woman)	好吧！
(Narrator)	Now answer the questions for this selection.

教師手冊

III. Multiple Choice (Reading)

答案：

1. A	2. D	3. C	4. B	5. D	6. A
7. B	8. D	9. C	10. A	11. C	12. B
13. A	14. B	15. A	16. B	17. B	18. C
19. B	20. D	21. D	22. B		

Section Two

I. Free Response (Writing)

1. Story Narration

The four pictures present a story. Imagine you are writing the story to a friend. Narrate a complete story as suggested by the pictures. Give your story a beginning, a middle, and an end.

寫作提示：

　　這則看圖寫作主要考查學生對於一個突發事件的完整敍述，重點要交待清楚具體的場景轉換以及人物的心理活動。

(1) 交代事件發生的時間、地點。

　　……下午，××正在……突然電話鈴響了……

(2) 描述場景的轉換。

　　……然後他衝出門……跑向車庫……來到大路上……路上的汽車……不得不回去……他騎著自行車衝向醫院……

(3) 描述人物的心理活動。

　　① 正面描寫人物的動作、情態及心理活動。

　　　　匆匆忙忙地……

　　　　焦急地……

　　　　不耐煩地……

　　　　急急忙忙地……

　　② 通過具體行爲描寫心理活動。

　　　　一邊……一邊……

　　　　……不停地……

　　　　……不得不……

(4) 交代事件結局。

　　經過……，最後……

　　還好／幸好……

2. Personal Letter

Imagine you received a letter from a pen pal. He thinks the idea of driving to school — which you mentioned in your last letter — is very interesting and would like to know more about it. Write a reply in letter format. Tell your pen pal about modes of transport high school students in the United States use to go to school and their reasons for doing so. Also mention how you go to school and your reasons.

回信建議：

(1) 簡單親切的問候。

(2) 簡單回應朋友來信的主要信息並且適當過渡。比如：

　　上次我給你的信中說到不少美國學生是開車上學。你說這和中國很不一樣。在中國，學生不可以開車上學嗎？……

(3) 在回信的主要部分，可以從美國在校學生一般的交通方式談起，也可以鎖定你所在學校學生的主要交通方式來談。接下來，可以從幾個角度展開：一個角度是現實的角度，可以從學校對學生的安排、家庭對孩子的安排以及個人愛好等方面來談學生如何選擇上學的交通方式；另一個角度是理想的角度，談談回信者本人希望的交通方式，同時可以根據內容需要，描述現實和理想之間的矛盾以及自己所作的選擇；還有一個角度是個人體驗的角度，比如可以談談你對某種交通方式的好惡及其原因。比如：

　　我們的學校，一般是……

　　不同的家庭的情況有所不同……

　　在我來看，我當然希望……但是……所以……

(4) 補充相關内容，進一步充實你的回信。比如可以反過來詢問對方國家學生上學交通方式的具體細節。

(5) 祝福語、署名及寫信日期。

3. E-Mail Response

Read this e-mail from a friend and then type a response.

發件人：王笛

主　題：如何在美國租車

最近我的一個親戚要到美國出差，具體去的城市還没有確定，他對美國的情況很不熟悉，但是他知道我有一個比較好的美國筆友，所以希望我向你瞭解一下，在美國，新到一個城市，一般如何租車，需要辦理哪些具體手續呢？希望得到你的幫助，等待你的回信。謝謝！

回信建議：

這封電郵的目的是希望從你這兒瞭解一些信息，但是爲了給出恰當的建議，你可能需要從他那兒瞭解更多的具體信息。這裏就回信的内容及角度作一些提示：

(1) 簡短問候。

(2) 具體説明。

① 對上封信的内容作一些回顧。比如：

你説你的親戚會来美國出差，打算租車……不知道你的親戚他自己有没有駕駛執照，他拿的是中國駕照還是國際駕照？如果是中國的駕照，那他最好……

② 同時，也可以對相關情況作一些設想，以便充實内容，比如：

當然，如果你的親戚到了美國以後，請當地的司機給他開車，這樣也是可以租到車的……

③ 然後簡單談談如何進行電話預約以及如何辦理租車手續。

(3) 如果你不了解租車的情況或者認爲租車不一定合適，你同樣可以很好地完成這封回信。可以拿你所在的城市爲例，説説外地人來到你的城市一般會選擇什麼樣的交通工具，並對不同交通工具或交通方式的利與弊作出簡單評論。另外可以提供一些線索，比如告訴對方應該撥打哪些電話，上什麼網站去進一步了解相關信息。比如：

在我的城市……交通非常方便，人們出行有很多選擇，可以坐公共汽車，可以坐地鐵，也可以打車，都非常方便，不一定要租車……當然，如果一定要租車，應該……打電話預定也非常方便……

(4) 結束談話。比如：

今天我們先談到這，不知道我的回信對你有没有幫助，如果你還有别的疑問，請給我來信。

4. Relay a Telephone Message

Imagine Zhou Ping is your roommate. You arrive home one day and listen to a message for Zhou Ping from her friend who just arrived in the United States. You will listen twice to the message. Then relay the message, including the important details, by typing a note to Zhou Ping.

(Girl)周萍，你不在家嗎？我現在暫時住在學校附近的一個汽車旅館，條件還不錯。但是房租不算便宜，所以真希望早一點找到房子。我最希望租到的是600美元左右的房間，和別人合住也可以，最好離咱們學校近一些。如果你知道有什麼合適的，還請儘快告訴我，多謝！等你的好消息。

教師手冊

轉述建議：

(1) 這則電話留言的目的是希望朋友幫忙租房子，要迅速抓住這個核心信息。在聽的時候最好邊聽邊記，並且要設想租房可能涉及的相關信息，諸如房租價格、交通情況，以及是否願意和別人合租等。有了這樣的心理準備，在記錄和轉述的時候對這些重要細節就不會遺漏。

(2) 轉述的時候簡單交待一下電話留言中提到的留言者目前的狀況，然後再説明他的要求。要注意人稱和稱呼的變化，並且不能遺漏重要細節。

II. Free Response (Speaking)

1. Conversation

You will have a conversation with a visa officer at the Chinese embassy about your holiday trip to China.

(1) 問題一：您好！請問，您這次為什麼要去中國呢？

回答建議：

在實際生活中，對於簽證官的這類提問，回答可以非常簡單。但是作為一道問答題，你需要進行完整的表述。因此，説明理由非常重要。同時要把相關的背景交待出來，這樣就可以充實你的回答內容。比如：

> 我去中國主要是旅遊，因為……。另外我也想……因為……。除此以外，我在中國還打算……

(2) 問題二：這次去中國和您同行的人是誰？他們也是第一次去中國嗎？

回答建議：

和上一個問題類似，對這個問題，如果你回答"我是一個人去"，這樣也可以，只是進行內容擴展的時候會比較困難，因而最終可能影響得分。因此，你最好對同行者作一些設想並且簡單説明他們去中國的理由。這樣使表達充實起來。比如：

> 這次一起去中國的有我們的老師……另外還有我們同班的同學，三個男生，五個女生。一共加起來是九個人。除了我們的老師，其他人都是第一次去中國……

(3) 問題三：您這次去中國，要去哪些城市？

回答建議：

① 從設計上説，可以在腦海中先大致設想一下，哪一些出行的理由你比較願意談，比如旅遊、探親、訪友、訪問、學習，等等。同時根據理由聯想適當的目的地。有了這個基本框架，就可以組織你的表達了。

② 從表達內容上説，你不僅要交待出要到的城市，而且最好簡單説説去這些地方的目的以及理由。那麼你的表述會顯得條理清楚，內容豐滿。比如：

> 我這次去中國，打算到……主要目的是……因為……

(4) 問題四：您在中國的行程是如何安排的？

回答建議：

所謂"行程安排"，就是要交待清楚行程的先後順序。這個問題是對上一個問題的進一步提問，目的是希望你在上一題的基礎上作出進一步的説明。你可以説：

> 我打算首先從美國坐……到……；然後坐……去……；接下來是去……；最後我會從……坐飛機返回美國。

在本題中，你可以順便交待一下你的行程是由誰來安排的，這樣可以使你的表達更加充實。

(5) 問題五：您在這些城市有哪些主要活動呢？

回答建議：

本題回答的關鍵是要說清楚你在這些城市的活動安排以及你爲什麼要選擇這樣一些活動。第三、第四、第五個問題從邏輯順序上說是環環相扣的。因此你的回答也要儘可能前後照應。

從回答的内容上說，可以參考的角度如訪友、購物、旅遊，等等。比如：

在……期間，首先我要去……因爲……；另外我要去拜訪……因爲……；在……我要去逛……因爲這個地方的……據説非常不錯；除了這些安排，我還打算在……順便……

當然，你並不需要對這些活動做面面俱到的表述，而要根據時間，有所取捨。

(6) 問題六：對於您的這次中國之行，您還有什麼要問的嗎？

回答建議：

回答這個問題需要設計一些具體的角度。比如從行程安排的角度來提問：

我現在申請首先要去的城市是北京，我是否可以先去別的城市，不直接去北京……

也可以從消費方式上來提問：

在中國消費，使用現金消費方便還是使用信用卡方便？您覺得我隨身帶多少現金合適？

以上都是一些具體的問題，還可以設計一些比較寬泛的問題，比如：

另外，您覺得我在中國還有哪些地方是要特別注意的？

2. Cultural Presentation

The Silk Road was an ancient route that came into existence over 2000 years ago. Through this road, China developed economic and cultural ties to the West. There is a famous scenic spot along this route called Dunhuang. In your presentation, explain what you know about Dunhuang.

回答建議：

① 首先從總體上談談敦煌的價值所在。比如：

敦煌，是古代絲綢之路上的歷史文化名城，也是舉世無雙的佛教藝術聖地。據説世界上的四大文化體系——中國、印度、希臘、伊斯蘭文化——匯流的地方就是中國的敦煌和新疆地區。

② 接下來可以說說敦煌的地理位置，補充説明一下敦煌成爲東西文化匯聚點的地理優勢。

③ 然後談談敦煌富有傳奇色彩的發現過程。比如：

敦煌是現代最富有傳奇色彩的發現，據説是一個道士……

④ 另外，可以說說敦煌的旅遊景點。比如：

敦煌主要有三大名勝——莫高窟、鳴沙山和月牙泉。實際上到敦煌的遊客也主要是去看莫高窟，因爲不到莫高窟，就像到了北京沒有看故宮一樣……

⑤ 從世界的眼光看待敦煌，説説敦煌在世界上的影響。比如：

敦煌的文物現在珍藏在世界上許多國家……

⑥ 還可以做一些貫連，比如聯繫一些已經消逝的偉大文明的遺蹟，想像當時文明達到的高度，身後的秘密，以及讓人們在今天產生的聯想，比如古代埃及文明、古代瑪雅文明及其現存的遺址。這樣的表述超出了要求的難度，屬於比較有挑戰性的任務，可以根據情況試一試。比如：

說到敦煌，我還想到了古埃及的……瑪雅人的……這些遺蹟留給我們太多的想像……

⑦ 最後，可以用你的活動打算來結束表述。比如：

　　對敦煌這樣一個神奇的地方，我非常希望去看一看⋯⋯

　　總之，中國有不少地方值得去，但是我最想去的還是敦煌。

3. Event Plan

You have the opportunity to plan a five-day holiday to China. In your presentation, explain your plan including the budget, the destinations (cities and scenic spots), the modes of transport and the hotels you choose, the reasons for your choices, and the pros and cons of different choices.

回答建議：

(1) 開始。可以交代一下事由。比如：

　　我打算去中國旅遊，我的具體計劃是這樣的⋯⋯

(2) 推進話題。

① 總體介紹你對於目的城市的選擇以及理由。如：

　　我打算去⋯⋯這個城市最吸引我的地方是⋯⋯。然後我還想去⋯⋯因爲想去看看⋯⋯。除了這些城市，如果有時間的話，我可能考慮⋯⋯

② 可以進一步説明不同選擇的利與弊。如：

　　我本來還想去⋯⋯但是⋯⋯所以現在就⋯⋯

③ 接下來，交代你的經費預算以及五天的行程安排。比如：

　　我這次去總共想帶⋯⋯錢，在中國的第一天主要想⋯⋯第二天⋯⋯

④ 簡單説明交通方式。

　　我認爲在市區出門坐出租汽車比較方便，而且也便宜，所以⋯⋯。至於城市之間的交通，從⋯⋯到⋯⋯我打算乘飛機⋯⋯

⑤ 簡單交待其他活動計劃。

　　在中國我打算好好買一些⋯⋯因爲這些東西在中國又便宜又好⋯⋯

⑥ 交代具體的時間以及地點信息。比如：

　　我在⋯⋯大約會待⋯⋯；然後到⋯⋯大概是待⋯⋯；最後在⋯⋯待上大約⋯⋯主要住在⋯⋯家裏。

(3) 結束。比如：

　　我的計劃大概就是這樣，這應該是比較合理的計劃。

第十課 I Climbed the Great Wall
我登上了長城

一、本課教學重點

(一) 瞭解長城的地理風貌以及長城文化。

(二) 學會對複雜的系列動作或行為方式的表達與描述。

(三) 提高學生對複雜事件的叙述和説明。

二、本課的難點

(一) 對語氣副詞"到底""顯然""居然""究竟"的理解、辨析以及正確運用。要從這組副詞的語體色彩、所表示的語氣以及所適用句式的辨析來引導學生掌握它們的不同用法。

(二) 動詞"帶領"與"率領"的辨析。

(三) "V₁著V₁著 + V₂"以及連動句的學習。對於"V₁著V₁著 + V₂"句型,老師可以説明引導學生想象能夠使用該句型的各種情景,然後讓學生運用該句型進行相應的表達。對於連動句,可以給出例句,引導學生分析不同的連動句類型。

(四) 新聞報導以及事件説明。通過課文以及具體材料引導學生分析新聞報導的六大要素以及三個基本組成部分,讓學生嘗試對身邊或者社會上某個新發生的事件按照新聞報導的方式進行叙述和説明。

三、有用的教學資源

(一) 有關長城的各種圖片。

(二) 長城文化網www.meet-greatwall.org。

四、教學安排導引

針對不同學習內容,各教學模塊及其教學設計和參考課時索引見下表。

教學模塊		交際模式	可選用的教學活動設計		課時建議
新課學習	課文閱讀與理解	理解詮釋 人際互動	教學設計1 教學設計2	教學設計分為必選和可選兩種,可選的活動以"可選"標明,具體實施順序請教師根據本班學生實際情況自定。	5-7課時
	詞語講解與練習	理解詮釋 表達演示	教學設計3		
	重點句型講解與練習	人際互動 表達演示	教學設計4		
交際活動		人際互動 表達演示	教學設計5 教學設計6		1課時
寫作訓練		表達演示	教學設計7		1課時
綜合考試訓練		綜合	教學設計8		1-2課時

注:寫作訓練活動可根據本班實際情況選做;綜合測試題應根據本班實際情況在課堂上選做或讓學生課外完成。

五、具體教學活動設計的建議

教學模塊 *1* —■ 新課學習

(一) 課文閱讀與理解

🗣 **教學設計1**

內容: 主課文導入。

目的: 通過對學生已有記憶或經驗的激活, 爲理解主課文、瞭解其中的文化含義做好準備。

步驟:

第一步: 學習本課的三段主課文之前, 可提出下列思考題, 指導學生進行讀前思考。這些思考題都是針對課文内容的背景知識來設計的, 目的是調動學生對相關内容的知識儲備, 激發其學習興趣。

① 你聽説過中國的長城嗎? 關於長城你知道些什麼?

② 你喜歡那些運動員? 爲什麼?

③ 你們國家有哪些民間藝術? 你知道哪些中國的民間藝術?

第二步: 問題提出以後, 主要是進行師生互動, 老師根據學生的有限表達, 向學生介紹相對豐富的内容; 也可以不作進一步介紹, 只是總結或綜合學生的發言, 把問題帶入下一階段, 讓學生帶著問題在課文學習中完善對相關内容的理解。

可能出現的問題:

在第一段和第三段中, 如果學生對長城以及長城文化了解有限, 可能限製其交際互動時的表達, 這沒有太大問題。老師應該視具體情況靈活處理, 比如也可以引出世界七大奇蹟這一話題, 通過比較激發學生對本課内容學習的興趣。

🗣 **教學設計2**

內容: 主課文聽讀以及講解。

目的: 讓學生帶著問題仔細聽、讀課文, 在瞭解課文大意的基礎上抓住重要細節。

教學重點: 本課主課文是三篇短文, 老師根據下列問題所針對的課文内容, 讓學生讀或者聽相關課文内容。根據實際情況, 靈活採用各種方式讓學生理解課文中的新聞報道内容, 要抓住新聞發生的時間、地點、當事人以及具體事件。可以先提出問題, 讓學生帶著問題讀或聽, 以便讓學生理解課文; 也可以讓學生讀完、聽完相應内容之後提出問題, 檢測學生對相關内容的理解程度。

第一段 (《施瓦辛格率隊跑上長城》)

① 施瓦辛格去中國做什麼?

② "特殊奧林匹克" 是什麼意思?

③ 這次活動爲什麼要在長城舉行?

④ 如果你是誌願者, 想爲特殊需求人士做點什麼事情?

第二段 (《喬丹登長城做 "好漢"》)

① 如果你和喬丹一起爬長城, 會發生什麼事情?

② 烽火臺是什麼樣子的? 在古代有什麼作用?

③ 請你幫忙回答喬丹提出的問題。

④ 如果你在長城遇見了喬丹, 會對他説什麼?

第三段 (《踩著高蹺登長城》)

① 高蹺是什麼？

② 爲什麼説劉老漢踩高蹺是絕活兒？

③ 爲什麼説劉老漢是創紀錄？

④ 你覺得踩著高蹺走山路會遇到什麼困難？

⑤ 劉老漢的下一個目標是什麼？

老師根據學生的回答情況串講課文，並可和重點詞語的講解相結合。相關詞語的詳細講解和文化背景材料請分別參考後文中的相關內容。

可能出現的問題：

問題可能主要集中在第一段，第一段涉及較多的專有名詞，有一定閱讀難度，要引導學生避開干擾，重點是注意這則報道中具體活動的目的以及活動意義。對活動參與人員的類型有一個大致瞭解就可以了。

擴展： 第一段、第三段的學習內容可以稍作拓展，讓學生聯繫自己熟悉的案例，分別談談美國幫助弱勢群體的一些愛心活動以及美國人熟悉的各種新奇的創紀錄活動。通過文化比較加深對本課內容的理解。

（二）詞語講解與練習

🎙 教學設計3

內容： 選詞填空以及兼類詞的複習。

目的： 通過這個活動，讓學生在語言運用過程中牢記課文中的掌握詞。其次是複習課文中出現過的所有兼類詞，讓學生注意詞語的兼類現象

步驟： 請參考《學生用書》中的詞語練習（VOCABULARY IN CONTEXT）。

（三）重點句型講解與練習

🎙 教學設計4

內容： 題型多樣的句型練習。

目的： 通過對重點句型的理解和實際運用，掌握本課的重點句型。

步驟： 請參考《學生用書》中的句型練習（LANGUAGE CONNECTION）。句型的詳細講解請參照後文中的相關內容。

組織要點： 這個練習針對不同的句型及其認知特點分別設計不同的題型，以期達到最佳練習效果。比如縮略語的練習，左列的講解讓學生瞭解其基本縮略方式，右列給出課文中沒有出現過的短語，學生根據提示可以推測正確的縮略格式。而八個縮略格式中又有一個例外，希望增強學生對於縮略手段規則性與不規則性的理解。又如副詞"到底""顯然""居然"這一組練習，是希望學生掌握這組副詞正確的句法位置，並且希望加深學生對詞序作爲現代漢語重要語法手段的理解。

教學模塊 *2* — 交際活動

🗣 教學設計5

內容： 事情是這樣的……

目的： 能夠向同伴説清楚一個複雜事件的時間、地點、背景、人物關係以及事件的各個具體環節。

步驟： 請參考《學生用書》中的交際練習（COMMUNICATION CORNER）。

預期效果： 這個活動要求學生首先閱讀一篇反映外國人初到北京出行時碰到困難的短文，這是要爲下一步的交際溝通活動提供一個有真實交際需要的對象，從而激發學生的交際興趣。活動的關鍵點是兩個人共同完成對文中描述事件的講述，這樣可以刺激學生的挑戰心理，通過學生相互之間對事件細節的互相提示、印證和協商，不斷變更自己的表述，在此過程中，實現語言溝通能力的培養。另外，這篇短文的選材內容是關於出行時遇到的交通問題以及相關的曲折故事，這樣可以擴展學生對"旅遊與交通"這一單元主題的理解和學習。

🗣 教學設計6（可選）

內容： 請你投一票。

目的： 與同伴交流，討論世界七大奇蹟的地理位置、基本特點以及文化內涵，通過文化比較加深對長城以及長城文化的理解。

步驟：

第一步： 學生分組合作，上網或到圖書館查閱資料，分別瞭解世界七大奇蹟的地理位置、基本特點以及文化內涵，並瞭解2007年的"新世界七大奇蹟"評選活動。

第二步： 學生以小組爲單位，在班上交流對於世界七大奇蹟的基本考察報告，在表述中必須對長城和其他奇蹟的不同特點作出比較。

第三步： 分組或者與同伴交流2007年在全世界範圍內開展的"新世界七大奇蹟"評選活動，向同伴説明你會投誰一票，並説明理由。

預期效果： 七大奇蹟都是古代建築傑作，目前又有新七大奇蹟評選活動，這個交際活動希望通過文化比較，貫連古今，激發學生的研究興趣，從而加深對長城以及長城文化的理解。注意在活動中儘量運用本課學過的詞語以及句型、有用表達式。

教學模塊 *3* — 寫作訓練

🗣 教學設計7

內容： 新的世界記錄。

目的： 訓練學生對新聞報導的理解以及敍述能力。

步驟： 請參考《學生用書》中寫作練習（WRITING TASK）。

預期效果： 讓學生直接就某個突發事件進行新聞報導具有相當難度，這個寫作訓練通過對新聞事件相關內容片段以及線索的提示來降低學生寫作難度，使得訓練更有針對性和可操作性。同時又要求學生需根據提示對相關內容加以擴充，這是希望學生能夠在正確理解新聞事件時間、地點等諸要素的基礎上，對新聞事件的具體內容進行敍述説明，並且作出評價，由簡到難，逐步提高其語言表述能力。

教學模塊 *4* —— 綜合考試訓練

🎙 教學設計8

內容：綜合考試訓練。

目的：

1. 通過AP考試綜合訓練的課後自我檢測或隨堂選擇性檢測，使學生達到綜合性複習、並強化本課所學內容的目的。

2. 借助AP考試綜合訓練內容與課文內容的互補性，加深學生對與 "旅遊與交通" 主題相關內容的瞭解和學習，並促使他們在一定程度上進行知識性拓展。

步驟：請參考《同步訓練》相關內容。

訓練要點：

1. 完成聽力題（Rejoinders and Stimulus Types）以及電話留言轉述題（Relay Telephone Message），幫助學生進一步加深對 "旅遊交通" 相關內容的理解，並準確掌握與此相關的交際功能；幫助學生理解並掌握有關通知的一系列要素，如時間、地點及具體事件等。

2. 完成閱讀題（Reading），有利於學生加強與課文話題相關內容的學習和理解。本部分內容涉及北京城市道路特點、麗江古城文化、新型旅遊方式、旅遊廣告、導遊招聘廣告以及景區標識等。

3. 完成寫作訓練之個人信件（Personal Letter）、回復電郵（E-Mail Response）、對話（Conversation）以及文化表述題（Cultural Presentation），以增強學生對中美旅遊資源以及旅遊文化的表述能力。本部分內容包括對美國東西海岸地理以及人文差異、美國人喜愛的旅遊方式的介紹說明、關於當地旅遊文化資源的對話以及對北京故宮的介紹。

4. 完成寫作訓練之看圖寫故事（Story Narration ）、活動計劃表述題（Event Plan），以訓練學生對一個突發事件因果關係以及具體細節的敍述能力，以及對校園參觀活動、校園生活及文化的具體細節的說明能力。

六、教學參考資料

(一) 詞語講解

　　本課的詞語注釋表中一共列出了38個詞語，其中專有名詞5個，要求學生掌握、理解並能正確使用的詞語18個，只要求學生大致理解其在本文中的含義和主要使用場合的15個。此外，我們還對本課中的一些詞進行了詞義辨析，供老師們在指導學生學習時參考。

《施瓦辛格率隊跑上了長城》

1. 駐華使節：【名】某個國家派駐在中國的外交代表。

2. 武警：【名】武裝警察的簡稱。

3. 火炬：【名】火把。

4. <u>率領</u>：【動】帶領（隊伍或集體）。

> **辨析 率領－帶領**
> 　　兩者都是動詞，表示在前邊帶頭使後邊的人跟隨著。兩個詞的區別主要在於使用場合不同。"率領" 用於正式場合，對象多爲軍隊或政治性團體；"帶領" 可以用於一般場合。例如：總理率領中國代表團訪問美國。｜你帶領大家唱首歌吧。｜請你帶領他們去見見校長。

5. 烽火臺：【名】長城用于瞭望報警的建築，有敵人入侵的時候，守城的人點煙（白天）火（晚上）來報警。

6. 象徵²：【動】用具體的事物表現某種特殊意義。

專有名詞

7. 施瓦辛格：人名。

8. 居庸關：長城的一個十分著名的關口。位於北京西北，距離北京城區50公里處，以地勢險要聞名。

9. 特殊奧林匹克運動：世界三大奧林匹克運動之一，是爲了讓全世界智障人士參與體育活動而設立的。國際特殊奧林匹克委員會是美國人尤妮斯・肯尼迪・施萊佛1968年創立的。

《喬丹登長城做 "好漢"》

10. 陡：【形】坡度很大，近於垂直的。

11. 厘米：【量】公製長度的單位，1厘米等於0.01米。

12. 費勁：【動】費力。

13. 媒體：【名】指交流、傳播信息的工具，如報刊、廣播、廣告等。

14. 落：【動】因爲跟不上而被丟在後面。

15. 距離：【名】相隔的長度。

16. 標語牌：【名】張貼口號的牌子。

17. 綿延：【動】延續不斷。

18. 興致勃勃：很有興趣。

19. 到底：【副】用在問句裏，表示深究。

20. 解答：【動】解釋回答。

21. 垛口：【名】城牆上呈凹凸形的短牆。

22. 探：【動】向前伸出（頭或身體）。

23. 張望：【動】向四週或遠處看。

24. 標語：【名】用於宣傳鼓動的簡短有力的口號。

25. 顯然：【形】容易看出或感覺到。

專有名詞

26. 麥克爾・喬丹：人名。

《踩著高蹺登長城》

27. 老漢：【名】年老的男子。

28. 簇擁：【動】許多人緊緊圍著。

29. 高蹺：【名】民間舞蹈，表演者踩著有踏腳裝置的木棍，邊走邊表演。

30. 驚呆：【動】因吃驚而發呆。

31. 打量：【動】觀察（人的衣著、外貌）。

32. 猜測：【動】推測；憑想象估計。

33. <u>創紀錄</u>：【動】創造出超過原有最好成績的成績。

34. <u>居然</u>：【副】表示出乎意料；竟然。

35. <u>難度</u>：【名】困難的程度。

36. <u>驚呼</u>：【動】吃驚地呼喊。

37. <u>海拔</u>：【名】以平均海平面做標準的高度。

專有名詞

38. <u>狼牙山</u>：山名。在中國河北省易縣。山勢險要，風景美麗。

(二) 重點句型講解

　　本課一共有6種需要學生掌握的重點句型，在《學生用書》的"LANGUAGE CONNECTION"有簡單的講解。在這裏，我們又做了進一步的講解，以供老師參考。

1.　縮略語

> "……包括中國有關方面的領導人、部分駐華使節、學生代表、武警代表及運動員代表等。"

　　這個句子中的"駐華使節"是一個縮略語。"縮略語"是漢語中一種特殊的表達方式，是將一個比較長的表示名稱的詞語縮減爲2-3個字。如課文中的"駐華使節"一詞的全稱是"祝中華人民共和國使節"。類似的縮略語很多，如：

　　　　全國人大——全國人民代表大會
　　　　奧運會——奧林匹克運動會
　　　　北師大——北京師範大學
　　　　空姐——空中小姐
　　　　彩照——彩色照片
　　　　民航——民用航空
　　　　駕照——駕駛執照

2.　V₁著V₁著 + V₂

> "走著走著跟在他身後的媒體記者和球迷就被他落下了一大段距離。"

　　這種結構表示一種動作正在進行的過程中出現了另一種不同的動作或一種新的情況，"V₁"就是正在進行的動作，"V₂"表示出現的另一種動作或一種新的情況。"V₁著V₁著"與"V₂"之間可以插入其他成分。例如：

　　　　他説著説著就笑了起來。
　　　　我們走著走著，不知不覺天就黑了。
　　　　吃完飯後我躺在床上看書，看著看著就睡著了。

注意：在這一結構中，"V₁"大多是單音節動詞。

3. 連動句

> "他在長城上拍了照，還手扶長城的垛口探出身子張望了一會兒。"

在一個句子中，有兩個或兩個以上的動詞充當謂語，動詞中間沒有停頓，也沒有關聯詞連接，幾個動詞短語共用一個主語，這樣的句子叫連動句。課文中的句子 "他手扶長城的垛口探出身子張望了一會兒" 就是連動句。連動句的種類很多，可以是前面的動詞表示一種行為方式，後面的動詞表示動作行為，課文中的句子就是這種類型——"手扶長城垛口" 是行為方式，"探出身子張望" 是喬丹的動作本身；也可以是連續發生的幾個動作，如 "他吃晚飯騎上車就走了"。例如：

> 媽媽生病了，趕快打電話叫出租車送媽媽去醫院。
> 人們手拿紅旗唱著歌大步走著。
> 我們吃過晚飯刷完碗打開電視。

4. 到底

> "喬丹問了關於長城修建年代等幾個問題，並問長城到底有多長。"

副詞 "到底" 有不同的用法，課文中是用在疑問句中，表示進一步追問。它的位置可以在謂語前，也可以在主語前。句子的主語如果是疑問代詞（如 "誰、哪一個、什麼" 等），"到底" 只能用在主語的前面。例如：

> 你到底去過那個地方沒有？
> 長城到底有多長？
> 到底誰拿了我的書包？
> 那個地方到底冷不冷？

5. 顯然……

> "顯然，看到自己最喜歡的籃球明星，大家都非常激動。"

"顯然" 是一個形容詞，形容一種情況或一種道理非常明顯，很容易看出來也很容易理解。"顯然" 一般放在所描述的事件或某種情況之前，可以放在句中，也可以單獨放在句子前面。例如：

> 對這樣的條件，他顯然不滿意。
> 顯然，這個消息來源於廣播電臺。
> 他顯然不知道這裏發生了什麼事情。

6. 居然……

> "劉老漢居然還能一邊走一邊做著各種高難度動作。"

"居然" 是一個副詞，用在謂語前，表示一種動作行為或狀態等出乎人的意料，一般用在本來不應該發生或不可能發生的事情竟然發生了的情況下。例如：

> 這麼大的聲音，你居然沒聽見？
> 所有的人都知道的事情，他居然不知道。
> 他居然不參加女兒的婚禮，太奇怪了。

(三) 功能項目與相關要素說明

　　本課的主課文是三篇新聞報導。結合對主課文的學習，希望學生掌握對發生的事件進行敘述、說明這一功能項目。我們根據新聞報導的要素及結構，並結合課文的內容，對相關的表達方式作簡要的說明，供老師在教學中參考。《學生用書》的"WRITING　TASK"中設計了活動，其目的在於引導學生掌握對發生的事件進行敘述、說明的方法，並學會恰當地運用它們。

1. 新聞報道六大要素

　　包括何時、何地、何人、何事、何因及如何。"何時"就是事件發生的時間；"何地"就是時間發生的地點；"何人"就是事件中的人物；"何事"就是事件的內容；"何因"就是時間發生的原因；"如何"就是事件發生的具體情況以及過程、結果。

2. 新聞報道的三個組成部分

① 　標題。

② 　導語。導語就是用最簡練的語言把事件中最重要的內容告訴讀者。如課文中"施瓦辛格率隊跑上長城"這一篇報導，"5月20日，施瓦辛格來到居庸關長城，參加'特殊奧林匹克運動'的一個宣傳活動"這一句就是導語。在這個導語中，包括了時間、地點、人物和事件四個方面的要素：時間是5月20日，人物是施瓦辛格，地點是居庸關長城，事件是參加特殊奧林匹克宣傳活動。這類導語，簡潔明了，學生比較容易掌握。例如：要報道學校的運動會，就可以直接使用這類導語：……月……日，……學校的……運動會在……舉行。

③ 　正文。敘述事件發生的具體細節。如《施瓦辛格率隊跑上長城》中的"他手舉火炬，……。施瓦辛格說，……。中國方面……"。這一部分的敘述，可以根據情況，或長或短，但一定要條理清楚。

　　在對發生的事件的敘述中，新聞報導六個要素中的"何因"和"如何"可以根據具體情況，或簡或繁。如：在《喬丹登長城做好漢》中，只說到時間、地點、人物、事件以及事件的具體細節，而對事件的原因沒有明確的交代。

(四) 補充文化知識材料

　　根據正副課文的內容，我們補充了一些相關的文化背景知識，供老師們參考。由於篇幅的關係，其他更多的材料，我們放到網上，請老師上網搜尋。

1. 關於長城

　　長城是中國也是世界上修建時間最長、工程量最大的一項古代防禦工程。自公元前七八世紀開始，延續不斷修築了2000多年，分佈於中國北部和中部的廣大土地上，總計長度達50000多公里，被稱爲"上下兩千多年，縱橫十萬餘里"。因爲工程浩大，因而在幾百年前就與羅馬鬥獸場、比薩斜塔等一起被列爲中古世界七大奇蹟之一。

長城修築的歷史

　　長城修築的歷史可上溯到公元前9世紀的西周時期。周王朝爲了防禦北方游牧民族的襲擊，曾築連續排列的城堡"列城"以作防禦。到了春秋戰國時期，各諸侯國爲了相互爭霸，根據各自的防守需要，在自己的邊境上築起長城。公元前221年，秦始皇統一了中國。爲了防禦北方游牧民族的侵擾，開始大規模修築長城。除了利用原來諸侯國部分北方長城的基礎之外，還擴修了很多部分，建起了西起臨洮、東止遼東的5000多公里的長城，從此便有了萬里長城的稱號。自秦始皇起，凡是統治著中原地區的朝代，幾乎都要修築長城，其中以漢代、明代的規模爲最大。可以說，從春秋戰國時期開始到清代的2000多年一直沒有停止過對長城的修築。

長城的防禦工程體系

長城并不只是一道單獨的城牆，而是由城牆、敵樓、關城、烽火臺等多種防御工事組成的一個完整的防御工程體系。

城牆建於高山峻嶺或平原險阻之處，根據地形和防御功能的需要而修建，凡在平原或要隘之處都築得十分高大堅固，而在高山險處則較爲低矮狹窄，以節約人力和費用。

關城是長城防線上最爲集中的防御據點。關城設置的位置至關重要，均是選擇在有利防守的地形之處，以收到用極少的兵力抵御強大的入侵者的效果。長城沿線的關城有大有小，數量很多。以明長城的關城來說，大大小小有近千處之多，著名的如山海關、黃崖關、居庸關、紫荆關、倒馬關、平型關、雁門關、偏關、嘉峪關以及漢代的陽關、玉門關等。有些大的關城附近還帶有許多小關，如山海關附近就有十多處小關城。有些重要的關城，本身就有幾重防線，如居庸關除本關外，還有南口、北口、上關三道關防。北口即八達嶺，是居庸關最重要的前哨防線。

烽火臺是長城防御工程中最爲重要的組成部分之一。它的作用是傳遞軍情。傳遞的方法是白天燃烟，夜間舉火，因白天陽光很强，火光不易見到，夜間火光很遠就能看見。這種傳遞信息的方法既科學又迅速。爲了報告來犯敵兵的多少，採用了以燃烟、舉火數目的多少來加以區別。烽火臺都設在高山險處或是峰回路轉的地方，而且必須是要三個臺都能相互望見，以便於看見和傳遞。

八達嶺長城

八達嶺長城位於北京市西北延慶縣境內，建於明代，是明長城在北京地區的一個隘口，是明長城重要關口居庸關的前哨。因南通京城，北到延慶，東去永寧、四海，西往宣化、大同，四通八達，故名八達嶺。八達嶺長城是現今明長城中保存得最好的一段。這段長城由關隘、城牆、城臺、烽燧四部分組成，沿山脊建築，隨山勢曲折起伏，氣勢磅礴，宛如一條巨龍奔騰飛舞於群山峻嶺之中。

居庸關長城

居庸關是長城著名的關城，位於北京北郊，距北京市區約50公里。這裏早在漢代已是通向蒙古高原的交通咽喉，公元5世紀北魏時在此建城築關。明代在此築關城并設水、陸兩道關門，派重兵把守。居庸關地勢險要，自古以來就是保衛北京的屏障。具有重要的人文和自然景觀價值。

水關長城

水關長城修建於明代，水關位於北京延慶縣的八達嶺鎮，是京北長城上的一座關城，是八達嶺長城中保存最精固的一段。該關以水拒敵，故名水關。

2. 周朝的分封制度

公元前十一世紀，周武王率軍隊打敗商紂王的軍隊，結束了商朝的統治，建立了周朝。周朝建立後，爲了鞏固它的統治，周天子把一些土地分封給他的子弟以及有功的大臣們，建立諸侯國。比如魯國就是周武王的兒子周公的封地。這些諸侯國要按時向周天子進獻貢品，在發生戰爭時，要率領軍隊，參加保護周天子的戰爭。到了東周時期，諸侯國的勢力日漸增强，彼此之間爲了爭奪利益經常發生戰爭，而周天子的勢力卻日漸衰弱，以至在公元前256年，周天子被諸侯廢除。公元前221年，秦始皇消滅了其他諸侯國，統一了全國，廢除了周朝的分封制度，實行郡縣制。

3. 踩高蹺

踩高蹺是民間盛行的一種群衆性技藝表演。它是中國古代很多娛樂游戲中的一種，早在春秋時期就已經出現了。中國最早介紹高蹺的文字出自《列子·説符》，文中描寫了一個踩高蹺的人，説他用兩根木棍綁在自己的兩條腿上，用來加長自己的身高，并舞弄著七支劍邊跑邊跳。這説明，早在公元前高蹺就已經開始流行了。表演者不但腿上綁著長木棒，而且還能跳躍和舞劍，高蹺分高蹺、中蹺和跑蹺三種，最高的有一丈多高。據古籍中記載，古代的高蹺皆是用木棒做的，在刨好的木棒中部做一支撐點，以便放腳，然後再用繩索縛於腿部。表演者除了行走以外，還可以作舞劍、劈叉、跳凳、過桌子、扭秧歌等動作。人們在踩高蹺的活動中，往往還要扮演各種人物。北方一般喜歡扮成漁翁、媒婆、傻公子、小二哥、道姑、和尚，等等。表演者扮相滑稽，能喚起觀衆的極大興趣。南方扮演的多是戲曲中的角色，如關公、張飛、吕洞賓、何仙姑、張生、紅娘、濟公、神仙、小丑等。他們邊演邊唱，生動活潑，逗笑取樂，很受歡迎。據説踩高蹺這種形式，原來是古代人爲了採集樹上的野果想出的辦法，逐漸演變成了一種給自己的腿上綁兩根長棍的蹺技活動。

《同步訓練》參考答案及相關提示

Section One

I.　Multiple Choice (Listen to the dialogs)

答案:

1.　D　　　　2.　D　　　　3.　C　　　　4.　B　　　　5.　C　　　　6.　D
7.　B

聽力錄音文本:

1. (Woman)　老張,怎麼好長時間沒看你出來運動了?
   (Man)　　(A) 運動後感覺特別有精神。
   　　　　　(B) 這陣子時興打太極拳。
   　　　　　(C) 運動對身體特別好。
   　　　　　(D) 這陣子一天到晚都加班。

2. (Woman)　您好,請問從這裏有直接到國家博物館的公共汽車嗎?
   (Man)　　(A) 請您上來就繫好安全帶。
   　　　　　(B) 博物館的參觀者挺多的。
   　　　　　(C) 你坐公共汽車來的嗎?
   　　　　　(D) 你坐地鐵更方便。

3. (Woman)　這個星期天你有什麼安排嗎?聽説最近有一個書展,很不錯。
   (Man)　　(A) 我以前特別喜歡練書法。
   　　　　　(B) 現在時間還不太晚啊。
   　　　　　(C) 我可能會有一個座談會。
   　　　　　(D) 好多人還沒有安排好。

4. (Woman)　對不起,我遲到了,讓您久等了。
   (Man)　　(A) 你是在哪裏等我的?
   　　　　　(B) 我也是剛到一會兒。
   　　　　　(C) 我還沒有出發呢。
   　　　　　(D) 外面下雨了。

5. (Man)　　這個學期我選的課特別多,累死了!還好,終於快放假了。
   (Woman)　(A) 你在這個學期準備做什麼?
   　　　　　(B) 假期在補習班學習還挺好。
   　　　　　(C) 你們下學期什麼時候開學?
   　　　　　(D) 假期還是要出去玩才好!

6. (Man)　　昨天我看見一個人,跟你長得特別像。
   (Woman)　我忘了告訴你我有一個雙胞胎哥哥。
   (Man)　　(A) 我還以爲不是你呢。
   　　　　　(B) 他没告訴我認錯人了。
   　　　　　(C) 我跟他很早就認識。
   　　　　　(D) 我還以爲就是你呢!

7. (Man) 你穿這件衣服顯得特別精神。

　　(Woman) 是嗎！那你說是不是買下來呢?

　　(Man) (A) 好像穿起來不太舒服。

　　　　　 (B) 那你就別再猶豫了。

　　　　　 (C) 那我們還是走吧?

　　　　　 (D) 那我們換一家商店逛逛。

II. Multiple Choice (Listen to the selections)

答案:

1. D　　　2. A　　　3. A　　　4. D　　　5. A　　　6. C

7. C　　　8. D　　　9. A　　　10. C　　　11. C　　　12. C

13. B　　　14. A　　　15. C

聽力錄音文本:

Selection 1

(Narrator) Now you will listen once to a conversation.

(Man) 我們快點出發吧，晚了要是趕不上飛機怎麼辦啊?

(Woman) 別著急，離起飛還有兩個半小時呢，時間還早。

(Man) 還是早點去吧，要是路上堵車呢?

(Woman) 不會的，今天是週末，而且從這兒到機場只要不到一個小時的時間。

(Man) 算了吧，我們還是早點走吧。我現在就去叫出租汽車。

(Narrator) Now answer the questions for this selection.

Selection 2

(Narrator) Now you will listen twice to a voice message.

(Woman) 各位乘客，歡迎乘坐北京地鐵1號線。現在給大家介紹一下本次列車的首末車時間。首班車發車時間為早上5點30分，末班車時間為23點整。下一站是復興門站。復興門站是換乘車站，有去往西直門方向的乘客請在此站下車，換乘2號線地鐵。

(Narrator) Now listen again.

(Narrator) Now answer the questions for this selection.

Selection 3

(Narrator) Now you will listen once to a conversation.

(Man) 你好，可以麻煩你幫我照張相嗎?

(Woman) 當然可以。你是一個人來旅遊的嗎?

(Man) 我和幾個朋友一塊兒來的，不過他們在那邊划船呢。

(Woman) 你是第一次來中國嗎? 你的漢語說得很不錯。

(Man) 謝謝! 我小的時候在中國住過幾年。

(Narrator) Now answer the questions for this selection.

Selection 4

(Narrator)	Now you will listen twice to a voice message.
(Woman)	喂，姐姐，我是玲玲。告訴你一件事兒。上午我坐出租車去學校的時候，把相機落在座位上了，一直到上午四節課完了以後我才發現。大家都說我肯定找不回來了，沒想到我按車票上的號碼打了個電話給出租汽車公司，他們就聯繫到了司機，把我的相機送回來了。我的運氣還不錯吧？
(Narrator)	Now listen again.
(Narrator)	Now answer the questions for this selection.

Selection 5

(Narrator)	Now you will listen twice to a conversation.
(Woman)	喲！這麼好看的明信片，是你弟弟從中國給你寄來的嗎？
(Man)	這是他寒假去北京故宮的時候買的，挺不錯的吧？
(Woman)	真漂亮。你弟弟去中國留學多長時間了？
(Man)	已經兩個多月了。
(Woman)	他適應那兒的生活嗎？
(Man)	他說一切都挺好的，就是希望我們找時間過去看他。可能我父母過一段時間會去上海看他。
(Woman)	那你呢？
(Man)	我現在根本沒有空出門旅遊。
(Narrator)	Now listen again.
(Narrator)	Now answer the questions for this selection.

III. Multiple Choice (Reading)

答案：

1. C	2. C	3. C	4. B	5. A	6. B
7. A	8. B	9. A	10. D	11. A	12. C
13. C	14. A	15. B	16. B	17. B	18. A
19. C	20. D	21. A	22. B	23. C	24. D

Section Two

I. Free Response (Writing)

1. Story Narration

The four pictures present a story. Imagine you are writing the story to a friend. Write a complete story as suggested by the pictures. Give your story a beginning, a middle, and an end.

教師手冊

寫作提示：

　　這則看圖寫作主要是考查學生對於一個事件前因後果以及具體細節的敘述是否清楚完整，並考察學生是否瞭解和能夠運用與機場交通相關的基本詞彙。可供參考的描寫線索是：

　　××提前……小時來到……機場，進入候機廳。他看了看自己的機票，排到一個隊伍的最後面。排了大約……（時間），終於輪到××了，他把票遞給檢票員。檢票員掃了一眼，對××說，你應該……。××非常困惑，問道："這裏不是……嗎？"檢票員回答："這裏是……你的票是……所以你應該到國際航線候機廳去。"說完，用手指向……××匆忙離開隊伍，拉著行李箱往……跑去。最後，他排到國際航線的檢票隊伍後，看看時間，還剩……

2. Personal Letter

Imagine you received a letter from a pen pal. In the letter, he expresses interest in learning about the differences between the east and west coasts of the United States. Write a reply in letter format. Tell him what you know about the east and west coasts from a cultural and geographical perspective, which area you like more, and why.

回信建議：

(1) 簡單親切的問候。

(2) 簡單回應朋友來信的主要信息、適當過渡。比如：

　　你的信中說到希望瞭解美國東西海岸的差異，這是一個非常有意思的話題……

　　要說美國東西海岸的差異，不能不說到……

(3) 回信的主體部分。

① 首先要介紹美國東西海岸地理以及人文差異。可以寫的角度很多，比如可以談東西海岸不同的歷史進程、不同的文化特點、不同的地理特徵、不同的城市、不同的特產乃至不同的學校。寫作時可以採用蜻蜓點水式的描寫和說明，也可以側重某一兩個方面作具體的描述。注意不要鋪得太散，要及時總結，比如：

總之，美國東、西部的差異可以談的東西真是太多了……

② 接下來，要結合個人的體驗來說對於東部西部的喜歡、不喜歡或是無所謂的理由。比如：

從我自己來看，我非常喜歡……的生活，因為……

雖然……我根本不會考慮到……生活，因為……

我對東部西部沒有特別的喜好，我喜歡的還是……

(4) 擴展。比如可以聯繫對方國家東西部差異問題。簡單表明自己的看法，或者希望對方就某些具體問題進行具體說明。例如：

據我所知，中國的東部和西部也存在很大的差異，而且最近一些年，政府也非常希望開發中國的西部……你能談談……

(5) 祝福語、署名及寫信日期。

3. E-Mail Response

Read this e-mail from a friend and then type a response.

發件人：楊風

主　題：瞭解美國家庭的旅行生活

最近我和爸爸媽媽剛從南方旅遊回來，特別累，但是感覺很不錯。上次你的信中說到你也很喜歡旅遊，最近你有什麼具體的打算嗎？在美國，如果是一個家庭出去旅遊，人們一般喜歡選擇什麼樣的旅行方式，通常都喜歡去哪些地方呢？能告訴我有關信息嗎？謝謝！

回信建議：

(1) 簡短開頭，直接切入正題。

(2) 具體說明。以下是一些可以展開的角度。

① 美國家庭喜歡的自駕遊。例如：

在……如果是一個家庭出去旅遊，人們通常比較喜歡自己駕車旅遊，而且根據路途的遠近，選擇不同的車型。……人們一般喜歡去……比如在……這樣的渡假勝地，夏天非常熱鬧，很多家庭是開著車一起過來渡假……

② 到另一個城市租車旅遊。

對美國人來說，新到一個城市後，在當地租一輛車旅遊也是非常方便的，很多家庭就選擇到當地租車，駕車旅遊。比如夏威夷是一個島嶼，人們只能從大陸飛到夏威夷，然後在當地租車旅遊，不可能從大陸開著車到夏威夷。租車旅遊成為非常重要的旅行方式。

③ 還可以談談通過別的交通工具旅遊，比如一般的公交車，出租車等，家庭出去遊玩也完全可能選擇這些方式。

(3) 結束談話。比如：

非常高興和你的交流，希望經常聯繫。

今天我們先談到這，如果你還希望知道別的情況，我們下次還可以接著聊。

4. Relay Telephone Message

Imagine you arrive home one day and listen to a message for your sister from her classmate. You will listen twice to the message. Then relay the message, including the important details, by typing a note to your sister.

(Girl)小群，你又不在家嗎？打電話想跟你説説上個星期在小彭婚禮上説定的元旦自駕遊的活動。現在大家決定去壩上草原，因爲三天的時間可以跑遠一些。大家讓我通知你：一號上午九點差一刻我們在八達嶺高速公路的3號出口處集合，從你家開車，可以先走二環，然後從西直門出口就可以上高速路了，注意看標識，千萬別開過了。好了，如果沒有問題的話就不用給我回電話了，咱們週六見。

轉述建議：

(1) 這則電話留言涉及衆多信息，但是其重要程度各不相同。留言的核心詞是"集合"。

(2) 要把集合的時間、地點、去幹什麼、怎麼走這些問題搞清楚，比如他們的打算是："去北邊的草原"；他們集合的時間是："一號上午九點"；他們集合的地點是："3號高速公路的第一個收費站"。另外，留言者提醒姐姐"怎麼走"這一細節也應該交待出來。抓住以上幾點，即使一些相關的説明遺漏也不會影響轉述的效果。比如"因爲三天的時間可以跑遠一些。"這樣的句子不寫下來也可以。

(3) 轉述時注意人稱和稱呼的轉換。

II. Free Response (Speaking)

1. Conversation

You run into a tourist who just arrived in your hometown. You will have a conversation with him about your hometown.

(1) 問題一：我第一次來這個城市，準備在這兒待三天。請問，您覺得有哪些地方我必須去看看呢？

回答建議：

　　介紹當地的名勝古蹟。比如：

　　　　第一次來這兒的話，當然應該去……如果你沒有到過……那麼就不算來過……

　　介紹的地方可以是博物館。比如：

　　　　你還可以去看看××博物館，這個博物館很值得去一看。

　　或者介紹某些民族文化展演中心。比如：

　　　　另外還有我們這裏的××文化中心，來這裏一趟，也應該去看看，非常棒。

　　也可以從娛樂生活方面找一些話題來介紹。比如：

　　　　晚上要是有時間呢，你可以去……看……演出，最近的……演出挺不錯。

(2) 問題二：這幾個地方，它們最大的特色各是什麼？

回答建議：

　　這個問題是對上一個問題的追問，注意如果你上一道題回答的方式是展開式，分別列舉出來的，那麼這一道題應該練一練把分散的點綜合起來進行表述，因此要特別注意關聯詞的運用。比如：

　　　　要説這裏的著名景點××，它最大的特點就是……而這個城市的博物館××，特點是……它在全國是……。如果你想瞭解……的歷史，當然應該去××博物館看看。至於……演出中心，那是休閒娛樂的好地方，因爲晚上遊客的時間不好打發，去看看演出也是非常有意思的。再説最近也有很好的演出，千萬別錯過了。別忘了還有××文化中心，這個地方……如果你對……感興趣，那麼去那兒一定不會失望。

　　由於回答時間只有20秒，回答時不必各方面都涉及，可以選擇其中的一部分。

(3) 問題三：那麼，您說的這些地方我都去的話，三天時間我怎麼安排最合理呢？
回答建議：

① 要根據時間條件充分設想相關情景，並且對各種設計的利弊作出簡單說明。例如：

因為去……需要的時間比較多，所以第一天最好去……去這個地方回來會很晚。第二天可以去……剩下一天時間，你要好好考慮一下，再作選擇，比如你可以去……因為……；也可以去看……

② 總結。

這兩種安排各有利弊，就看你自己怎麼決定了。

(4) 問題三：去這幾個地方，我應該選擇什麼樣的交通工具呢？
回答建議：

① 和上一道題類似，這道題的回答要根據不同的目的地選擇不同的交通工具，並且要對各種選擇的利弊作出簡單說明。比如：

如果你去……坐……比較方便；如果要去……那麼只能是……因為……

② 總結。

不過我覺得總體上還是應該……這樣更好一些。

(5) 問題五：回國時我應該買什麼東西留做紀念呢？
回答建議：

這道題的回答主要是列舉一下你所推薦的物品，如果能夠在列舉的同時把推薦的理由交待出來，同時組織好句子前後的連貫，那麼回答就比較理想。比如：

我們這個城市的特色是……。你可以去……買……。另外，這裏的……也非常有名，很多來這裏的外地遊人都喜歡買，所以你最好也買一些……。除了這幾種，還可以看看……這也挺不錯的。另外，如果你想送別人……的禮物，你應該看看……

(6) 問題六：您還有什麼好的建議給我嗎？
回答建議：

① 旅遊的要素是"吃、住、行、遊、購、娛"，可以從這些基本要素裏找出便於表述的內容，並從對方的角度進行設想，然後把相關建議綜合起來進行表達。比如：

你的這次旅行，如果有時間，還可以去……；如果你想買的東西比較多，你可以去……。另外，在這裏的幾天，別忘了找……的餐館，品嚐這裏的美食……

② 給對方一些的提醒，擴充表述。

……這個城市治安環境比較好，你不用太過擔心，但是如果有什麼問題，你可以打……電話，請求幫助。

這個城市治安環境一般，你還是要多加小心，特別是……地方，不要……

2.　**Cultural Presentation**

In your presentation, talk about what you know about the Palace Museum. If you have been there before, include your personal experience as well.
回答建議：

(1) 首先介紹故宮的歷史以及總體情況。如：

故宮，是北京城的中心。它是一個龐大的建築群，代表中國古代傳統的建築特色，到現在已經有五百多年的歷史……

(2) 如果可能的話，説説故宮的建築特色。前面關於故宮建築的組成是泛泛而談，接下來從你感受最深的一點去作發揮，這樣就能點面結合。你可以選擇一些具體有趣的角度來組織你的語句，比如故宮的高牆：

　　我對故宮高高的圍牆印象特別深刻……

又比如故宮的佈局：

　　故宮中間是……兩旁是……

(3) 還可以説説故宮的寶貝，可以泛泛而談，也可以説你知道的一兩件。比如：

　　故宮裏藏著很多各種各樣的寶貝，有書畫收藏……有陶瓷……有各種工藝品……我印象最深的是……

(4) 最後，可以聯繫故宮的現實情況來談，從而結束表述。比如：

　　由於故宮現在正進行大規模地修整，所以即使到了北京，也不能好好參觀故宮。這真是遺憾。據説故宮修整的花費非常高，看來今後的故宮會比我今天看到的更漂亮！

3. Event Plan

Imagine your school and a Chinese school become sister schools. You have the opportunity to plan activities for the students from the sister school during an exchange trip to the United States. In your presentation, explain activities you will arrange for them both on campus and off campus. Also mention your plans for accommodation and meals, and include reasons for your arrangements.

回答建議：

(1) 開始。簡單介紹這些學生者及其訪問目的。比如：

　　最近我們學校來了一個訪問團，他們是從……來的。他們主要是來考察……並且參觀……

(2) 過渡。簡單交待是由你來做這個接待計劃。

(3) 推進話題，具體説明你的接待計劃。

　① 説一説具體的觀摩活動，並且要説清楚這樣安排的原因。如：

　　訪問團一共待三天，第一天主要觀摩……第二天……第三天……這樣安排是因為……還有……

　② 介紹觀摩活動之餘的旅行安排。比如：

　　除了聽課和觀摩學習，我會安排訪問團到……看看……。另外再去……因為他們都是第一次到美國來，機會難得，應該到處走走。

　③ 交待訪問團的住宿以及餐飲安排，並説明安排的理由。如：

　　訪問團到達以後，會住在……這個地方價格便宜，環境很好，另外附近還有中國餐館，如果訪問團成員不習慣吃西餐，問題也不是太大……

(4) 結束：從總體上説一説感受。比如：

　　這次接待的確是有很多工作要做。但是我非常愉快，因為我可以見到不少的老朋友，真是非常開心。

Mid-Term Test
期中綜合訓練

Section One

I. Multiple Choice (Listen to the dialogs)

Note: In this part, you may NOT move back and forth among questions.

Directions: In this part, you will hear several short conversations or parts of conversations followed by four choices, designated (A), (B), (C), and (D). Choose the one that continues or completes the conversation in a logical and culturally appropriate manner. You will have 5 seconds to answer each question.

1.	(A)	(B)	(C)	(D)	7.	(A)	(B)	(C)	(D)
2.	(A)	(B)	(C)	(D)	8.	(A)	(B)	(C)	(D)
3.	(A)	(B)	(C)	(D)	9.	(A)	(B)	(C)	(D)
4.	(A)	(B)	(C)	(D)	10.	(A)	(B)	(C)	(D)
5.	(A)	(B)	(C)	(D)	11.	(A)	(B)	(C)	(D)
6.	(A)	(B)	(C)	(D)	12.	(A)	(B)	(C)	(D)

II. Multiple Choice (Listen to the selections)

Note: In this part, you may move back and forth only among the questions associated with the current listening selection.

Directions: In this part, you will listen to several selections in Chinese. For each selection, you will be told whether it will be played once or twice. You may take notes as you listen. After listening to each selection, you will see questions in English. For each question, choose the response that is best according to the selection. You will have 12 seconds to answer each question.

Selection 1

1. Which kind of fruit does the woman want to buy?

    (A) Apples

    (B) Dragon fruits

    (C) Pears

    (D) Bananas

2. What reason does the man give for not lowering the price?

   (A) It's his policy. All his prices are fixed.

   (B) The price is already very reasonable.

   (C) His fruit tastes better than that of the other stalls.

   (D) The kind of fruit the woman wants is in short supply right now.

3. Why does the woman buy only one kind of fruit in the end?

   (A) Because she only has enough money to buy one kind of fruit.

   (B) Because she worries that she cannot eat too much fruit by herself.

   (C) Because that kind of fruit is her favorite.

   (D) Because the other kinds of fruit are too expensive.

Selection 2

4. Why does Lihua call Xiao Bing?

   (A) She wants to invite her to dinner.

   (B) She wants her to reserve a table at a restaurant.

   (C) She wants to inform her about a change of restaurant.

   (D) She wants to ask her opinion about a restaurant.

5. Which is the MAIN reason Lihua and her friends decide to eat Shanghai food?

   (A) One of them cannot eat spicy food at the moment.

   (B) They haven't eaten Shanghai food for a long while.

   (C) The restaurant serving Shanghai food is conveniently located.

   (D) The restaurant serving Shanghai food is having a special promotion now.

6. What time are Lihua and her friends meeting at the restaurant?

   (A) 4:00 pm

   (B) 5:00 pm

   (C) 6:00 pm

   (D) 7:00 pm

Selection 3

7. Which size does the man usually wear?

   (A) Small

   (B) Medium

   (C) Large

   (D) Extra large

教
師
手
冊

8. Why does the woman recommend a white T-shirt to the man?
    (A) Because the man doesn't like dark-colored T-shirts.
    (B) Because blue T-shirts in the man's size are out of stock.
    (C) Because she thinks white suits the man better.
    (D) Because white is in fashion now.

9. What does the man buy in the end?
    (A) A white T-shirt
    (B) A green T-shirt
    (C) A yellow T-shirt
    (D) Nothing

Selection 4

10. Why did the man move out from the school?
    (A) Because he didn't like living there.
    (B) Because he wants to have more privacy.
    (C) Because his room in the school apartment is too small.
    (D) Because the school apartment rent is too expensive.

11. How did the man find his new place?
    (A) The school liaison officer found it for him.
    (B) His friend helped him.
    (C) He saw an advertisement in the newspaper.
    (D) He saw an advertisement on the Internet.

Selection 5

12. This voice message would probably be heard _____ .
    (A) on a subway train
    (B) at the train platform
    (C) on a bus
    (D) on a train

13. Where is the vehicle's destination?
    (A) Beijing station
    (B) Xizhimen
    (C) West train station
    (D) Tian'anmen

14. What does the speaker remind the passengers to do?
    (A) To stay clear of the door when it is closing.
    (B) To move to the back of the vehicle.
    (C) To watch their step when alighting from the vehicle.
    (D) To take care of their personal belongings.

III. Multiple Choice (Reading)

Note: In this part, you may move back and forth among all the questions.

Directions: You will read several selections in Chinese. Each selection is accompanied by a number of questions in English. For each question, choose the response that is best according to the selection.

Read this passage.

[Simplified-character version]	[Traditional-character version]
三年前,学校组织同学们去孤儿院做志愿者,我觉得很好奇,于是报了名。没想到,学校第二天就组织我们去孤儿院,更没想到的是,我居然会一直做了下来,至今已经整整三年了。记得第一天我们一到孤儿院,就开始教孩子们唱歌跳舞。他们非常聪明,学起来也很认真,很快就都学会了。后来,我们又和他们一起玩游戏,学写字。下午,我们要走了,一个长得很可爱的小女孩拉着我的手说:"姐姐,你以后还会来吗?""会的。"我想都没想就回答了她。我怎么能拒绝一个小女孩呢?后来,我渐渐喜欢上了孤儿院,每个周末都去那儿。和那些天真的孩子们在一起,我的心里充满了幸福和快乐。	三年前,學校組織同學們去孤兒院做志願者,我覺得很好奇,於是報了名。沒想到,學校第二天就組織我們去孤兒院,更沒想到的是,我居然會一直做了下來,至今已經整整三年了。記得第一天我們一到孤兒院,就開始教孩子們唱歌跳舞。他們非常聰明,學起來也很認真,很快就都學會了。後來,我們又和他們一起玩遊戲,學寫字。下午,我們要走了,一個長得很可愛的小女孩拉著我的手說:"姐姐,你以後還會來嗎?""會的。"我想都沒想就回答了她。我怎麼能拒絕一個小女孩呢?後來,我漸漸喜歡上了孤兒院,每個週末都去那兒。和那些天真的孩子們在一起,我的心裏充滿了幸福和快樂。

1. Why did the author volunteer to work in the orphanage a few years ago?
    (A) She felt sorry for the orphans.
    (B) She herself was an orphan.
    (C) She hoped she could help the orphans.
    (D) She was curious about how volunteering works.

2. During her first visit to the orphanage, how many activities did the author do with the children?
    (A) One
    (B) Two
    (C) Three
    (D) Four

3. Why does the author go to the orphanage regularly now?
    (A) Because she feels very happy when she is with the children.
    (B) Because she likes singing and dancing very much.
    (C) Because she doesn't want to disappoint the children.
    (D) Because she was told that the children like her very much.

4. According to the passage, which of the following statements is TRUE?
    (A) The author has agreed to teach one of the girls to paint.
    (B) The author visited the orphanage the day after she signed up as a volunteer.
    (C) The author has been volunteering at the orphanage for three and a half years.
    (D) The author goes to the orphanage fortnightly on weekends.

Read this passage.

[Simplified-character version]	[Traditional-character version]
小明的足球虽然踢得不怎么好, 但他对足球比赛方面的消息却特别关心。每次上网, 他不是和朋友聊天, 就是看足球比赛的消息。有时他还会半夜起来打开电视, 收看国外的足球比赛, 甚至经常和家人争电视机看球。最近, 他还订了手机短信服务, 这样他每天都能了解足球比赛的情况。据说, 像小明这样的人还真不少, 难怪足球被称作世界第一大运动。	小明的足球雖然踢得不怎麼好, 但他對足球比賽方面的消息卻特別關心。每次上網, 他不是和朋友聊天, 就是看足球比賽的消息。有時他還會半夜起來打開電視, 收看國外的足球比賽, 甚至經常和家人爭電視機看球。最近, 他還訂了手機短信服務, 這樣他每天都能瞭解足球比賽的情況。據說, 像小明這樣的人還真不少, 難怪足球被稱作世界第一大運動。

5. According to the passage, how many ways does Xiao Ming use to get information about soccer games?

   (A) Two

   (B) Three

   (C) Four

   (D) Five

6. According to the passage, which of the following is TRUE?

   (A) Xiao Ming likes watching soccer on the Internet.

   (B) Xiao Ming is one of the best soccer players in his school.

   (C) Xiao Ming's family doesn't like soccer as much as him.

   (D) Xiao Ming's parents do not allow him to watch midnight soccer games.

Read this passage.

[Simplified-character version]	[Traditional-character version]
暑假开始了，虽然妈妈希望我能利用暑假的时间好好复习功课，但我还是决定和两个同学去商场打工。我对父母说："我要靠自己的本事挣生活费。"第一天上班，我激动得不得了，觉得自己长大了，能挣钱了。第二天我觉得也还有点意思，可从第三天开始，由于整天站着，还要和顾客说话，我开始觉得浑身都不舒服……这个漫长的暑假终于过去了，虽然每天都很累，但我现在终于明白，爸爸妈妈挣钱可真不容易。	暑假開始了，雖然媽媽希望我能利用暑假的時間好好複習功課，但我還是決定和兩個同學去商場打工。我對父母說："我要靠自己的本事掙生活費。"第一天上班，我激動得不得了，覺得自己長大了，能掙錢了。第二天我覺得也還有點意思，可從第三天開始，由於整天站著，還要和顧客說話，我開始覺得渾身都不舒服……這個漫長的暑假終於過去了，雖然每天都很累，但我現在終於明白，爸爸媽媽掙錢可真不容易。

7. Why does the author want a part-time job?

   (A) Because she has nothing to do during the summer vacation.

   (B) Because her family is poor so they need extra income.

   (C) Because her friends are working at the same place.

   (D) Because she wants to prove that she can earn money by herself.

8. Which of the following statements is TRUE?

   (A) The author will not receive an allowance from her parents from next semester onwards.

   (B) The author worked part-time as a waitress at a restaurant.

   (C) The author began to feel tired from the third day of work onwards.

   (D) The author thinks this summer vacation seems longer than previous ones.

Read this passage.

[Simplified-character version]

　　今天, 在整理书本的时候, 我偶然发现了一张照片。看到这张照片, 不禁令我想起了那个在中国度过的愉快而又有意义的暑假。记得那次暑假以前, 我报名参加一个去中国学习中文的项目。这个项目是由一个大学组织的, 本来只招大学生, 在我向他们反复说明自己对汉语有极大的兴趣以后, 他们才同意我参加考试。后来我通过了考试, 终于争取到了去中国学习的机会。在中国, 我整整学了两个月, 每天的学习时间比以前一个星期的还要多。虽然很累, 但我却很高兴, 因为我们的汉语进步得非常快。在离开北京的前一天晚上, 大家一起聚会, 我们和中国老师一起表演了节目, 那天大家玩得都很开心。现在半年过去了, 但当我看到这张照片时, 还是很怀念我的中国老师和那段在中国的生活。

[Traditional-character version]

　　今天, 在整理書本的時候, 我偶然發現了一張照片。看到這張照片, 不禁令我想起了那個在中國度過的愉快而又有意義的暑假。記得那次暑假以前, 我報名參加一個去中國學習中文的項目。這個項目是由一個大學組織的, 本來只招大學生, 在我向他們反復說明自己對漢語有極大的興趣以後, 他們才同意我參加考試。後來我通過了考試, 終於爭取到了去中國學習的機會。在中國, 我整整學了兩個月, 每天的學習時間比以前一個星期的還要多。雖然很累, 但我卻很高興, 因爲我們的漢語進步得非常快。在離開北京的前一天晚上, 大家一起聚會, 我們和中國老師一起表演了節目, 那天大家玩得都很開心。現在半年過去了, 但當我看到這張照片時, 還是很懷念我的中國老師和那段在中國的生活。

9. How long was the study-abroad program?

   (A) One month

   (B) Two months

   (C) Four months

   (D) Six months

10. The author did not qualify for the program initially, because _____ .

    (A) his test results score was too low

    (B) he is not a college student

    (C) he is not proficient in Mandarin

    (D) he registered too late

11. Why did the author feel happy even though he had a very full study schedule during his stay in China?

    (A) He had the opportunity to learn about local customs.

    (B) He could spend more time learning Chinese than he used to.

    (C) He made great progress in learning Chinese.

    (D) He really enjoyed the company of his classmates.

Read this passage.

[Simplified-character version]	[Traditional-character version]
小张前一天晚上观看了一场游泳比赛，他非常崇拜其中的一名女选手。第二天，他决定去游泳馆学习游泳。在游泳馆里，小张看到很多人都游得很轻松，这更增强了他的信心，他觉得学会游泳应该不难。可是当他下水以后，才知道要学会游泳还真不容易。在水里泡了十几天，他还是没学会，最后只好向游泳老师请教了。从前他总觉得自己比别人聪明，现在他才明白自己也有不如别人的地方。	小張前一天晚上觀看了一場游泳比賽，他非常崇拜其中的一名女選手。第二天，他決定去游泳館學習游泳。在游泳館裏，小張看到很多人都游得很輕鬆，這更增強了他的信心，他覺得學會游泳應該不難。可是當他下水以後，才知道要學會游泳還真不容易。在水裏泡了十幾天，他還是沒學會，最後只好向游泳老師請教了。從前他總覺得自己比別人聰明，現在他才明白自己也有不如別人的地方。

12. Why does Xiao Zhang want to learn how to swim?

    (A) Because he wants to get fit.

    (B) Because he wants to take part in a triathlon.

    (C) Because there is a female swimmer he likes very much.

    (D) Because all his friends go swimming together every weekend.

13. Which of the following statements is TRUE?

    (A) Xiao Zhang has found swimming to be easier than he thought.

    (B) Xiao Zhang thinks he is not as good at swimming as other people.

    (C) Xiao Zhang's friend taught him to swim.

    (D) Within a month, Xiao Zhang had become a confident swimmer.

Read this e-mail.

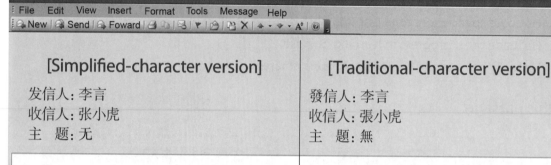

File   Edit   View   Insert   Format   Tools   Message   Help

New | Send | Foward

[Simplified-character version]

发信人: 李言
收信人: 张小虎
主　题: 无

小张:

　　你好! 你现在在哪儿呢? 放假了, 你也没跟我联系, 打电话你又老关机。不知道你最近忙什么。今天我在网上看到了一个好消息: 你最喜欢的黑豹乐队将在北京演出, 时间是下个星期五, 地点在首都体育馆。我已约好赵子明等四个同学星期天上午一起去买票。如果你要去的话, 请在星期天之前跟我联系。我的电话是78901234。对了, 你要买的话别忘了带学生证, 学生能享受五折的优惠价。明天是周末了, 祝你周末愉快。

　　　　　　　　　　李言
　　　　　　　　　　7月15日

[Traditional-character version]

發信人: 李言
收信人: 張小虎
主　題: 無

小張:

　　你好! 你現在在哪兒呢? 放假了, 你也没跟我聯繫, 打電話你又老關機。不知道你最近忙什麼。今天我在網上看到了一個好消息: 你最喜歡的黑豹樂隊將在北京演出, 時間是下個星期五, 地點在首都體育館。我已約好趙子明等四個同學星期天上午一起去買票。如果你要去的話, 請在星期天之前跟我聯繫。我的電話是78901234。對了, 你要買的話別忘了帶學生證, 學生能享受五折的優惠價。明天是週末了, 祝你週末愉快。

　　　　　　　　　　李言
　　　　　　　　　　7月15日

14. Why does Li Yan contact Zhang Xiaohu by e-mail?

    (A) Because he left his cell phone at home.

    (B) Because his cell phone was broken.

    (C) Because he lost Zhang Xiaohu's phone number.

    (D) Because he couldn't get through to Zhang Xiaohu's cell phone.

15. Which of the following about Black Leopard 's performance is TRUE?
    (A) It will be held on July 22.
    (B) Students will have a 40% discount on tickets.
    (C) It will be held at the Capital Theatre.
    (D) Each student is only allowed to buy two tickets.

16. According to the e-mail, which of the following is TRUE?
    (A) Black Leopard is Li Yan's favorite band.
    (B) Zhang Xiaohu needs to reply to Li Yan by Sunday morning.
    (C) A friend told Li Yan about Black Leopard's performance.
    (D) Zhang Xiaohu has not contacted Li Yan during the vacation.

Read this passage.

[Simplified-character version]	[Traditional-character version]
为了庆祝新年，我家所在的小区举办了一个联欢晚会。晚会上的节目可真多，而且演员都是小区里的住户。有唱歌、跳舞，还有戏剧表演等等，真没想到，平时见到的那些叔叔阿姨、爷爷奶奶们居然这么多才多艺。我们家表演了钢琴配乐诗歌朗诵，拿了第四名。爸爸妈妈很高兴。不过我觉得名次不是最重要的，重要的是通过参加这次活动，我学到了很多东西。我的同学小红家的节目是时装表演，她妈妈充分发挥了时装设计师的特长，设计出了几款很漂亮的衣服，他们得了第三名。有一位老奶奶和她的孙子表演的唱歌获得了第二名。获得第一名的是几个家庭共同表演的一个集体舞蹈。	爲了慶祝新年，我家所在的小區舉辦了一個聯歡晚會。晚會上的節目可真多，而且演員都是小區裏的住戶。有唱歌、跳舞，還有戲劇表演等等，真沒想到，平時見到的那些叔叔阿姨、爺爺奶奶們居然這麼多才多藝。我們家表演了鋼琴配樂詩歌朗誦，拿了第四名。爸爸媽媽很高興。不過我覺得名次不是最重要的，重要的是通過參加這次活動，我學到了很多東西。我的同學小紅家的節目是時裝表演，她媽媽充分發揮了時裝設計師的特長，設計出了幾款很漂亮的衣服，他們得了第三名。有一位老奶奶和她的孫子表演的唱歌獲得了第二名。獲得第一名的是幾個家庭共同表演的一個集體舞蹈。

17. What was so special about this New Year party?
    (A) It was the first New Year party to be held in the author's neighborhood.
    (B) Every household in the neighborhood put on a performance.
    (C) All the performers are residents in the neighborhood.
    (D) It was organized to allow neighborhood residents to demonstrate their talents.

18. How did the author feel about his family winning the fourth prize?

    (A) He felt that they deserved to win the first prize.

    (B) He thought they could have done better if they had had more time.

    (C) He thought the result was good and that he learned a lot along the way.

    (D) He didn't care about the result as he just wanted to have fun.

19. According to the passage, which of the following is TRUE?

    (A) Only four prizes were given away at the party.

    (B) Xiao Hong's mother was a choreographer.

    (C) The performance which won the first prize was a play.

    (D) More than one family could take part in the same performance.

Read this passage.

[Simplified-character version]	[Traditional-character version]
有一次，在放学回家的路上，我看到一位年轻的妈妈正在陪孩子练习走路。当孩子摔倒在地时，她没有去扶，而是鼓励孩子自己站起来。回到家，我对妈妈说："从今以后，我要自己洗衣服！"妈妈又吃惊又高兴地说："好呀，你终于长大了。"其实我只是忽然明白很多事应该自己做，而不能再推给别人了。慢慢地，妈妈说我和以前不一样了，以前我除了学习，什么事都不做，现在我也愿意花时间做好自己的事了。	有一次，在放學回家的路上，我看到一位年輕的媽媽正在陪孩子練習走路。當孩子摔倒在地時，她沒有去扶，而是鼓勵孩子自己站起來。回到家，我對媽媽說："從今以後，我要自己洗衣服！"媽媽又吃驚又高興地說："好呀，你終於長大了。"其實我只是忽然明白很多事應該自己做，而不能再推給別人了。慢慢地，媽媽說我和以前不一樣了，以前我除了學習，什麼事都不做，現在我也願意花時間做好自己的事了。

20. Why didn't the author let his mother wash his clothes?

    (A) Because he knew his mother was very busy.

    (B) Because he felt that he should do his own chores.

    (C) Because he thought his mother would be very tired after work.

    (D) Because he knew all his friends wash their clothes by themselves and he felt embarrassed.

21. The author's mother thinks he is different from in the past, because _____ .

    (A) he pays more attention to what his parents say

    (B) he doesn't let his mother wash his clothes

    (C) he is more independent now

    (D) he is more obedient and considerate

22. According to the passage, which of the following statements about the author's mother is TRUE?

    (A) She doubts whether he can keep up his good behavior.

    (B) She is able to figure out why he has changed.

    (C) She hopes that he can spend more time on his studies.

    (D) She is happy that her son is becoming more mature.

Read this passage.

[Simplified-character version]

这个故事发生在一千多年前，一天，有人送给曹冲的父亲一只大象，曹冲的父亲很想知道这只大象有多重。可是，大象是陆地上最大的动物，当时没有办法直接称出大象的重量。正在大家都一筹莫展时，只有六岁的曹冲说："我有办法。"于是曹冲带大家来到河边的一只空船旁边，说："把大象牵到船上去。"大象上了船，船就向下沉了不少。曹冲又说："比着水面在船身上画一个记号。"记号划好了以后，曹冲才叫人把大象牵上岸来。接着让人挑了石块，装到大船上。石头一点点装上去，大船一点点往下沉。等到船身上的记号又和水面齐平时，曹冲立即叫人停止装石头，而把石块又都从船上卸下来一点一点地称重量。这时候，大家明白了：相同重量的石头和大象装上船，那么船会下沉到相同的位置。把那些石块的重量加起来，得到的总和不就是大象的重量了吗？大家都感叹说："曹冲真聪明！"

[Traditional-character version]

這個故事發生在一千多年前，一天，有人送給曹冲的父親一隻大象，曹冲的父親很想知道這隻大象有多重。可是，大象是陸地上最大的動物，當時沒有辦法直接稱出大象的重量。正在大家都一籌莫展時，只有六歲的曹冲說："我有辦法。"於是曹冲帶大家來到河邊的一隻空船旁邊，說："把大象牽到船上去。"大象上了船，船就向下沉了不少。曹冲又說："比著水面在船身上畫一個記號。"記號畫好了以後，曹冲才叫人把大象牽上岸來。接著讓人挑了石塊，裝到大船上。石頭一點點裝上去，大船一點點往下沉。等到船身上的記號又和水面齊平時，曹冲立即叫人停止裝石頭，而把石塊又都從船上卸下來一點一點地稱重量。這時候，大家明白了：相同重量的石頭和大象裝上船，那麼船會下沉到相同的位置。把那些石塊的重量加起來，得到的總和不就是大象的重量了嗎？大家都感嘆說："曹冲真聰明！"

23. According to Chao Chong's method, what is the last step he would take to weigh an elephant?

   (A) Weigh the boat.

   (B) Weigh the stones.

   (C) Put a mark on the boat.

   (D) Put the elephant in the boat.

24. What did people think of Chao Chong's method?

   (A) They thought it was not the best idea.

   (B) They thought it was time-consuming.

   (C) They thought it was feasible.

   (D) They thought it was very troublesome.

25. Which of these English phrases is closest in meaning to "一筹莫展"?

   (A) "Unable to come up with anything."

   (B) "One plan is not enough."

   (C) "Nothing is going to work."

   (D) "Everything has been tried already."

Read this passage.

[Simplified-character version]	[Traditional-character version]
我们的体育课可以选学太极拳和少林功夫。这两个项目我都想学，可是和我的学习时间有冲突，只能选择一种。最后，我决定学少林功夫，而我的一个好朋友决定学太极拳，我们俩约定一个月以后举行一次比赛。可到比赛的那天，我后悔了，我感觉自己好像还没有入门，怎么可能和朋友较量呢？我说："还比吗？"朋友说："比啊！"于是我们俩像摔跤一样比了几分钟，就停了下来。这哪里是武术较量呀！"你不是学了太极拳吗？怎么不使太极拳的招呀？""你不是也学了少林功夫吗？我也看不出来你用的是少林功夫呀！"我俩没有继续比下去，决定去问问体育老师。老师笑着对我们说："这一个月我们只学了一些基本功，还比不出高低。武术最重要的是强身健体，至于进攻或者防范他人，那要勤学苦练很多年才能达到呢。"	我們的體育課可以選學太極拳和少林功夫。這兩個項目我都想學，可是和我的學習時間有衝突，只能選擇一種。最後，我決定學少林功夫，而我的一個好朋友決定學太極拳，我們倆約定一個月以後舉行一次比賽。可到比賽的那天，我後悔了，我感覺自己好像還沒有入門，怎麼可能和朋友較量呢？我說："還比嗎？"朋友說："比啊！"於是我們倆像摔跤一樣比了幾分鐘，就停了下來。這哪裏是武術較量呀！"你不是學了太極拳嗎？怎麼不使太極拳的招呀？""你不是也學了少林功夫嗎？我也看不出來你用的是少林功夫呀！"我倆沒有繼續比下去，決定去問問體育老師。老師笑著對我們說："這一個月我們只學了一些基本功，還比不出高低。武術最重要的是強身健體，至於進攻或者防範他人，那要勤學苦練很多年才能達到呢。"

26. Why can the author learn only one martial art?
    (A) Because his instructor only teaches one martial art.
    (B) Because only one martial art is offered at his school.
    (C) Because he only has enough time to learn one martial art.
    (D) Because he only has enough money to pay for one series of classes.

27. How does the author feel after learning Shaolin Kung Fu for a month?
    (A) He still knows nothing about it.
    (B) He feels that he is making excellent progress.
    (C) He is confident about winning a competition between him and his friend.
    (D) He regrets taking it up as it is too difficult to master.

28. According to the passage, which of the following statements is TRUE?
    (A) The author's friend has won a martial arts competition.
    (B) The author's teacher advises him to spend more time practicing.
    (C) The author needs one more year before he can begin competing with other fighters.
    (D) The purpose of learning martial arts is to learn self-defense.

Read this public sign.

[Simplified-character version]   [Traditional-character version]

闲人免进   閒人免進

29. Where would this sign most likely appear?
    (A) Outside an office
    (B) Outside a shop
    (C) Outside a police station
    (D) Outside a museum

30. What is the purpose of this sign?
    (A) To ask people not to make any noise.
    (B) To inform people that they cannot enter without a security pass.
    (C) To inform people that unauthorized people cannot enter.
    (D) To ask people not to disturb as the people inside are busy.

教
師
手
冊

Mid-Term Test
期中綜合訓練

Read this public sign.

[Simplified-character version]

老弱病残孕专座

[Traditional-character version]

老弱病殘孕專座

31. Where would this sign most likely appear?
    (A) On a bus
    (B) On a plane
    (C) In a restaurant
    (D) In a cinema

32. What does this sign mean?
    (A) To ask people not to put their bags on the seats.
    (B) To remind people that the elderly have first priority for seats.
    (C) To tell people that these seats are reserved.
    (D) To specify who should take these seats.

教
師
手
冊

Section Two

I. Free Response (Writing)

Note: In this part, you may NOT move back and forth among questions.

Directions: You will be asked to write in Chinese in a variety of ways. In each case, you will be asked to write for a specific purpose and to a specific person. You should write in as complete and as culturally appropriate a manner as possible, taking into account the purpose and the person described.

1. Story Narration

The four pictures present a story. Imagine you are writing the story to a friend. Narrate a complete story as suggested by the pictures. Give your story a beginning, a middle, and an end.

教
師
手
冊

2. Personal Letter

Imagine you received a letter from a pen pal who is a high school student in China. The letter says he has been very upset recently. He says that his parents don't approve of his relationship with his girlfriend, because they think he should not be dating but should focus on his studies. He would like to ask for your advice, and also for your opinions on dating and relationships in the United States. Write a reply in letter format.

3. E-Mail Response

Read this e-mail from a friend and then type a response.

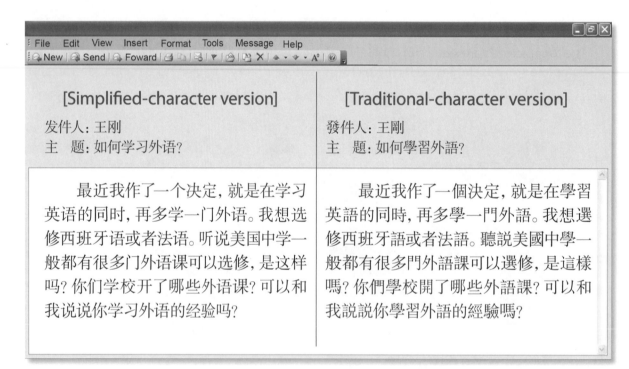

| File | Edit | View | Insert | Format | Tools | Message | Help |

New | Send | Foward |

[Simplified-character version]	**[Traditional-character version]**
发件人: 王刚	發件人: 王剛
主 题: 如何学习外语?	主 题: 如何學習外語?
最近我作了一个决定, 就是在学习英语的同时, 再多学一门外语。我想选修西班牙语或者法语。听说美国中学一般都有很多门外语课可以选修, 是这样吗? 你们学校开了哪些外语课? 可以和我说说你学习外语的经验吗?	最近我作了一個決定, 就是在學習英語的同時, 再多學一門外語。我想選修西班牙語或者法語。聽説美國中學一般都有很多門外語課可以選修, 是這樣嗎? 你們學校開了哪些外語課? 可以和我説説你學習外語的經驗嗎?

4. Relay a Telephone Message

You are sharing an apartment with some Chinese friends. You arrive home one day and listen to a message on the answering machine. The message is from the sister of one of those friends. You will listen twice to the message. Then relay the message, including the important details, by typing a note to your friend.

II. Free Response (Speaking)

Note: In this part, you may NOT move back and forth among questions.

Directions: You will participate in a simulated conversation. Each time it is your turn to speak, you will have 20 seconds to record. You should respond as fully and as appropriately as possible.

1. Conversation

Recently, there have been some exchange students in your school. After class, you have a conversation with one of them about teaching and learning styles in your school.

Directions: You will be asked to speak in Chinese on context topics in the following two questions. In each case, imagine you are making an oral presentation to your Chinese class. First, you will read and hear the topic for your presentation. You will have 4 minutes to prepare your presentation. Then you will have 2 minutes to record your presentation. Your presentation should be as complete as possible.

2. Cultural Presentation

In the history of Sino-American relationships, there was an interesting event called Ping Pong Diplomacy. In your presentation, talk about what you know about Ping Pong Diplomacy, including its background and significance.

3. Event Plan

You have the opportunity to organize a seminar for your class. The topic of the seminar is the effect of the Internet on learning. In your presentation, explain the purpose of this seminar, speakers you will invite, and the details of the program.

教
師
手
冊

期中綜合訓練參考答案

Section One

I.　Multiple Choice (Listen to the dialogs)
答案：

1. C	2. A	3. D	4. B	5. C	6. D
7. B	8. C	9. D	10. C	11. A	12. C

聽力錄音文本：

1.　(Woman)　我現在可以買後天的火車票嗎？
　　(Man)　　(A) 我們這裏是火車售票處。
　　　　　　(B) 提前買票可以打折。
　　　　　　(C) 現在可以買三天以內的票。
　　　　　　(D) 我們這兒可以用信用卡。

2.　(Woman)　你怎麼剛來就走？
　　(Man)　　(A) 我有點急事要辦。
　　　　　　(B) 我正準備給你打電話呢。
　　　　　　(C) 我陪你一塊兒走吧。
　　　　　　(D) 你怎麼現在才告訴我？

3.　(Man)　　你是什麼時候知道這個消息的？
　　(Woman)　(A) 是誰告訴你的？
　　　　　　(B) 這條消息特別重要。
　　　　　　(C) 我每天都看報紙。
　　　　　　(D) 從一開始就知道。

4.　(Woman)　出國的材料你準備好了嗎？
　　(Man)　　(A) 你準備去哪個國家？
　　　　　　(B) 我已經都備齊了。
　　　　　　(C) 我的行李都收拾好了。
　　　　　　(D) 我準備去歐洲。

5.　(Woman)　師傅，幫我挑一條大一點兒的魚。
　　(Man)　　(A) 魚多少錢一斤？
　　　　　　(B) 今天的魚真大！
　　　　　　(C) 保證讓你滿意！
　　　　　　(D) 我的魚特別新鮮。

6.　(Woman)　你怎麼能做出這樣的事呢？
　　(Man)　　(A) 那太謝謝你了！
　　　　　　(B) 沒關係，我一定加油！
　　　　　　(C) 太好了，祝賀你！
　　　　　　(D) 別生氣了，都是我的錯！

7. (Woman) 你們能送貨上門嗎？
   (Man) (A) 我家住得離這兒挺近的。
   (B) 週一到週五都可以。
   (C) 我沒有禮物送給你。
   (D) 我今天是開車來的。

8. (Woman) 昨天晚上去看京劇了嗎？
   (Man) 看了，但聽不太懂。
   (Woman) (A) 我很想陪你到處看看。
   (B) 我今天晚上事情特別多。
   (C) 多聽幾次就好了。
   (D) 我陪你去看看出了什麼問題。

9. (Woman) 今天真冷，我的手指頭都動不了了。
   (Man) 你的手套呢？
   (Woman) (A) 我的手套挺漂亮的。
   (B) 你的身體比我好。
   (C) 我覺得今天挺暖和的。
   (D) 誰想到今天這麼冷啊？

10. (Woman) 今天堵車怎麼這麼厲害呀？
    (Man) 出交通事故了吧？
    (Woman) (A) 我的車是綠色的。
    (B) 糟糕，我忘了加油了！
    (C) 我們從那裏可以繞過去嗎？
    (D) 你是遇上什麼麻煩了嗎？

11. (Woman) 壞了，我的電腦又出問題了！
    (Man) 你的電腦具體是什麼問題？
    (Woman) (A) 我哪兒知道啊？
    (B) 難道不能修好嗎？
    (C) 我哪兒去找啊？
    (D) 難道有這麼多毛病嗎？

12. (Man) 你的羽毛球打得真好！
    (Woman) 謝謝！是我爸爸教我的。
    (Man) (A) 我今天覺得特別累。
    (B) 我的乒乓球也打得不錯。
    (C) 那他的球技肯定比你還高。
    (D) 你現在去體育場嗎？

II.　Multiple Choice (Listen to the selections)
答案：

1.	A	2.	C	3.	B	4.	C	5.	A	6.	B
7.	B	8.	B	9.	D	10.	D	11.	B	12.	C
13.	A	14.	D								

聽力錄音文本：

Selection 1

(Narrator)	Now you will listen twice to a conversation between two persons.
(Woman)	你的蘋果怎麼賣呀？
(Man)	四塊錢一斤。您買點兒吧，不甜不要錢！
(Woman)	太貴了吧？別人都賣十塊錢三斤。
(Man)	看您說的！一分錢一分貨嘛，我的蘋果好吃。不信您嚐嚐？
(Woman)	那好吧，給我來兩斤吧。
(Man)	好的。其他的水果您還要點兒嗎？我這兒的梨和香蕉也挺好的。
(Woman)	謝謝，就要蘋果吧。我就一個人，買多了吃不了。
(Narrator)	Now listen again.
(Narrator)	Now answer the questions for this selection.

Selection 2

(Narrator)	Now you will listen twice to a voice message.
(Woman)	喂，小冰，我是麗華。我打電話是想告訴你今天晚上我們聚會的地點有變化。本來已經在湖南菜館訂好位子了，但小王說她最近胃不好，不能吃太辣的東西，所以我們後來決定去吃上海菜，就是你們公司門口的那家叫小上海的。我大概五點就能到，你一下班就過來吧，我訂的是二樓的包間。
(Narrator)	Now listen again.
(Narrator)	Now answer the questions for this selection.

Selection 3

(Narrator)	Now you will listen twice to a conversation between two persons.
(Man)	這種T恤有藍色的嗎？
(Woman)	有，我拿一件您試試吧。您穿多大號的？
(Man)	我一般穿中號的。
(Woman)	對不起，中號的我們剛賣完，只剩小號的了。其他顏色的您喜歡嗎？
(Man)	我挺喜歡藍色的。
(Woman)	我覺得白色的也挺好，這種白色的有適合您的號，要不您試試？
(Man)	謝謝，我再看看吧。
(Narrator)	Now listen again.
(Narrator)	Now answer the questions for this selection.

Selection 4

(Narrator)   Now you will listen twice to a voice message.

(Man)   小麗，告訴你一個好消息。我終於可以省一點房租了。我朋友幫我租到了一個很便宜的房子，下週我就要從學校裏搬出來了。這個房子離學校不遠，只有兩站路，坐331路和645路公交車都能到，交通特別方便。房子的面積不太大，但有兩個房間，而且還有厨房，可以自己做飯吃。歡迎你隨時到我住的地方來玩兒。

(Narrator)   Now listen again.

(Narrator)   Now answer the questions for this selection.

Selection 5

(Narrator)   Now you will listen twice to a voice message.

(Woman)   各位乘客請注意，本車開往北京站，没票的乘客請買票。下一站是西直門，下車的乘客請準備從後門下車。有換乘地鐵的乘客請在這一站下車。有去往西客站的乘客也請在這一站下車，換乘387路或21路公共汽車。車上人多，請注意保管好自己的錢包和隨身物品。

(Narrator)   Now listen again.

(Narrator)   Now answer the questions for this selection.

III. Multiple Choice (Reading)

答案：

1. D	2. D	3. A	4. B	5. B	6. C
7. D	8. C	9. B	10. B	11. C	12. C
13. B	14. D	15. A	16. D	17. C	18. C
19. D	20. B	21. C	22. D	23. B	24. C
25. A	26. C	27. A	28. B	29. A	30. C
31. A	32. D				

Section Two

I.   Free Response (Writing)

1.   Story Narration

The four pictures present a story. Imagine you are writing the story to a friend. Narrate a complete story as suggested by the pictures. Give your story a beginning, a middle, and an end.

寫作提示：

　　這則看圖寫作的設計表現了學生學習漢語最終能夠學以致用的情景。在寫的時候，如果能夠抓住這個中心組織語言材料，就會達到很好的效果。

(1)   首先要設想一下事件發生的場合，並做出交待，比如：

　　　　××暑假到北京去玩，有一天，他出去……碰到一對美國夫婦，……

(2)   同時要整理清楚圖中人物與事件的關係。即外國夫婦向外國學生求助，外國學生又向中國人求助，最後外國學生幫助了這對夫婦。

(3)   另外，在敘述的時候，根據圖片，儘可能描寫出人物的神態，比如外國學生一開始一籌莫展，解決問題以後興高采烈。

(4)   別忘了交待一些具體細節，讓你的作文準確生動。比如：

　　　　美國夫婦手裏拿著一張地圖。

　　　　外國學生攤開手，因為他也不知道中國銀行在哪兒……

2.   Personal Letter

Imagine you received a letter from a pen pal who is a high school student in China. The letter says he has been very upset recently. He says that his parents don't approve of his relationship with his girlfriend, because they think he should not be dating but should focus on his studies. He would like to ask for your advice, and also for your opinions on dating and relationships in the United States. Write a reply in letter format.

回信建議：

這是一封交流看法的個人信件，在信件的不同部分你要寫清楚如下基本內容：

(1)   問候。由於對方來信提到他很煩，你可以通過簡單安慰以及相關問題的理解來表達你的關心。比如可以說：

　　　　你的信中說到……你別太著急了，你說父母對你和女朋友的來往不太贊成，希望你注重學業，我想他們是……

(2) 緊接著用一兩句話簡要介紹美國中學生談戀愛的一般情況，比如：

在美國，中學生談戀愛是……

(3) 在回信的主體部分，應該表達你對這一現象的感受和想法。比較好的展開方式可以是陳述不同人對這一現象的不同看法。比如：

有的人認為……而有的人認為……我更傾向於……

在敍述的過程中，也可以談談自己的經歷或切身的體會以充實回信的內容。

(4) 給朋友一些建議。比如：

我想你可以主動和父母談談，或許……

我覺得這樣的問題，重要的是自己的感受，別人怎麼說關係並不是太大，希望你……

(5) 最後的祝福語可以是"祝你每天心情愉快"、"祝你笑口常開"等等，并且要寫上名字和日期。

3. E-Mail Response

Read this e-mail from a friend and then type a response.

發件人：王剛

主　題：如何學習外語

最近我做了一個決定，就是在學習英語之外，再多學一門外語。我想選修西班牙語或者法語。聽說美國中學一般都有很多門外語課可以選修，是這樣嗎？你們學校開了哪些外語課？可以和我說說你學習外語的經驗嗎？

回信建議：

對方希望向你瞭解一些情況，你應該有針對性地簡要回答他提出的問題。

(1) 首先可以告訴對方美國中學一般都有很多門外語課可以選修，並適當舉一兩個例子：

比如我的學校有……附近的另外一個中學有……

還可以簡單介紹一下在美國選修人數比較多的語種。

(2) 接下來談談自己學習外語的經驗，你可以從學習動機、個人意志、學習材料、學習環境、如何運用等方面加以介紹：

在我看來，學習外語第一要……第二是……還有……

我覺得學習外語最重要的是……另外……

我想，學習一門外語，如果你能夠……那麼……

對我來說，我現在最大的問題就是……（表達自己的困難或疑惑）

(3) 郵件結束部分應該表達你的良好祝願。如：

祝你學習愉快！

祝你學習進步！

4. Relay a Telephone Message

You are sharing an apartment with some Chinese friends. You arrive home one day and listen to a message on the answering machine. The message is from the sister of one of those friends. You will listen twice to the message. Then relay the message, including the important details, by typing a note to your friend.

(Girl) 姐姐，你什麼時候去香港啊？走之前還能見面嗎？如果沒有時間，那就等你回來我們再見吧。我想麻煩你幫我帶點兒東西。我最近皮膚特別乾，想要兩瓶面霜，早上和晚上用的各一瓶，一定要保持水分時間長的。另外，如果方便的話，再幫我買兩條裙子，聽說元旦前後，香港有很多東西會打折。裙子的式樣你幫我決定吧，我相信姐姐的眼光。謝謝了！

轉述建議：

要轉述好這則電話留言，首先要準確理解留言的大意。這則留言是妹妹給姐姐的，轉述的時候要說清楚人物關係。留言的核心是希望姐姐幫助買面霜和裙子。雖然"面霜"對於你來說可能是個生詞，但是只要你抓住上下文意，就可以猜出這個單詞的大致含義。另外，要說清楚面霜的數量（兩瓶）、類型（早晚各一瓶）、特點（保持水分的）以及裙子的式樣由對方決定這幾個關鍵細節，並且要提到留言人詢問姐姐去香港的時間。而買面霜的理由、香港在元旦前後很多東西打折、相信姐姐的眼光等內容，屬於次要信息，轉述的時候可以忽略。

II. Free Response (Speaking)

1. Conversation

Recently, there have been some exchange students in your school. After class, you have a conversation with one of them about teaching and learning styles in your school.

回答建議：

這個對話的設計，是希望學生談談高中階段的學習方法、學習任務，以及學生對未來大學學習的基本考慮。並讓學生談談對美國中小學階段教育方法的看法。

(1) 問題一：現在是高中最後一年，你的家庭作業多嗎？主要有些什麼樣的作業？

第一問從和學生學習生活息息相關的具體問題"作業問題"入手。你可以簡要介紹一下不同課程的作業形式、作業數量，以及你完成作業總共需要多長時間。比如：

> 我們現在一共有……課，有的課程作業是……有的課程是……作業時間最長的是……課……

(2) 問題二：聽說，美國學生從很小的時候就要做研究、寫報告，你有什麼樣的體會？

回答建議：

這一問和下面的第三問是就兩種具體的作業形式或學習方式進行提問，回答可以有不同的角度。

① 一個角度是談看法，比如做研究、寫報告這樣的作業或者學習方式對你的學習有什麼意義和作用，以及它的一些局限。如：

> 在我看來，寫研究報告最大的好處是……當然，因爲寫研究報告花費的時間太多，所以……另外，如果研究報告的選題不好……

② 還有一個角度是談體會，最好要用某個或幾個具體例子作爲支撐，然後展開說明。具體例子可以是自己經歷過的，也可以來自周圍的同學。比如：

> 在我的印象中，最有意思的研究報告就是……

(3) 問題三：我知道美國的學校有很多動手課，鼓勵學生在活動中學習，你對此有什麼體會或看法呢？

回答建議：

這一問和上題類似，只不過話題內容有所改變。回答也是類似的，可以談得泛一些，說說"動手課"和"活動中學習"這些教學環節給了你哪些實際的幫助；也可以具體一些，從自己的經歷出發，談談它們的實際意義以及你對這些教學環節的基本態度。當然也可以把二者結合起來談，這樣是最理想的。一些有用的表達式如：

> 動手課最大的好處就是……動手課在美國的學校非常普遍，因爲人們認爲……而我自己也非常喜歡在活動中學習，因爲……

(4) 問題四：和小學、初中階段相比，你覺得高中階段的學習任務或者作業有什麼樣的變化？

回答建議：

第四問是上面所有問題的延伸，有小結的意味。在你的回答中，首先可以簡單説明你對高中階段作業或者學習任務的總體體會，其中要包含與初中甚至小學階段作業形式的比較。並且最好能夠説明這種變化是否與你在高中階段的學習任務相適應。比如：

> 比起小學初中的學習，我現在的學習任務最大的特點是……而作業呢……產生這種變化，我覺得是因爲現在的學習更强調……所以……

(5) 問題五：你很快就要進入大學的學習生活了，對於未來的大學和學習專業的選擇，你主要考慮哪些因素？

回答建議：

這個問題對於高中快要畢業的學生來説是非常實際的，學生可以結合自己的真實想法作出回答。學生對大學的選擇一般會綜合考慮自己的學習成績、大學的知名度、地理位置、收費等因素，而對專業的選擇則更多地和興趣愛好以及未來的就業情況相關。回答時，可以參考以上因素組織話語。比如：

> 在選擇上什麼大學的時候，知名度不是最重要的，因爲……在專業方面，我希望學……專業，我相信這個專業將來……

(6) 問題六：你喜歡美國的中小學教育方法嗎？爲什麼？

回答建議：

最後一問是一個總括性問題，在回答的時候有三種態度，"喜歡""不喜歡"或者是"很難説喜歡還是不喜歡"。

在你的回答中，首先要表明你的基本態度，然後陳述理由。在陳述理由的時候，你可以用到上述幾問中的一些例子，比如關於學習任務，包括家庭作業、做研究報告、活動中學習等方面的例子；還可以補充一些課程設置、校園生活、師生關係等方面的例子。可以説：

> 我覺得美國的中小學教育是全世界最棒的，因爲……
>
> 我不太喜歡美國中小學的教育方式，這樣的教育雖然……但是……

2. Cultural Presentation

In the history of Sino-American relationships, there was an interesting event called Ping Pong Diplomacy. In your presentation, talk about what you know about Ping Pong Diplomacy, including itis background and significance.

回答建議：

這個話題涉及中美兩國交往史上一個重要事件，最重要的是把歷史線索敍述清楚。建議説明以下內容：

(1) 歷史背景。

> 新中國成立後，中美兩國官方和民間交往完全隔絕。
>
> 1969年尼克松就任美國總統後，希望與中國改善關係。同年年底，中國方面作出了相應反應。之後，兩國關係開始鬆動。
>
> 1971年3月底、4月初，在日本名古屋舉行了第三十一屆世界乒乓球錦標賽，美國運動員提出訪華的要求，中國方面作出決策，邀請美國乒乓球隊訪華，打開了兩國人民友好往來的大門。

(2) 有趣的事。

重點說明乒乓外交是年輕人開創的，中美年輕人都是熱情友好的。

第三十一屆世界乒乓球錦標賽開幕前的招待會上，幾個美國選手與中國運動員相遇，其中一位興奮地說：“啊，中國人，好久不見了。你們的球打得真好！”在中國隊獲得了男子團體冠軍之後，中美兩國選手在遊玩中又碰到了一起。熱情爽朗的美國青年笑著問：“聽說你們已經邀請我們的朋友（指加拿大隊和英國隊）訪問你們的國家，什麼時候輪到我們啊？”

一次，美國男隊選手格倫·科恩到訓練館練球，回去時找不到車，就上了中國隊的車。中國隊的莊則棟對科恩說：“今天你來到我們車上，我們大家都很高興。我送給你一件禮品吧。”說著，莊則棟從背包裏拿出一件中國的傳統工藝品——杭州織錦——送給科恩。這一意外的舉動把科恩樂壞了，他連忙到自己的背包裏去搜尋，想要找到一件合適的禮品，但他失望地叫起來：“天哪！我什麼也沒帶，連把梳子都找不出來。可是我一定要送你一件……”中國隊的舉動，觸動了美國隊的副領隊，於是他來到中國隊的駐地，開門見山問中國隊的負責人：“你們中國邀請我們南邊的墨西哥隊去訪問，也邀請我們北邊的加拿大隊，你們能不能也向我們美國隊發出邀請呢？”

中國乒乓球隊向國內報告了美國隊要求訪華的情況，中國領導人經過認真考慮決定邀請美國隊訪華。尼克松從美國駐東京大使館的報告中得到這一消息後又驚又喜：“我從未料到對華的主動行動會以乒乓球隊訪問的形式求得實現。”他立即批准接受邀請。

(3) 意義：“小球轉動大球”，乒乓外交推動了世界形勢的發展。

美國乒乓球隊訪華的消息在全世界都引起了轟動。周恩來總理於4月14日在北京親自會見了美國乒乓球運動員和隨行記者，對他們說：“你們這次應邀來訪，打開了兩國人民友好往來的大門。”

美國乒乓球隊訪華在美國引起了更大的反響，掀起了一股“中國熱”。

此後才有了1971年7月基辛格訪華和1972年2月尼克松總統訪問中國，中美關係開始走向正常化。

3. Event Plan

You have the opportunity to organize a seminar for your class. The topic of the seminar is the effect of the Internet on learning. In your presentation, explain the purpose of this seminar, speakers you will invite, and the details of the program.

回答建議：

你的回答可以從以下幾個方面展開。

(1) 談談你為什麼打算舉辦這次講座。比如理由可以是：

互聯網在我的學習生活中非常重要，我希望和大家分享一些經驗……

我的學習不能離開互聯網的幫助……我想正好可以借這樣一個機會……

(2) 簡要介紹打算邀請什麼人作為主講。可以是學校網絡中心的老師，也可以是某個公司的專業人員。比如：

最近我和網絡中心的老師談起……他已經答應……

(3) 介紹講座的環節，比如：

主講人首先發言，時間大概是……講座過程中會有小組討論。

主講人首先發言，講座過程中會給大家演示一些新鮮有趣的東西。

講座過程中會安排一些遊戲。比如，提出一個問題，看看誰利用互聯網最先找到答案，最先找到答案的人會得到獎勵，接下來由他向所有同學介紹他的方法和體會。

(4) 結束表述的時候，可以強調一下這次講座的意義。

我想，通過這樣的講座……

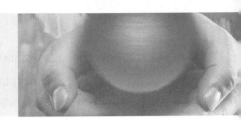

End-of-Term Test
期末綜合訓練

教師手冊

Section One

I. Multiple Choice (Listen to the dialogs)

Note: In this part, you may NOT move back and forth among questions.

Directions: In this part, you will hear several short conversations or parts of conversations followed by four choices, designated (A), (B), (C), and (D). Choose the one that continues or completes the conversation in a logical and culturally appropriate manner. You will have 5 seconds to answer each question.

1.	(A)	(B)	(C)	(D)	8.	(A)	(B)	(C)	(D)
2.	(A)	(B)	(C)	(D)	9.	(A)	(B)	(C)	(D)
3.	(A)	(B)	(C)	(D)	10.	(A)	(B)	(C)	(D)
4.	(A)	(B)	(C)	(D)	11.	(A)	(B)	(C)	(D)
5.	(A)	(B)	(C)	(D)	12.	(A)	(B)	(C)	(D)
6.	(A)	(B)	(C)	(D)	13.	(A)	(B)	(C)	(D)
7.	(A)	(B)	(C)	(D)	14.	(A)	(B)	(C)	(D)

II. Multiple Choice (Listen to the selections)

Note: In this part, you may move back and forth only among the questions associated with the current listening selection.

Directions: In this part, you will listen to several selections in Chinese. For each selection, you will be told whether it will be played once or twice. You may take notes as you listen. After listening to each selection, you will see questions in English. For each question, choose the response that is best according to the selection. You will have 12 seconds to answer each question.

Selection 1

1. Who is the speaker?
   (A) A course administrator
   (B) A class representative
   (C) A teacher
   (D) A school principal

2. The speaker is talking about _____ .
   (A) course assignments
   (B) administrative details about a course
   (C) study groups
   (D) study topics

3. For how many weeks will the course last?
   (A) Four
   (B) Eight
   (C) Six
   (D) Twelve

Selection 2

4. What is the relationship between the two people speaking?
   (A) Teacher and student
   (B) Mother and son
   (C) Classmates
   (D) Aunt and nephew

5. What is the man going to do after he graduates?
   (A) He is going to work in the family business.
   (B) He is going to teach at a high school.
   (C) He is going to study at graduate school.
   (D) He is going to look for a job.

6. What does the woman suggest the man do?
   (A) She suggests that he apply for graduate school.
   (B) She suggests that he try working for a while.
   (C) She suggests that he reconsider his current plan.
   (D) She suggests that he uses some time to go traveling.

Selection 3

7. What is the purpose of the phone call?
   (A) To ask Li Jun to meet to discuss an assignment.
   (B) To ask Li Jun to meet to discuss a travel plan.
   (C) To invite Li Jun to a colleague's farewell.
   (D) To invite Li Jun to a classmate's gathering.

8. Where will this activity be held?

   (A) It has not been decided yet.

   (B) At Wang Peng's place.

   (C) At the restaurant they usually go to.

   (D) At a tea house near Wang Peng's place.

9. Who initiated this activity?

   (A) Tang Jian

   (B) Wang Peng

   (C) Xiao Li

   (D) Wang Peng, Tian Jian, and others

Selection 4

10. How much does a person need to pay to wash clothes each time?

    (A) 5 *yuan*

    (B) 10 *yuan*

    (C) 15 *yuan*

    (D) 20 *yuan*

11. If the washing machine starts washing the laundry at 8:00 am, when will the washing be completed?

    (A) At 8:30 am

    (B) At 8:45 am

    (C) At 9:00 am

    (D) At 9:15 am

12. According to the message, which of the following is TRUE?

    (A) You can get your dry cleaning done there.

    (B) You can buy laundry detergent there.

    (C) You can iron your clothes there.

    (D) You can change coins there.

13. According to the message, which of the following statements is TRUE?

    (A) Each level has four washing machines.

    (B) The washing machines have two washing programs.

    (C) There is no dryer provided in the laundry room.

    (D) People need to top up their laundry cards by at least 50 *yuan* each time.

教
師
手
冊

Selection 5

14. Why isn't Wang Peng very keen to play basketball?

   (A) He still hasn't finished his school assignments.

   (B) He doesn't like playing basketball in the hot sun.

   (C) He doesn't like playing basketball with people he doesn't know.

   (D) He doesn't like playing basketball with so few people.

15. What does Wang Peng finally decide about the game?

   (A) He will think about it and let the girl know later.

   (B) He asks the girl to reschedule to another day.

   (C) He agrees to play but will only join the game later.

   (D) He rejects the invitation.

Selection 6

16. Who is the speaker most likely to be?

   (A) A tour guide.

   (B) A customer service officer of the bus company.

   (C) A bus driver.

   (D) A passenger on the bus.

17. Where does the bus set off from?

   (A) Tian'anmen

   (B) The Great Wall

   (C) Jincheng Expressway

   (D) Beijing train station

18. There is no bus setting off at _____ .

   (A) 9:00 am

   (B) 10:00 am

   (C) 3:00 pm

   (D) 5:30 pm

III. Multiple Choice (Reading)

Note: In this part, you may move back and forth among all the questions.

Directions: You will read several selections in Chinese. Each selection is accompanied by a number of questions in English. For each question, choose the response that is best according to the selection.

Read this passage.

[Simplified-character version]	[Traditional-character version]
中午吃饭时我遇到张芳。她看看我餐盘中的一点点米饭，笑了起来："减肥吗？你呀，去年考完试回来的时候，瘦瘦的，挺精神，你再看看你现在？快减吧，再不减，姐姐都不认识你了。"说完，她重重地拍了一下我的肩。晚上我回家吃饭，同样只盛了一点饭。妈妈几乎大叫起来："怎么，比猫吃得还少，饭还是要吃的啊。"说着，妈妈往我碗里加了一勺饭。我高声叫起来："您没看到我胖得连原来的衣服都不能穿了吗？我要控制饮食。""胖就胖点嘛，难道瘦得连风都能吹倒就是美吗？身体最要紧，不要减了，控制一下就行了。"妈妈说着，又往我碗里夹了一大块肉。没有办法，吃吧。妈妈的心意不能违背呀，只能在健身房里多跑上几个小时了。	中午吃飯時我遇到張芳。她看看我餐盤中的一點點米飯，笑了起來："減肥嗎？你呀，去年考完試回來的時候，瘦瘦的，挺精神，你再看看你現在？快減吧，再不減，姐姐都不認識你了。"說完，她重重地拍了一下我的肩。晚上我回家吃飯，同樣只盛了一點飯。媽媽幾乎大叫起來："怎麼，比貓吃得還少，飯還是要吃的啊。"說著，媽媽往我碗裏加了一杓飯。我高聲叫起來："您沒看到我胖得連原來的衣服都不能穿了嗎？我要控制飲食。""胖就胖點嘛，難道瘦得連風都能吹倒就是美嗎？身體最要緊，不要減了，控制一下就行了。"媽媽說著，又往我碗裏夾了一大塊肉。沒有辦法，吃吧。媽媽的心意不能違背呀，只能在健身房裏多跑上幾個小時了。

教師手冊

1. What is the article about?

   (A) Methods for losing weight.

   (B) Foods that help you lose weight.

   (C) Different opinions about losing weight.

   (D) Reasons for losing weight.

2. Why is the author on a diet?

   (A) Because she wants to improve her health.

   (B) Because she cares about her appearance.

   (C) Because her job requires her to be slim.

   (D) Because her doctor advised her to lose weight.

3. What does the author's mother think about the author's weight?

   (A) She looks fine as long as she's healthy.

   (B) She is in perfect shape.

   (C) She is already too slim.

   (D) She needs to lose some weight.

4. The author decides to lose weight by _____ .

   (A) eating less rice and more vegetables

   (B) eating less rice and doing more sports

   (C) taking slimming pills

   (D) cutting out carbohydrates completely

Read this passage.

[Simplified-character version]	[Traditional-character version]
新疆位于中国的西北部, 那儿的各少数民族都爱喝奶茶, 这主要是因为: 第一, 新疆有很多草场, 适合养牛羊, 因而奶茶较多; 第二, 新疆冬季寒冷, 夏季干热, 冬季饮奶茶可以避寒, 夏季可以解渴; 第三, 新疆人口稀少, 外出时不容易找到饮料, 离家前喝足奶茶, 途中再吃些食物, 可以忍受较长时间的饥渴。 　　喝奶茶的时候, 新疆的少数民族也有很多讲究。客人中年纪最大的坐上座, 主人递茶时得先递给他。喝完第一碗奶茶, 如果还想喝, 那么把碗放在自己面前, 主人会立刻拿过碗盛第二碗; 如果不想喝了, 则用双手把碗口盖一下, 这表示已经喝够了。	新疆位於中國的西北部, 那兒的各少數民族都愛喝奶茶, 這主要是因爲: 第一, 新疆有很多草場, 適合養牛羊, 因而奶茶較多; 第二, 新疆冬季寒冷, 夏季乾熱, 冬季飲奶茶可以避寒, 夏季可以解渴; 第三, 新疆人口稀少, 外出時不容易找到飲料, 離家前喝足奶茶, 途中再吃些食物, 可以忍受較長時間的饑渴。 　　喝奶茶的時候, 新疆的少數民族也有很多講究。客人中年紀最大的坐上座, 主人遞茶時得先遞給他。喝完第一碗奶茶, 如果還想喝, 那麼把碗放在自己面前, 主人會立刻拿過碗盛第二碗; 如果不想喝了, 則用雙手把碗口蓋一下, 這表示已經喝夠了。

5. Which of the following is the most appropriate title for this article?

   (A) Why the minority groups in Xinjiang drink milk tea.

   (B) Milk tea culture in Xinjiang.

   (C) The history of milk tea in Xinjiang.

   (D) The tea industry in Xinjiang.

6. According to the passage, which of the following is a reason why people in Xinjiang like milk tea?

   (A) Milk tea helps people to sleep soundly.

   (B) Milk tea contains less caffeine than coffee.

   (C) Milk tea can be a great thirst quencher in the summer.

   (D) Milk tea is cheaper than coffee.

7. According to the passage, which of the following statements is TRUE?

   (A) Xinjiang is located in the northeastern part of China.

   (B) People put aside their bowls to show that they don't want any more milk tea.

   (C) The grasslands in Xinjiang are densely populated.

   (D) The oldest guest is usually the first one to be served milk tea.

教師手冊

Read this letter.

[Simplified-character version]	[Traditional-character version]
李明:　　你好! 元宵节你去哪儿玩了? 这个元宵节, 我们全家人是在黑龙江过的, 我们去逛灯市了。你猜我们看的是什么灯? 用冰做的灯! 这是我第一次看到冰灯, 的确非常漂亮。听说黑龙江是中国最冷的一个省, 只有在寒冷的地方才能看到冰灯。而且据说黑龙江最早的冰灯是由渔民和农民做出来的。很早以前, 他们因为生活的需要, 每到冬季的夜晚, 常常会制作冰灯, 这样他们就能工作到很晚。后来, 每到元宵节的夜晚, 黑龙江很多地方的人们就用冰灯进行装饰, 就这样, 冰灯可以用来观赏了。以后你有机会去黑龙江, 别忘了观赏这儿的冰灯。　　开学以后再聊!　　祝身体健康!　　　　　　　　　　　　张芳　　　　　　　　　　　　1月29日	李明:　　你好! 元宵節你去哪兒玩了? 這個元宵節, 我們全家人是在黑龍江過的, 我們去逛燈市了。你猜我們看的是什麼燈? 用冰做的燈! 這是我第一次看到冰燈, 的確非常漂亮。聽說黑龍江是中國最冷的一個省, 只有在寒冷的地方才能看到冰燈。而且據說黑龍江最早的冰燈是由漁民和農民做出來的。很早以前, 他們因爲生活的需要, 每到冬季的夜晚, 常常會製作冰燈, 這樣他們就能工作到很晚。後來, 每到元宵節的夜晚, 黑龍江很多地方的人們就用冰燈進行裝飾, 就這樣, 冰燈可以用來觀賞了。以後你有機會去黑龍江, 別忘了觀賞這兒的冰燈。　　開學以後再聊!　　祝身體健康!　　　　　　　　　　　　張芳　　　　　　　　　　　　1月29日

8. Which of the following can be inferred from the letter?

   (A) Zhang Fang lives in Heilongjiang.

   (B) Zhang Fang is having her Chinese New Year holidays right now.

   (C) Li Ming is Zhang Fan's cousin.

   (D) Li Ming is planning a holiday trip to Heilongjiang.

9. According to the letter, why did the ancient residents of Heilongjiang make ice lanterns?

   (A) So that they could find their way home in the night.

   (B) So that they could scare off wild animals.

   (C) So that they wouldn't feel cold at night.

   (D) So that they could work until very late.

10. When can decorated ice lanterns be seen in some parts of Heilongjiang?

    (A) Every night during the winter.

    (B) The night of the Lantern Festival.

    (C) Every night during the month of January.

    (D) The nights during the Moon Festival.

11. According to the letter, which of the following is TRUE?

    (A) The earliest ice lanterns were made by a group of students.

    (B) The author enjoys the ice lantern show very much.

    (C) Heilongjiang is the only province in China that has an ice lantern show.

    (D) The author finds it too cold in Heilongjiang.

Read this poster.

[Simplified-character version]

　　为了丰富同学们的课余生活，给我校学生提供一个表现自我的机会，我校决定举办首届大学生服装表演DV大赛（淘汰赛现已结束）。具体安排如下：

　　半决赛的18组选手都是在淘汰赛中获胜的，在这次比赛中，他们有的将身着民族服饰，有的穿现代职业装……最引人瞩目的是将有人穿用报纸做的晚礼服，另外他们还将进行特长表演。半决赛中由观众首先选出他们最喜爱的前五名选手进入决赛，然后再由家长及老师组成的评判小组决定前三名获奖者。

　　期待大家的参与，凡参加的人，都可以获得一份小礼品！

　　　　　　　　　　××大学学生会
　　　　　　　　　　2006–12–22

[Traditional-character version]

　　爲了豐富同學們的課餘生活，給我校學生提供一個表現自我的機會，我校決定舉辦首屆大學生服裝表演DV大賽（淘汰賽現已結束）。具體安排如下：

　　半決賽的18組選手都是在淘汰賽中獲勝的，在這次比賽中，他們有的將身著民族服飾，有的穿現代職業裝……最引人矚目的是將有人穿用報紙做的晚禮服，另外他們還將進行特長表演。半決賽中由觀衆首先選出他們最喜愛的前五名選手進入決賽，然後再由家長及老師組成的評判小組決定前三名獲獎者。

　　期待大家的參與，凡參加的人，都可以獲得一份小禮品！

　　　　　　　　　　××大學學生會
　　　　　　　　　　2006–12–22

教師手冊

12. What is the MAIN purpose of this poster?
    (A) To inform the public about an activity.
    (B) To publicize an activity and look for sponsors.
    (C) To inform contestants about details of a contest.
    (D) To encourage students to participate in an activity.

13. Which of the following statements about the contest is TRUE?
    (A) It is held regularly at the university.
    (B) You will be able to see a variety of clothes in the contest.
    (C) A total of 18 contestants have signed up for this contest.
    (D) The preliminary round has just begun.

14. Who are the judges in the final round?
    (A) A group of professional fashion designers.
    (B) The organizing committee.
    (C) A group of teachers and parents.
    (D) The student council.

Read this passage.

[Simplified-character version]	[Traditional-character version]
人的心情不只受到天气的影响，也会受到色彩的影响。以前有一家餐厅的职员做过这样的试验：把一个空的房间布置成一个餐厅，墙壁涂上不同的颜色请"顾客"光临。第一天餐厅是黑色，几乎没人来；第二天是红色，"顾客"也很少，即使有人来没坐几分钟也走了；第三天是绿色，人山人海，"顾客"用餐后还不肯离去。由此可见，色彩对人的影响比人们想象的大得多。	人的心情不只受到天氣的影響，也會受到色彩的影響。以前有一家餐廳的職員做過這樣的試驗：把一個空的房間布置成一個餐廳，墙壁塗上不同的顏色請"顧客"光臨。第一天餐廳是黑色，幾乎沒人來；第二天是紅色，"顧客"也很少，即使有人來沒坐幾分鐘也走了；第三天是綠色，人山人海，"顧客"用餐後還不肯離去。由此可見，色彩對人的影響比人們想像的大得多。

15. What is the MAIN message of the article?

    (A) To explain how important colors are.

    (B) To explain how different people have different reactions to colors.

    (C) To explain how colors affect people's moods.

    (D) To explain why people like different colors.

16. According to the passage, which of the following is TRUE?

    (A) The people taking part in the research are restaurant customers.

    (B) In the survey, most people preferred green to red.

    (C) The research was conducted by a researcher.

    (D) The most unpopular color in the survey was yellow.

Read this e-mail.

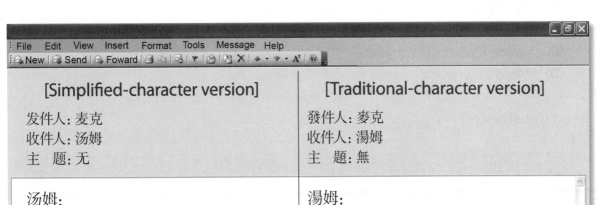

17. What is the purpose of this letter?

    (A) To reply to a friend's query about Yonghe Palace.

    (B) To invite a friend to visit Yonghe Palace.

    (C) To give a friend some information about Yonghe Palace.

    (D) To forward visitor information about Yonghe Palace to a friend.

18. Which of the following about Yonghe Palace is TRUE?

    (A) It is the oldest building in Beijing.

    (B) Half of the building is now a temple.

    (C) A crown prince died there.

    (D) It is a good example of Han architecture.

19. According to the passage, which of the following is TRUE?

    (A) Mike thinks 25 *yuan* for a ticket is reasonable.

    (B) The opening hours of the Yonghe Palace are between 9:00am and 5:00pm.

    (C) A student ticket costs 20 *yuan*.

    (D) Mike is a tour guide.

Read this story.

[Simplified-character version]	[Traditional-character version]
从前，有一个很喜欢猴子的人养了许多猴子。他很了解猴子，猴子们也能够懂他的意思。他每天早晚各给猴子们四个桃子。后来他做生意赔了很多钱，不能再给猴子吃那么多的东西，于是，他就想减少猴子们的食物，但是他又怕猴子们不会听他的。于是，他就对猴子们说："如果早上我给你们三个桃子，晚上给你们四个桃子，可以吗？"猴子们都表示不同意。过了一会儿，他又问："那如果早上我给你们四个，晚上给你们三个呢？"猴子们一听早上增加了一个都很高兴，于是同意了。	從前，有一個很喜歡猴子的人養了許多猴子。他很瞭解猴子，猴子們也能夠懂他的意思。他每天早晚各給猴子們四個桃子。後來他做生意賠了很多錢，不能再給猴子吃那麼多的東西，於是，他就想減少猴子們的食物，但是他又怕猴子們不會聽他的。於是，他就對猴子們說："如果早上我給你們三個桃子，晚上給你們四個桃子，可以嗎？"猴子們都表示不同意。過了一會兒，他又問："那如果早上我給你們四個，晚上給你們三個呢？"猴子們一聽早上增加了一個都很高興，於是同意了。

20. This moral of the story is _____ .

    (A) some people are never satisfied

    (B) you should try not to work too hard

    (C) you should never be too greedy

    (D) the way you present information is extremely important.

21. Why did the man change the amount of food he gave the monkeys?

    (A) Because the monkeys were getting too demanding.

    (B) Because someone advised him not to let the monkeys have their own way.

    (C) Because he was running short of money.

    (D) Because the monkeys had not been obedient and he wanted to punish them.

22. According to the story, which of the following statements is TRUE?

(A) The monkeys were tricked into thinking that they would receive one more peach every day.

(B) The monkeys usually ate three peaches in the morning and at night.

(C) The monkeys preferred eating peaches in the morning.

(D) The monkeys would each be given six peaches a day.

Read this passage.

[Simplified-character version]	[Traditional-character version]
我是一个很喜欢旅游的人。小的时候，我每年都跟着爸爸妈妈出去旅游。现在上高中了，学校也会组织我们参观名胜古迹。有时，放寒暑假了，我还会邀上三、四个同学一起坐火车去远方旅行。父母虽然有点担心我的安全，但他们很支持我。通过旅游，我觉得自己的视野变得更开阔了，知识也丰富起来。这个暑假我打算去西藏，我的父母对我说："你长大了，如果想去旅游，就得靠自己挣旅游费用了。"	我是一個很喜歡旅遊的人。小的時候，我每年都跟著爸爸媽媽出去旅遊。現在上高中了，學校也會組織我們參觀名勝古蹟。有時，放寒暑假了，我還會邀上三、四個同學一起坐火車去遠方旅行。父母雖然有點擔心我的安全，但他們很支持我。通過旅遊，我覺得自己的視野變得更開闊了，知識也豐富起來。這個暑假我打算去西藏，我的父母對我說："你長大了，如果想去旅遊，就得靠自己掙旅遊費用了。"

教師手冊

23. According to the passage, which of the following statements is TRUE?

(A) The author has traveled with his parents since he was young.

(B) The author needs his parents to support his travel expenses.

(C) The author will be traveling to Tibet during the summer vacation.

(D) The author prefers traveling by plane to traveling by train.

24. What do the author's parents say when he tells them about his travel plans?

(A) They support his idea but hope that he can cover the costs by himself.

(B) They want him to focus on his exams instead.

(C) They are worried that he cannot take care of himself.

(D) They feel that it is too dangerous to travel alone.

Read this passage.

[Simplified-character version]	[Traditional-character version]
每年农历五月五日，是中国的传统节日端午节。大家在这一天吃粽子、赛龙舟。而在中国西南地区的土家人，除了这些民俗外，还有"送伞"或"送帽子"的风俗。端午节这一天，土家人的女儿和自己的丈夫一定要回女儿的父母家过端午节。女儿的丈夫送糖、烟、酒、面条和猪肉给女儿的父母，而女儿的父母要准备好粽子等招待女儿一家。更为重要的是，父母必须准备好"花伞"或"帽子"送给女儿和她的丈夫，象征着即使遇到人生的风雨，也能共同面对，谁也不离开谁。	每年農曆五月五日，是中國的傳統節日端午節。大家在這一天吃粽子、賽龍舟。而在中國西南地區的土家人，除了這些民俗外，還有"送傘"或"送帽子"的風俗。端午節這一天，土家人的女兒和自己的丈夫一定要回女兒的父母家過端午節。女兒的丈夫送糖、煙、酒、麵條和豬肉給女兒的父母，而女兒的父母要準備好粽子等招待女兒一家。更爲重要的是，父母必須準備好"花傘"或"帽子"送給女兒和她的丈夫，象徵著即使遇到人生的風雨，也能共同面對，誰也不離開誰。

25. What is this passage about?
   (A) The differences between the way the Tujia people and other groups celebrate the Dragon Boat Festival.
   (B) The way the Tujia people celebrate the Dragon Boat Festival.
   (C) The traditional foods that the Tujia people eat during the Dragon Boat Festival.
   (D) The significance the Dragon Boat Festival has to the Tujia people.

26. According to the passage, which of the following statements is TRUE?
   (A) The Tujia people don't have a dragon boat race on the day of the Dragon Boat Festival.
   (B) The Tujia people live mainly in the northeast of China.
   (C) The husband will visit his wife's family on the day of the Dragon Boat Festival.
   (D) The parents must prepare *Zongzi* and hotpot to welcome their daughter and her husband.

27. Why do the wife's parents give an umbrella or a hat to their son-in-law?
   (A) It signifies a safe journey home.
   (B) It signifies good luck.
   (C) It is a reminder for them to visit again soon.
   (D) It is a reminder for the couple to take care of each other.

教
師
手
冊

Read this passage.

[Simplified-character version]	[Traditional-character version]
有一次一个作家和他的两个朋友吉伯和马沙一起旅行。三个人到达一个山谷时，马沙不小心差点摔到山下，在马沙旁边的吉伯救了马沙的命，马沙就在附近的大石头上刻下："吉伯救了马沙一命。"三人继续走，来到一条河边，吉伯和马沙为了一件小事吵起来，吉伯忍不住打了马沙一耳光，马沙就在沙滩上写下："吉伯打了马沙一耳光。"当他们旅游回来，作家好奇地问马沙："为什么把吉伯救你的事刻在石上，而把他打你的事写在沙子上？"马沙说："我永远都感激吉伯救我，至于他打我的事，随着沙滩上字迹的消失，我也会全部忘掉。"	有一次一個作家和他的兩個朋友吉伯和馬沙一起旅行。三個人到達一個山谷時，馬沙不小心差點摔到山下，在馬沙旁邊的吉伯救了馬沙的命，馬沙就在附近的大石頭上刻下："吉伯救了馬沙一命。"三人繼續走，來到一條河邊，吉伯和馬沙爲了一件小事吵起來，吉伯忍不住打了馬沙一耳光，馬沙就在沙灘上寫下："吉伯打了馬沙一耳光。"當他們旅遊回來，作家好奇地問馬沙："爲什麼把吉伯救你的事刻在石上，而把他打你的事寫在沙子上？"馬沙說："我永遠都感激吉伯救我，至於他打我的事，隨著沙灘上字跡的消失，我也會全部忘掉。"

28. Ma Sha carved words on a stone because _____ .

    (A) he wanted to leave a sign to direct him on the way back

    (B) he wanted to leave a mark that he had been there

    (C) he wanted to leave a reminder that Ji Bo had saved him

    (D) he wanted to thank his gods for keeping him safe

29. From the passage, which of these would best describe Ma Sha?

    (A) He doesn't bear grudges.

    (B) He loses his temper very easily.

    (C) He is very ungrateful.

    (D) He always thinks of others before himself.

Read this public sign.

[Simplified-character version]

禁止鸣笛

[Traditional-character version]

禁止鳴笛

30. Where would this sign most likely appear?
    (A) On a freeway
    (B) Near a historical building
    (C) In a residential area
    (D) Beside a park

31. What is the purpose of this sign?
    (A) To tell people not to drive over a certain speed.
    (B) To tell people not to play the flute here.
    (C) To tell people that they cannot park their cars here.
    (D) To tell people not to sound their car horns.

Read this public sign.

[Simplified-character version]

请将您的手机调至静音

[Traditional-character version]

請將您的手機調至靜音

32. Where would this sign most likely appear?
    (A) On a bus
    (B) In a temple
    (C) On a plane
    (D) In an office

33. What is the purpose of this sign?
    (A) To ask people to lower the volume of the ring tones on their cell phones.
    (B) To ask people to switch off their cell phones.
    (C) To ask people to turn their cell phones to silent mode.
    (D) To ask people to not use cell phones here.

Section Two

I. Free Response (Writing)

Note: In this part, you may NOT move back and forth among questions.

Directions: You will be asked to write in Chinese in a variety of ways. In each case, you will be asked to write for a specific purpose and to a specific person. You should write in as complete and as culturally appropriate a manner as possible, taking into account the purpose and the person described.

1. Story Narration

The four pictures present a story. Imagine you are writing the story to a friend. Narrate a complete story as suggested by the pictures. Give your story a beginning, a middle, and an end.

2. Personal Letter

Imagine you received a letter from a pen pal's mother who is a school curriculum researcher. She is conducting research on the AP program now. She would like to know how much you know about the AP program, and what are your opinions and attitudes towards it. Write a reply in letter format.

3. E-Mail Response

Read this e-mail from a friend and then type a response.

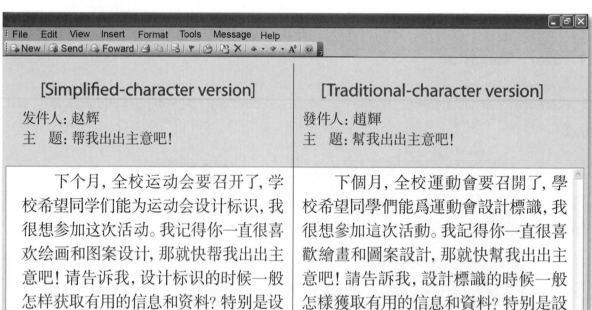

File　Edit　View　Insert　Format　Tools　Message　Help

New | Send | Foward |

[Simplified-character version]

发件人: 赵辉
主　题: 帮我出出主意吧!

　　下个月, 全校运动会要召开了, 学校希望同学们能为运动会设计标识, 我很想参加这次活动。我记得你一直很喜欢绘画和图案设计, 那就快帮我出出主意吧! 请告诉我, 设计标识的时候一般怎样获取有用的信息和资料? 特别是设计一个运动会的标识, 你在色彩上、图案设计上有什么好的想法? 等候你的回复, 谢谢!

[Traditional-character version]

發件人: 趙輝
主　題: 幫我出出主意吧!

　　下個月, 全校運動會要召開了, 學校希望同學們能爲運動會設計標識, 我很想參加這次活動。我記得你一直很喜歡繪畫和圖案設計, 那就快幫我出出主意吧! 請告訴我, 設計標識的時候一般怎樣獲取有用的信息和資料? 特別是設計一個運動會的標識, 你在色彩上、圖案設計上有什麼好的想法? 等候你的回覆, 謝謝!

4. Relay a Telephone Message

Imagine your sister is not feeling well and your mother takes her to the clinic. You arrive home and listen to a voice message from your grandma. The message is for your mother. You are about to go out so you have to leave a note to your mother. You will listen twice to the message. Then relay the message, including the important details, by typing a note to your mother.

II. Free Response (Speaking)

Note: In this part, you may NOT move back and forth among questions.

Directions: You will participate in a simulated conversation. Each time it is your turn to speak, you will have 20 seconds to record. You should respond as fully and as appropriately as possible.

1. Conversation

You are having a conversation about China with a reporter from a Chinese newspaper.

Directions: You will be asked to speak in Chinese on context topics in the following two questions. In each case, imagine you are making an oral presentation to your Chinese class. First, you will read and hear the topic for your presentation. You will have 4 minutes to prepare your presentation. Then you will have 2 minutes to record your presentation. Your presentation should be as complete as possible.

2. Cultural Presentation

In your presentation, talk about what you know about Chinese tea culture.

3. Event Plan

You have the opportunity to organize a New Year activity for all students in your school. In your presentation, explain your plan to your classmates, including arrangement details and the reasons for these arrangements. Compare your proposal to other alternatives.

期末綜合訓練參考答案

Section One

I.   Multiple Choice (Listen to the dialogs)
     答案:

1. C	2. D	3. A	4. D	5. C	6. B
7. B	8. A	9. C	10. D	11. C	12. B
13. A	14. C				

     聽力錄音文本:

1. (Man)   您好，請問去第二醫院是走這條路嗎？
    (Woman)   (A) 第二醫院是個非常好的醫院。
              (B) 今天的天氣真不錯。
              (C) 你已經走過了。
              (D) 去第二醫院的人很多。

2. (Woman)   你買的草莓多少錢一斤？
    (Man)   (A) 我買的草莓很大。
              (B) 你買的草莓五塊錢一斤。
              (C) 梨比草莓貴。
              (D) 三塊錢。

3. (Woman)   這件衣服你穿著覺得大嗎？
    (Man)   (A) 我覺得不大不小，正好。
              (B) 這是我花50塊錢買的。
              (C) 我覺得這件衣服的顏色很好看。
              (D) 買這件衣服的人很多。

4. (Man)   這種藥我一天應該吃幾次？
    (Woman)   (A) 我剛從醫院回來。
              (B) 我吃過兩次藥了。
              (C) 病了三天了。
              (D) 最好三次。

5. (Woman)   你想喝點什麼？
    (Man)   (A) 謝謝，你現在很渴。
              (B) 你不喜歡喝茶。
              (C) 給我來一杯咖啡吧。
              (D) 我現在吃飽了。

6. (Man)   現在去中國銀行還能換錢嗎？
    (Woman)   (A) 銀行就在學校旁邊。
              (B) 銀行已經下班了。
              (C) 我不知道銀行在哪兒。
              (D) 銀行的工作很忙。

7. (Woman) 這雙鞋太貴了，你能便宜點兒嗎？
   (Man) (A) 這雙鞋一點兒都不便宜。
   (B) 這已經是最低價了，不能再低了。
   (C) 你穿這雙鞋一點兒也不好看。
   (D) 對不起，鞋已經賣完了。

8. (Man) 你打算什麼時候去教室？
   (Woman) (A) 八點吧。
   (B) 現在八點了。
   (C) 那還去教室幹嘛？
   (D) 我沒戴錶。

9. (Woman) 我可以和你換一下房間嗎？
   (Man) (A) 這裏很熱。
   (B) 我喜歡。
   (C) 好吧。
   (D) 這個房間很好。

10. (Woman) 您好，請問還有明天從北京去上海的機票嗎？
    (Man) 很抱歉，明天的票已經都賣完了。後天的可以嗎？
    (Woman) (A) 我不想去上海了。
    (B) 你們的機票價格太貴了。
    (C) 我不喜歡坐飛機。
    (D) 給我來一張吧。

11. (Man) 晚上一起去看電影好嗎？
    (Woman) 我的作業還沒寫完呢。
    (Man) (A) 那我們現在就走吧。
    (B) 我們一起去公園吧。
    (C) 那我們改天再去吧。
    (D) 你們不喜歡看電影嗎？

12. (Man) 晚上去哪兒吃飯？
    (Woman) 隨便，去哪兒都行。
    (Man) (A) 那晚上就去吃飯吧。
    (B) 那我們就去學校旁邊那家吧。
    (C) 我現在還不餓呢。
    (D) 我晚上沒時間。

13. (Woman) 你的自行車能借我騎一下兒嗎？
    (Man) 對不起，我的車借給小王了。
    (Woman) (A) 那算了吧，謝謝。
    (B) 我先去學校了，謝謝。
    (C) 你有小王的自行車嗎？
    (D) 謝謝，我明天就還你。

End-of-Term Test — Answers
期末綜合訓練參考答案

14. (Man)   明天上午八點我在圖書館門口等你，別忘了啊。
    (Woman) 不會忘的，明天見！
    (Man)   (A) 我明天不去圖書館。
             (B) 明天我們一起去吧。
             (C) 好的，明天見！
             (D) 明天幾點見？

II. Multiple Choice (Listen to the selections)
    答案：

1. C	2. D	3. B	4. C	5. D	6. B
7. D	8. A	9. D	10. A	11. C	12. B
13. C	14. D	15. D	16. B	17. A	18. D

聽力錄音文本：

Selection 1

(Narrator) Now you will listen twice to a voice message.

(Woman) 同學們，你們好，很高興認識大家！今天是我們這個學期的第一節課，我想先簡單地介紹一下這個學期我們要學習的內容。前四個星期我會介紹中國的歷史，讓大家對中國的過去有一個總體的認識。後四個星期，我們會一起來討論中國現在社會的方方面面。待會兒我會發給每個同學一份書單，上面列出了我建議大家看的書。我希望……

(Narrator) Now listen again.

(Narrator) Now answer the questions for this selection.

Selection 2

(Narrator) Now you will listen twice to a conversation.

(Woman) 時間過得真快，眼看我們就要畢業了。

(Man) 對，四年一下子就過去了。我們就要離開學校了。

(Woman) 畢業以後你會工作還是讀研究生？

(Man) 我本來打算上研究院，可是我的申請失敗了。

(Woman) 沒關係，先工作一段時間，積累一些經驗，明年肯定有希望。

(Man) 謝謝！我也是這麼想的，明年再來。

(Narrator) Now listen again.

(Narrator) Now answer the questions for this selection.

Selection 3

(Narrator) Now you will listen twice to a voice message.

(Woman) 李軍，你好！我是王鵬。我打電話是想問問你，這個星期什麼時候有空。我和另外幾個同學都覺得好長時間沒有見面了，應該聚聚了。唐建他們不想再去我們以前常常去的那家飯館，要求換個新地方。所以聽到我的留言以後請你給我回一個電話，告訴我你什麼時候方便。另外，關於聚會的地點你有什麼好的建議，也可以告訴我。

(Narrator)	Now listen again.
(Narrator)	Now answer the questions for this selection.

Selection 4

(Narrator)	Now you will listen twice to a voice message.
(Woman)	大家好！下面我向大家説明怎麼使用我們這兒的洗衣機。每一層樓的洗衣房都有三臺洗衣機。如果你想在這兒洗衣服，你得先到服務臺去辦一張卡。每張卡五十塊錢，可以洗十次。另外，在服務臺你還可以買到洗衣粉。洗衣服的時候，你先把卡插進去，然後按"開始"鍵就可以了。洗一次衣服大概需要一個小時。很抱歉，這兒的洗衣機沒有烘乾的功能，所以你想烘乾的話，只能去別的公寓樓。謝謝！
(Narrator)	Now listen again.
(Narrator)	Now answer the questions for this selection.

Selection 5

(Narrator)	Now you will listen twice to a conversation.
(Woman)	王鵬，下課後一塊去打籃球嗎？
(Man)	還有誰去？
(Woman)	我還没問其他的人呢！我這就去問問。
(Man)	你問了別人再來找我吧！人少的話，我就不想去了，一兩個人打没意思。
(Woman)	我們可以在操場上找別人一起玩呀。去吧！
(Man)	如果那人打得不好，那更慘了！再説吧！
(Narrator)	Now listen again.
(Narrator)	Now answer the questions for this selection.

Selection 6

(Narrator)	Now you will listen twice to a voice message.
(Woman)	您好，歡迎您乘坐北京公交的旅遊巴士。本車的起點站是天安門，終點站是八達嶺長城，途經京承高速公路，車程大約13公里，歷時一小時四十五分鐘。本車早上五點發車，每一小時發一趟。最後一班車是下午五點。祝您旅途愉快！
(Narrator)	Now listen again.
(Narrator)	Now answer the questions for this selection.

III. Multiple Choice (Reading)

答案：

1. C	2. B	3. A	4. B	5. B	6. C
7. D	8. B	9. D	10. B	11. B	12. D
13. B	14. C	15. C	16. B	17. C	18. B
19. B	20. D	21. C	22. A	23. C	24. A
25. B	26. C	27. D	28. C	29. A	30. C
31. D	32. B	33. C			

End-of-Term Test — Answers
期末綜合訓練參考答案

Section Two

I.   Free Response (Writing)

1.   Story Narration

The four pictures present a story. Imagine you are writing the story to a friend. Narrate a complete story as suggested by the pictures. Give your story a beginning, a middle, and an end.

寫作提示：

這則看圖寫作主要考查你對事件發展過程的理解和描述。請參考下列表述：

(1) 交代事件的開始。

> ……時候，……要去……做……，爲了／因爲……，他叫了一輛出租車，身後背著一個大背包。

(2) 敘述事件的進展。

> 大約……（多長時間）後，他到了……，急急忙忙下了車。

(3) 突出事件的變化。

> ……以後，回到家，他突然想起背包落在了出租車上。於是，他……給……打電話。電話中，……向他詢問出租司機的外貌特徵，他說明了司機是一個……的人。

(4) 交代事件的結局和人物狀態。

> ……以後，司機果然送來了他遺忘的背包，他非常感謝，這時，司機要求他……

2.   Personal Letter

Imagine you received a letter from a pen pal's mother who is a school curriculum researcher. She is conducting research onn the AP program now. She would like to know how much you know about the AP program, and what are your opinions and attitudes towards it. Write a reply in letter format.

回信建議：

這是一封爲了瞭解AP課程的信件，你可以這樣回信：

(1) 問候語。由於對方是長輩，所以要使用敬稱 “您”。

(2) 重複主要信息。

> 您在信中問到了關於……的問題，現將我的想法答覆如下，希望能對您有所幫助。”

(3) 主要內容。這封信件要求表達你對AP課程的瞭解、看法和態度，因此也應該按照這樣的層次展開寫作。

　① 當説到你對某個專題的瞭解時，常用這樣一些句型和表達式：

據我所知……

在我的印象中……

我所知道的……是這樣的……

　② 説到你對某個內容的看法時，最簡單的表達方式就是：

我覺得……

我認爲……

在我看來……

這時，除了説清楚你的基本看法外，比較重要的是進一步闡明你這些看法産生的主要原因，這樣不僅有利於別人理解你的看法，也會使表述顯得有深度。常用的句型也是我們在書中多次練習過的，如：

之所以這樣想，是因爲……

我覺得……因爲……

　③ 接下來應該具體陳述你對AP課程的態度。對AP課程僅用"喜歡"或"不喜歡"不足以説明你對它的態度。你可以通過自己對AP課程的具體選擇來表明實際態度，並注意在語言的表述上要與前面的內容保持一致。比如：

正因爲我覺得……所以我選了／没有選AP……課程，我希望……

(4) 祝福、署名和寫信日期。

3. E-Mail Response

Read this e-mail from a friend and then type a response.

發件人：趙輝

主　題：幫我出出主意吧！

下個月，全校運動會要召開了，學校希望同學們能爲運動會設計標識，我很想參加這次活動。我記得你一直很喜歡繪畫和圖案設計，那就快幫我出出主意吧！請告訴我，設計標識的時候一般怎樣獲取有用的信息和資料？特別是設計一個運動會的標識，在色彩上、圖案設計上有什麽好的想法？等候你的回覆，謝謝！

回信建議：

(1) 由於這是一封非常有針對性的求助郵件，所以你回覆的郵件可以開門見山，直接寫明你的建議。如：

根據我的經驗，設計標識要注意這樣幾個問題：第一……第二……

我認爲，爲一項活動設計標識，主要應突出這樣幾個方面：色彩上要……圖案設計方面要……

(2) 由於你並不清楚設計的具體要求，所以，你可以向朋友提供獲取有關信息的渠道或途徑。比如：

當然，我説的這些經驗只是我個人的感受，由於不清楚你們學校運動會的具體情況和設計的具體要求，可能這些建議對你並不適合。因此，我建議你從下面這些地方查找更直接的資料或信息：你可以……還可以……也可以……如果……也許會有收穫。

(3) 結束部分。可以對朋友的這次設計活動給予鼓勵，或預祝他成功。

End-of-Term Test — Answers
期末綜合訓練參考答案

4. Relay a Telephone Message

Imagine your sister is not feeling well and your mother takes her to the clinics. You arrive home and listen to a voice message from your grandma. The message is for your mother. You are about to go out so you have to leave a note to your mother. You will listen twice to the message. Then relay the message, including the important details, by typing a note to you friend.

(Man)正華，還不在家嗎？你是不是帶艾米去醫院了？其實，我覺得艾米可能沒什麼大問題。最近天氣變化大，很多小孩子感冒、發燒。如果艾米沒有其他特殊癥狀，你就讓孩子多喝水，飲食上保持清淡，再吃點常見的治小孩感冒的藥。要是發燒的話，如果體溫超過38.5℃，就用點退燒藥，不過，記住退燒藥最多四個小時一次，別用得太多了。這樣讓孩子好好休息幾天，我估計就好了。我當了這麼多年大夫，你聽媽媽的，沒錯兒。回家後給我回個電話吧。

轉述建議：

這則電話留言包括兩個方面的內容：一是姥姥覺得艾米沒什麼大問題，吃點藥、休息幾天就會好；二是告訴正華對於艾米的病應該怎麼做，包括飲食及服藥的注意事項。轉述時還要注意稱呼的使用和人稱的轉換。你可以這樣轉述：

媽媽：

您出去的時候姥姥給您打來電話，主要是想告訴您……，她說最近……，所以提醒您要讓妹妹……，她還特意說退燒藥……。您回家後記得給姥姥回個電話。

II. Free Response (Speaking)

1. Conversation

You are having a conversation about China with a reporter from a Chinese newspaper.

(1) 問題一：你所知道的中國是什麼樣的？

回答建議：

對於這個問題的回答，可以先說總體的印象，比如：

我覺得中國是一個……的國家。

我所知道的中國是一個……的國家。

然後再就你所知道的方面說得具體一些，如中國的經濟、中國的飲食、中國的歷史等等。回答時，注意時間的把握。

(2) 問題二：你的這些印象都是怎樣得來的呢？

回答建議：

你可能是通過讀書知道的，可能是通過朋友知道的，也可能是去中國看到的，等等。但需要注意的是，不能只用一句話來回答這個問題。如果你是通過讀書知道的，你可以接著說一下這本書的名字，這本書的主要內容等等；如果你是去中國看到的，你可以接著說你什麼時候去的中國，去了哪些地方等等。可使用的句式：

我的這些印象是從……得來的。

我是通過……知道的。

(3) 問題三：你覺得中國這些年最大的變化有哪些？

回答建議：

你可以先回答中國最大的變化是什麼，然後再說得具體一些。比如：

我覺得中國這些年最大的變化是……例如……等等，變化都很大。

(4)　問題四：在一些人的印象中，中國製造的大量日常生活用品在美國有一定影響，你對此有什麼看法？

回答建議：

　　這個問題需要你表達自己的觀點。你可以使用"我認為……""我覺得……""雖然……但是……"等表達式來表述你的觀點。如果你回答的內容很充實，那麼你可以直接表達自己的觀點；反之，則可以採取重複問題方法，如：

　　　　有人覺得中國製造的生活用品在美國有一定影響，我覺得不是這樣/我的看法也是這樣。

(5)　問題五：那麼，反過來，你覺得美國對中國的影響有哪些？

回答建議：

　　你可以用列舉的方法來回答這個問題。比如：

　　　　中國對美國的影響主要有如下幾個方面：一是……二是……三是……

　　　　美國對中國的影響，首先在……方面，其次在……方面。

　　注意你的回答不能超過規定的時間。

(6)　問題六：你對中國的未來有什麼樣的預測？為什麼？

回答建議：

　　這個問題包含兩個小問題，一個是你的預測是什麼，另一個是你這樣預測的理由。你可以使用這樣的句式：

　　　　我覺得中國將來會……因為……

　　　　我認為中國的未來……因為……

2.　Cultural Presentation

In your persentation, talk about what you know about Chinese tea culture.

回答建議：

　　可以從以下幾個方面回答：

(1)　茶的起源。中國是最早把茶作為飲料的國家，也是最早種植茶樹的國家。

(2)　茶的種類。中國的茶，按照製作方法可以分為綠茶、紅茶、花茶、烏龍茶、普洱茶等不同的種類。

(3)　中國茶葉的著名品牌。如西湖龍井、黃山毛峰、信陽毛尖、六安瓜片、茉莉花茶、凍頂烏龍等。

(4)　還可以談談中國人的飲茶習慣以及茶文化的相關書籍等等。有關茶文化的內容可以參考教師用書第九課的文化參考資料部分。

3. Event Plan

You have the opprtunity to organize a New Year activity for all students in your school. In your presentation, explain your plan to your classmates, including arrangement details and the reasons for these arrangements. Compare your proposal to other alternatives.

回答建議：

一般來說，社團的新年活動可以分爲兩種類型，一種是展示性的，對一年内的活動成果進行回顧，並表達對新一年的期待；一種是聯歡性質的。如果是新成立的社團，也可以借新年活動宣傳自己，招收新成員。要根據社團的具體類型來設計新年活動。

我們已多次練習過活動計劃的表述。首先要説明想要達到的目的，然後陳述具體計劃，還要説明這樣安排的原因。

此外，爲了突出這一安排的優越性，也可以把自己的設計與其他可能的安排進行比較，通過這樣的比較進一步突出你安排的合理性和可行性。

從表達上説，需要綜合運用本書學習過的交際功能及其常用表達式。如描述内容的"……是這樣的，……""……包括……"等，説明原因的"之所以……是因爲……""由於／因爲……所以……"等，進行比較的"和……相比……""在……方面，……顯然比……更……"等。